易經繫傳別講（上）

南懷瑾先生 著

老古文化事業公司

易經繫傳別講 《上》

南懷瑾先生　著

辛未 1991(80)年四月臺灣初版
乙酉 2005(94)年九月臺灣初版廿三刷

有版權・勿翻印　　●局版臺業字第一五九五號●

發　行　人：南懷瑾・郭姮妟

出　版　者：老古文化事業股份有限公司

地　　　址：台北市106金山南路二段一四一巷一號一樓（附設門市）

郵政信箱：台北郵政一一七─六一二號信箱

電　　　話：（○二）二三九六─○三三七　　傳真：（○二）二三九六─○三四七

郵政劃撥：○一五九四二六─一　　帳戶名稱：老古文化事業股份有限公司

香港出版：經世學庫發展有限公司

地　　　址：香港中環都爹利街八號鑽石會大廈十樓

電　　　話：（八五二）二八四五─五五五五　　傳真：（八五二）二五二五─一二○一

網　　　址：http://www.laoku.com.tw

電子郵件：laoku@ms31.hinet.net

定　　價：新臺幣三○○元整

封面題字：王鳳嶠先生

國際標準書號：ISBN:957-9480-25-7

出版說明

編輯室

易經雜說出版已兩年多了，印行到四版，一直受到讀者極大的歡迎，爲此之故，我們加緊整理南大師一九八四年另一系列講座的紀錄，內容是周易繫辭上下傳全部。

在前出版的易經雜說一書中，也涉及到部分繫傳的內容，但是，雜說內容廣泛可使讀者瞭解易經的全貌，而本書則是後來完整的繫傳講錄內容；系統地介紹了孔子研究易經的心得，雖與雜說略有重疊，並不是重複，反而更得深廣解說之妙。

本書內容包含了政治藝術，身心修養之道，人文文化最高的哲理，以及作人作事的智慧之學。讀了這本書，你會發現易經是很平易的一種學問，是人人都需要的一種學問。最重要的是，本書會使你豁然開朗，智慧大增。

這本書能與讀者見面，閆修篆先生功不可没，是他在百忙中，抽暇整理錄音紀錄完成本書，因爲時間的因素，本書未交作者過目，請讀者原諒。

一九九一年二月

目錄

第一章 天尊地卑

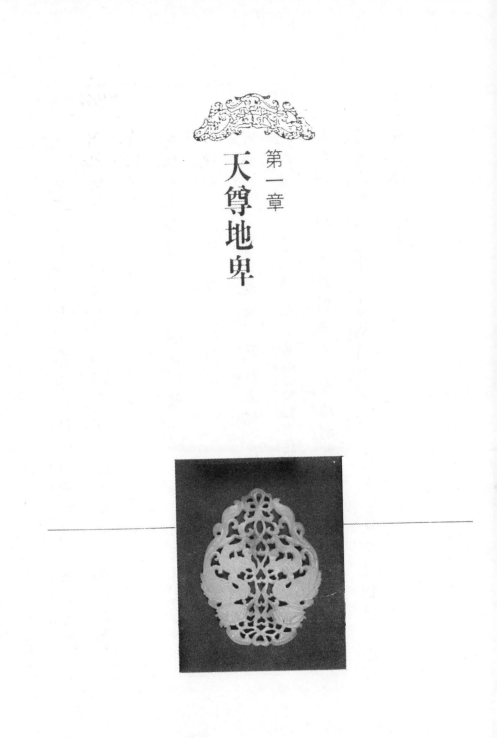

天尊地卑。乾坤定矣。卑高以陳。貴賤位矣。動靜有常。

剛柔斷矣。方以類聚。物以羣分。吉凶生矣。在天成象。

在地成形。變化見矣。

是故剛柔相摩。八卦相盪。鼓之以雷霆。潤之以風雨。日

月運行。一寒一暑。

乾道成男。坤道成女。乾知大始。坤作成物。

乾以易知。坤以簡能。易則易知。簡則易從。易知則有親。

易從則有功。有親則可久。有功則可大。可久則賢人之德。

可大則賢人之業。易簡而天下之理得矣。天下之理得。而

成位乎其中矣。

象數之鑰

易經的主要內容分三個方面，就是理、象、數，我們前面已經講過。眞正說到易的境界在象與數——卦象、卦數，數還包括了陰陽、五行。如果眞來研究，先後天八卦及八八六十四卦，必須要背得；大家沒有背得，象數的基本原則又不懂，將來研究起來會困難重重，等於沒用。你們各位都是同仁，也不便考試你們，要我眞正上課，我是很嚴格的。每人都要當面考試，當場來背，這是我們老規矩的教授方法。這個方式，不好意思對大家來用，但我還是要把傳統的教育方法告訴各位，希望大家注意。

什麼叫卦？何謂爻？如果弄不清楚，聽易經是白聽的。希望大家不要像看熱鬧、聽歌星唱歌一樣，那就沒有意思了。我今天很嚴謹的告訴大家，你們有人對象、數、卦、爻的基本法則、陰陽的原理原則還不清楚的，請先把過去我們講的再複習一下，這對大家今後的學習，會有很多方便。

我們要研究易經，先要瞭解孔子的繫傳，這是很重要的。易經的象數，就是我們一般觀念中的上知天文，下知地理，乃至算命看相、未卜先知那一套東西。要會那一套東西也是不容易的，必須要把象數眞弄通了，還要懂得

中國古代的天文學等等，才有點希望。差不多要幾十年的讀書、思考、研究。易經不是光憑記憶的，有些必須要靠自己的聰明去思考、去探討；易經也不是一個呆板的方式，運用到那一方面都可以的。但是如果要精通易經，便一定要從呆板的方法開始；而且易經象數的多種法則都要瞭解才行。

有關象數與易理，以後我們會更進一步給大家講，今天我們初步的研究，先把古代的方法告訴各位。大家必須知道，先把繫辭上下傳研究通了，你自己研究象數的鑰匙就可以拿到了，這是第一點。第二點，通了繫辭之後，對中國文化的根本，才真正有個認識。第三點，孔子的哲學思想，以及他一切理論及學說的來源，也都搞得清楚了。

易經是情報學嗎

今天我們來研究易經的繫辭上傳，還是用傳統的方法；像教中國哲學那樣的教法，來同大家研究。說到這裡，想到昨天有位同學，拿了一本「周易通論」給我看，這本書是大陸學者用很奇特的觀點來講易經的。純粹走郭沫若的那一套路線，認為易經是一部情報學，這本書台灣沒有出版。他們主要的觀點是說：易經的作者，當時被敵人俘虜了，為了向外面求救，就畫了很

多符號，所以他們認為八八六十四卦是作者為了求救，對外面通訊所用的方法。這套說法差不多已經有七八十年了，這種說法很可怕，把中國文化打得稀爛。

我們今天還是從中國文化本位的立場來研究，姑且認為易經的繫辭上下傳，是孔子研究易經的心得報告，同古人對所謂的十翼（這十翼就是孔子研究易經的十種心得報告）的看法一樣。這十翼對中國文化關係很大，大家懂了這一方面，對四書五經的原理，可以說大概已經貫通了。

基本上來說，繫傳的文字也很淺顯，很容易懂。大家要研究古文，想把文章寫好，便要先研究孔子的文章。如果我們講文學史，我認為繫傳是第一流的文學。像老子呀，莊子呀，乃至屈原的離騷，都是南方文化的系統，上古時候，我們的文化還沒有統一，各個地方不同。所謂齊魯文化，就是孔孟文化系統，他們也是古代的文學大家。大家若要知道孔孟的文章，僅僅讀一本論語、孟子、大學、中庸，是不夠的；還要看易經的繫辭上下傳，他的文學非常高明，一般人多忽略了。

這一段就文字上來看，大家很容易懂，很淺顯。但是，是不是真懂了這一段：

天尊地卑，乾坤定矣；卑高以陳，貴賤位矣；動靜有常，剛柔斷矣；方以類聚，物以羣分，吉凶生矣；在天成象，在地成形，變化見矣。

呢？在我的觀念裡，恐怕還差十萬八千里，也可以說完全不懂。十幾年前一位同學說：我們研究中國的易經，怎麼看都看不懂，現在我看了一本外國人翻譯的易經，一看就懂了。我說很好啊！你是中國人，我也是中國人，我們研究自己文化的易經，搞了幾十年還搞不懂，去學了幾年英文，再看外國人翻譯的英文易經，便真懂了易經；那些研究易經幾十年還不懂的中國人，可是真笨呀！看來說這些話的人真聰明，外國人也真聰明，如果這樣便真懂了易經，那就不叫易經了，不知該叫什麼東西才對。

這個意思大家知道嗎？與我們不同文化系統的人，研究我們另外一種文化系統，而能達到極高度的認識與境界，很輕鬆就弄通了，這是不可能的。我們中國人很少讀中國書，讀了一輩子書，連中國的文章還是寫不通。所以我們自己本身學自己的文化，想把自己的文字寫得好，都還做不到；一個學英文出身的外國人，把易經一下子就學懂學通了，恐怕沒有那麼簡單。

天尊地卑，乾坤定矣。 文字非常簡單，這就是孔子研究易經的心得。

我們學易經，大家要知道，現在我們稱易經為周易，周易是周文王整理的；另外還有兩種易經，就是連山易與歸藏易。這三本易經統稱為三易。連山、歸藏，據說已經沒有了，失傳了，但是我們還可以從象數裡邊看到一些

。大家要研究連山易、歸藏易，有一本書叫易緯，簡單明瞭。還有一本書叫關朗易傳，或者也可以約略的看到一點影子。不過話雖這麼講，眞正研究起來，卻不簡單，並不容易都能懂得。

三墳 五典 八索 九丘

現在先跟各位講一個故事：清朝初年有個才子，就是非常有名的袁枚——袁子才。他是乾隆時代的人，他的詩詞是性靈派，等於現代人主張隨口說出來，不加修飾，有思想、有靈性、有感情；不要那麼古板，我也非常贊成。

他當時遭人反對，但他的確是當代的才子，所以他考取進士，做了兩任縣官，四十多歲就辭官不做了。他把紅樓夢在南京的大觀園買下來，改名隨園，自己享了一輩子清福，眞正是天下聞名的才子。他在隨園門口掛了一副對子，頗爲自豪：

此地有崇山峻嶺茂林修竹。

斯人讀三墳五典八索九丘。

當時另一位名士叫趙翼的，是清代有名的歷史學家，也是很有名的詩人，也是才子之一。他很不服氣，故意要來挖苦他，有一天趙翼到了南京，用

紅帖子寫了自己的名字（唐宋時的名帖叫刺），親自拿著來訪袁枚。剛好袁枚不在，家人很客氣的招待趙翼，「請問趙先生來訪有什麼事嗎？」他說我沒有事，祇是想來借兩部書。家人問他借什麼書？他說三墳五典八索九丘，借去看看。袁子才回來知道他是來找麻煩的，便把門口對聯拿掉了。

三墳五典八索九丘，不要說現代人不知道，連我們當時的袁先生也弄不清楚。三墳是什麼？三墳就是三易：連山、歸藏、周易。五典呢？就是五經，或者說是尚書，洪範五福。八索就是八卦。九丘就是九疇，就是河圖洛書的理數。老實說，這些東西袁子才也都讀過，但真要談研究易經，實在說，他也並不很內行。所以趙翼故意來整他一下，出他的洋相。

這個故事說明什麼呢？說明讀中國古書之難，不是那麼容易的。

符號邏輯

我們講繫傳，一開始就講到乾坤兩卦，這兩卦過去我們都講過的。連山易是以艮卦開始，艮卦代表山，像山之出雲，所以叫連山易；那是神農時代的易。歸藏易是黃帝時代的易，以坤卦為第一卦。我們手裡的易經——周易，則是以乾坤兩卦開始。

大家要知道，所有的卦都是一個代號，借用現在最新的科學名辭來說，就是符號邏輯。可是你要知道啊，千萬不能說我們中國文化的易經「就是」符號邏輯，「就是」兩個字就用錯了。符號邏輯是最近新興的人文科學，是從蘇聯開始，現在美國也很流行。如果提到西方符號邏輯的科學精神，可以說我們中國幾千年以前都已有了。例如我們易經的，它就是一種符號邏輯，但是如果說我們易經就是符號邏輯，那就錯了；這就是不懂中國文化，把他打三個耳光還算客氣的，在古代應該拉下來打三百大板，因為他的書根本就沒有讀通。為什麼呢？我們老祖宗這個易經，在幾千年以前就已經有了。而符號邏輯是近幾年，還不到一百年來新興起的一種東西。硬要把我們幾千年以前的老祖宗，拿來跟人家外來的文化孫子比，「哎呀！你的東西真好呀」，我們中國的易經講的跟你們一樣呀！」這豈不是笑話！這是不通的，所以大家要注意。

現在我們回轉過來，說乾坤也好，八八六十四卦也好，借用西方人文科學新興的觀念來講，它是個符號。說他是符號邏輯也好，邏輯符號也好，如果一定要說他是什麼東西，無法下一個定義。

譬如乾坤兩卦，乾代表天，坤代表地。拿人來講，乾又代表男的，坤又代表女的。拿我們本身來講，乾又代表頭，坤代表肚子。拿中國歷史來講，

乾代表後面，坤代表前面。所以說它是不定的，放到那一面都可以。假設現在我們拿乾坤兩卦來說，乾代表我們的頭部，坤代表肚子，只是拿它來做代號，是一個標記。如果你非要確定的說乾坤兩卦是什麼，那你就根本不宜學易經。所以說學易經一定認為乾卦代表什麼，坤卦代表什麼，你就把它看得死板了，你學易經便不會通了，永遠不會通了。因為它適用於任何方面，物理也好，化學也好，這個道理要搞清楚。但是孔子的報告，是一個總綱的報告，乾坤兩卦代表了大自然的物理世界，它是代表了物理世界這個大自然的符號。乾坤代表了天，坤代表了地，我們現在這個宇宙，乾坤這兩個符號就作了代表。

易經文化中的尊卑

就中國文字來看，如果認為：天高高在上是很尊貴的；地在下，便很卑賤，很下賤，這種看法又是胡說，該打三百大板。天尊是尊貴、尊遠。我們仰頭一看這個太空，天在上面；到了太空，我們的頭頂上還有太空，永遠的虛空，無量無邊的虛空。在我們上面永遠很高遠，很尊貴的，這就叫做天。地很卑近，卑者近也。尤其是我們人類的文化，就是大土地的文化。人

離不開土地，這個地球、土地對我們很卑近。換句話說，卑就是很淺近，很淺，很近。所以說：天，那麼高遠，無量無邊的空間，永無止境；地，我們這個地球，同我們人文文化關係那麼密切，非常切近。懂了這個原理，有了這個觀念，再來研究易經就方便多了。因為我們對這個天的研究，太空的研究，內容太多太多了。就是地球物理的研究也太廣泛了，沒有辦法記述。因此古人便歸納為兩個簡單的符號，所以說天尊地卑，乾坤定矣。

何以叫做定呢？定是確定的法則，不能變動的。譬如我們站在地面上，一看頭上就是天，到了飛機上，向高空上面一看，外面處空上還是天，到了太空外也還是天。凡是我們腳跟踩的那個，那就是地。譬如太空人，在大空裡頭沒有辦法落地，永遠在轉。踏得到的那個東西，腳踏實地的，那個便叫地。這個法則是不能變動的，所以說乾坤定矣。

好了，現在我們瞭解了天尊地卑，乾坤定矣。這兩句話，有那麼多的意思；如果我們不加研究，一看文字，我也懂呀！跟白話一樣嘛！可是進一步來探討呢！實在沒有懂。現在同時告訴大家，我們所講這個天尊地卑，乾坤定矣這個文化，由來很久遠了。過去我們看到某家少爺跟某家小姐定婚，來定矣這個文化，由來很久遠了。過去我們看到某家少爺跟某家小姐定婚，來個紅帖子，吃了人家的喜餅，大家不約而同的會說：「很好很好！乾坤定矣」。婚約定了，便是乾坤定矣。古人在婚書上寫著「上昭天地神明祖先，兩

人永結同心」字樣，不像現在的結婚證書，是為將來離婚，準備打官司時用的，還要有介紹人、公證人，準備將來上法庭當證人，這是從西方文化傳來的風俗。

獨立的方塊字

天尊地卑，乾坤定矣。這兩句話、八個字，就說明了周易是以乾坤兩卦做開頭；換句話說，宇宙物理的法則，到達了人文物理，到達了地球物理。下面卑高以陳、貴賤位矣。這句話解釋天為什麼那樣尊，地為什麼叫做卑，卑高是翻轉過來的運用。

我們看到中國文字，就想起了一個問題，現在的讀書人，沒有學多少西方文字，便批評中國文字不合邏輯。像這裡，有人會認為應該是，高卑以陳才對。因為高是天，卑是地。上面說天尊地卑，跟著下來的解釋又翻過來說卑高以陳，這是倒轉的用法，要說中國文字不合邏輯，是自己沒有弄清楚，就隨便批評。因為中國文字的文章邏輯與西方不同，它是一種獨立的方塊字，一個字代表了好幾個觀念、好幾個意思。現在從白話教育入手，很多人反而不認識中國文字了。要好幾個中國的方塊字湊攏了，才能表達一個觀念。

真要研究中國文化、中國文字的人，認得了中國字，懂了這個字，便已懂了很多的觀念、很多的思想了。這一種文字學問，現在變成專門啦！到了大學、研究所，才開始中國文字的研究，我們當年七八歲就開始了。

現在叫文字學，當年叫小學，所以我們中國的古禮，六歲入小學，就是學這個——天字為什麼這樣寫法？地字為什麼這樣寫法？它是屬於那一部的？那個範圍的？文字加上釋義就叫訓詁；一個方塊字包括了六書的意義，發揮起來就多啦！諸如字形的演變與字義的由來，它的反切、音韻等等，本身就構成了一門學問。它的文字邏輯，不是西方白話文那個邏輯，因此它可以隨便運用自如。中國文字的每一個字，不僅具有獨立的一個觀念，也往往會連帶了很多的觀念；不管你怎麼擺、怎麼配合，它轉了一個圈，回來還是那個意義。因此把第二句話解釋為卑高以陳，並不影響卑與高個別的含義。

天是那麼高遠，無量無邊；地同我們的關係那麼切近，那麼卑近，那麼地有關聯。以陳，這個自然界現象，停留在那裡，我們的生活天天可以接觸它，隨時隨地、每一秒鐘、每一個空間都接近天地。一個高遠的天，一個切近的地，卑高以陳，它自然陳列，擺在那裡。

貴賤位矣。因此形成人類心理觀念上的貴與賤，這個位置確定了。為什麼呢？人類有個很大的毛病，拿不到的東西，永遠是高貴的；得到了就不珍

貴，就看不起，就卑賤了。沒有發財的人，看到錢，做夢都在想；但有了錢，錢多了的，不知道錢該怎麼用，會討厭那個錢，聽到錢字便煩厭了——當然煩歸煩，喜愛還是喜愛的。

遠近、難易與貴賤

貴賤問題是由於人情的重遠、輕近來的。人類的心理毛病，喜歡遠的事情、困難的事情，尤其是不易得到的事情，所以重難而輕易。越是困難越是拿不到的，越是感到名貴得很，外來和尚會唸經，因為他難得請。所以說人情重難而輕易，輕視容易的東西。「重難而輕易」是古文，我給它加上「重遠而輕近」，重視遠大高遠摸不到的東西，輕視眼前容易得到的東西。

還有，我再給它加上「重死而輕生」，死了的人、古人都是好的，活著的人都差不多，沒有什麼了不起。有些同學們常說，老師真了不起，還有人給我他們開玩笑說：我現在沒有什麼了不起，死後我有三千年大運，還有人給我修廟子，你們最好再投胎來做我廟子的管理人，可以借我的招牌發財了！人活著沒有什麼稀奇的，死了就是好的，這個道理你懂了，你就知道了**卑高以陳，貴賤位矣**的道理。

所以「卦」，沒有那個叫做好的，沒有那個叫做不好的，天底下的事也是一樣，希望而得不到的才是最好的。大家看李商隱的詩，人到老了還有那個境界：「此情可待成追憶，只是當時已惘然」。如果兩個人結婚了，說不定到六十歲還打離婚官司呢！就沒有「此情可待成追憶」了。所以人類心理上貴賤的道理你懂了，像算命卜卦，便沒有什麼可算、可卜的了。「善易者不卜」，易經道理你懂了以後，不要算命，也不要卜卦，一切事情就都懂了。

有些做生意的同學來找我，說請老師為我卜個卦，我說問什麼？他說做生意，我說我已經給你卜好了，不是賺錢，就是賠本，祇有賺賠兩條路，沒有中間路線。你說生意做了三年，沒賺錢也沒賠本，我說那你就已經賠本了，你的時間精神就已經賠下去了。你問吃藥對不對？不是死就是活，沒有中間的。善易者不卜的道理，也是這樣。你懂了這個道理，再讀古書，再讀孔子的文章，那你便更加佩服、更加讚嘆了⋯⋯「哎呀！孔老二的文章，這位老夫子實在有一套」。不過他的文字很簡化，如果現在的人，每兩句話都可以做一篇博士論文。你發揮引伸起來非常之多，現代博士論文容易寫，引經據典，古今中外的參考書拿個幾百部，尤其找那些評審都沒有看過的參考書，這可眞把他們嚇一跳；然後寫完了，一篇論文拿出來，學位也拿到了。不過讀完了這篇洋洋數十萬言的論文，所有的意見都是別人書上的，問你老兄的

意見究竟是什麼？我什麼意見都沒有。可是古人不同，他很簡單的幾個字，包含的內容那麼多。所以我說文字好懂，內容難懂。現在我們曉得**卑高以陳**，**貴賤位矣**，連接到上文**天尊地卑**，**乾坤定矣**八個字，介紹了天地宇宙的道理。

宇宙的生命

跟著下來，他講這個宇宙自然的法則：

動靜有常，剛柔斷矣。 學易經這個地方要特別注意，陰陽有時候代表固定的東西，有時候又代表了不固定的，剛與柔、動與靜都是抽象的名詞，也可以說是實體的名詞。實體也好，抽象也好，都是人為的假定。人們把搖擺的叫做動態；安定的、死板的叫做靜態。假如我們老祖宗最初把那搖擺的叫做靜態；把死板的叫做動態，那我們現在的觀念裡，對「動」「靜」的看法便完全兩樣了。所以，「動靜」、「陰陽」，都是人為假定的東西。

不過，既然老祖宗們這樣假定了，天地間的形象既然也有動有靜，再把兩種形象用卦來表示：靜態拿坤卦來代表，是屬於陰的；動態的東西拿乾卦作代表，是屬於陽的。這個要注意啊！你們打坐修道的更要注意！動起來是

屬於陽的，靜下來是屬於陰的。陽的符號代表動態的是乾卦，陰的符號代表靜態的是坤卦。

動靜有常，這個宇宙間的地球、太陽、月亮、星星，隨時都在轉動。以中國文化──易經的法則來看，這個宇宙是動態的宇宙，不是靜態的宇宙。很多人講中國文化都講錯了，像過去胡適之先生就大錯而特錯，認為中國文化是靜態的。後來朋友們告訴我，我說反正他幾十年來都是這樣，沒有什麼好駁的。他們一定要我提出些意見，我說中國文化那裡是講靜態的？從易經開始就曉得宇宙生命永遠在動，是個恆動的。宇宙生命如果不動，如果有分秒的靜止，便乾坤息矣；這個太陽系統便整個都要毀滅了。所以說這個道理你們要知道，你們打坐入定了，你們以為自己在入定，其實入定是個大動。動得太厲害時，反而覺得是一種靜態，大家不懂這個原理，就搞不清楚真正所謂的動與靜了。

動靜是講什麼呢？是講物理世界的現象，物理世界──這個太陽、月亮、地球的轉動，**動靜有常**，有一個固定的法則，是有常規的，不能改變的；自然的法則是規律的。

有一次我被他們拉去講工業設計的科學與哲學，我說對不起！我對這個是外行，他們給我找了好幾本外文的、中文的工業設計繪圖的書籍，他們說

這就是工業設計，故意做成這個樣子，是一種新的設計。我拗不過他們，祇好答應去講，後來為他們講藝術的境界美。

什麼叫做美？東方的藝術境界美是自然的美，就是不規則的；西方的美是非常規則的美。有規律、規則的美，是違反自然的人為的；不規則的美是天然的。所以中國繪畫就很不規則，中國的山林藝術也很不規則，大家看盆子裡本來好好的一棵松樹，偏偏要用鐵絲把它彎起來，使它長成彎彎的形狀，認為這樣才美。西方的不同，西方是把它剪得圓圓的，像個筆筒一樣才算美。

很多人去美國看尼加拉瀑布，認為好美。大家沒有見過中國深山中的瀑布，好瀑布是不規律的，但是非常美。自然的法則，在不規律裡面有它非常嚴整的規律，非常美的規則；這是自然，也就是動靜有常的道理。

剛日讀經　柔日讀史

動靜有常，講物理世界一切的活動，不規律裡邊有它自然的規律，而且不能違犯。像太陽如果不是從東方上來，如果倒回來一轉，我們就受不了啦，地球馬上就要毀滅。動靜有常，動、就是代表物理世界的常態。

剛柔斷矣，「剛」「柔」也是兩個代號，代表宇宙的進化，已經到了物質世界，但是物理世界還沒有成形。譬如太陽、地球、月亮，這個是物質；物質世界在易經不叫做陰陽，而是剛柔。**剛柔斷矣**，不是折斷了，是確定的意思。物質世界有剛有柔，譬如土地、巖石是剛強的；水是柔的，一剛一柔確定了的，這就是斷矣。所以「動靜」是講物理世界，動靜有常是講物理世界的法則；「剛柔」是講物質世界的法則。原理都差不多，因此你學了易經，便暸解了物理世界與物質世界的法則。

大約二十多年前，在一個朋友家裡吃飯，他客廳裡掛了一副對子說，「剛日讀經，柔日讀史」。大家看了都說這個字寫的好呀！我說字寫的是好，大家不好意思問什麼叫剛日，什麼叫柔日。剛就是陽，陽日謂之剛；陰日謂之柔。譬如我們今年甲子年，甲是木，子是水，那麼我們今年是剛年呀還是柔年？是陽年還是陰年？簡單的說是陽年。我們拿天干地支來研究，本來是陽中有陰，陰中有陽的。為什麼說是陽年呢？因為今年是子年，子為鼠，老鼠有五個爪子，五代表陽（單數代表陽），所以說甲子年還是陽年，陽年就是剛年。碰到日子是子，是單數的，便是剛日，所以剛日讀經，柔日讀史，今天我們這個思想就是這個意思。這就是中國的文化啊！文學裡邊有哲學，看到什麼事情，社會呀，政治呀，各方面很不滿意，我們感到很不平的時

候，趕快讀讀書。讀讀易經呀！四書五經呀！心氣就和平起來了。柔日讀史，當心情很無聊，很沉悶，很想睡覺的時候，就可以看看歷史，啟發我們奮鬥的勇氣。所以說「剛日讀經，柔日讀史」，這是關於剛柔的道理。

達爾文的祖宗

方以類聚，物以羣分，吉凶生矣。人類文化最大的哲學問題出現了。關於這個方字，我們都曉得四四方方是方，方也可以代表空間的方位。但就文字學來說，講中國字要知道它的來源，方是怎麼來的呢？方是個象形字，像個猴子，這是簡單的象形。就像我們人，隨便這麼一畫（丬），就像人了。所以方字就代表了猴子，或者是長的人，這就是本字的由來。後來簡用了，就給它改做四方的方；方方正正的方，是借用來的。

我們年輕時候看到一本易經的註解，也是受了近一百多年西方文化進來的影響，解釋這一段方以類聚，說方是代表細菌，人是細菌微生物變的，就是達爾文的思想。並以為人是由微生物慢慢變成猴子，猴子變成人類，所以猴子是我們的老祖宗。當時有位同學非常贊同這種說法，我說你們的祖宗是猴子變的，我的祖宗不是猴子變的，大家還拿了很多證據，辯論得一塌糊塗

。

實際上，這句話是非常明白的，**方以類聚**包括了些什麼呢？譬如拿政治來講，就包括了地緣政治，地理環境等等的關係。像我們這個地球，乃至任何一個地方，東南西北方位不同，那個地方生長的物類，以及人的形態個性，也都不相同。平常我們看到一個陌生人，一看便知道他是北方人、南方人、或者廣東人，大概判斷的八九不離十。不像你們在寶島溫室中長大的人，沒有這種經驗。

由於每一個地方的不同，生長的植物、動物都有差異。新竹以北的壁虎不會叫，新竹以南的壁虎會叫，這就是所謂的**方以類聚**，類就是所謂的歸類。彰化人、嘉義人都不同，有些植物也是一樣。像阿里山種的香蕉，我祇要拿來一看，就知道是阿里山的，尤其吃到嘴裡，一下就分別出來了。日本的蘋果與韓國的完全不同，這就是**方以類聚**。所以西方人是西方人，東方人是東方人；由於地區不同，所生長的人物，乃至萬物都不相同。

人類歷史的禍根子

物以羣分的這個物，指的是籠統的物，不定的物，一層一層的分類，一

種一種的分類。這是自然的現象，雖然說**方以類聚，物以羣分**，是一種自然的現象意識，但這裡邊就有好有壞了。所以我常常講，台灣有些人鬧台獨的問題、分離的問題，這不稀奇，一點都不稀奇；中國人**方以類聚，物以羣分**已經鬧了幾千年。滿清入關，有滿漢之爭，後來革命後，又有南北之爭，可以說從一九二四年以來，都是南北之爭。再後來革命黨內部，又有廣東人與外省人之爭……一路的爭到底，反正是**方以類聚，物以羣分**嘛！人類只要有空間、有時間，人類祇要存在、祇要有社會就有紛爭。

大家注意社會這兩個字，我們當年一般稱社會學，不叫社會學，而叫羣學。當時有一本很有名的著作，是嚴復翻譯的，叫羣學肄言，就是社會學。到現在羣學肄言的價值還很高，他用中國的文字，比較接近新舊之間的文學技巧來翻譯，現在重新拿出來看看，它的社會思想的價值還是很高、還是存在的，而且，比現在白話翻譯的還要好。

物以羣分，就是說形成社會物類的不同。於是**吉凶生矣**，有人類就有意見，就有問題；因不同意見而相爭，這是沒有辦法的事。所以讀了易經以後來看天下事，看天下的治亂紛爭，就知道那是人力很難挽救的事實。**方以類聚，物以羣分，吉凶就生矣**！這裏從陰陽剛柔、天地宇宙講到物理世界、講到物質世界；講到物理世界與物質世界空間關係；然後講到**方以類聚**這個地

變的哲學

這一小節的結論是在天成象，在地成形，變化見矣。易經的道理，是根據天文的觀察而來、根據地球物理的觀察而來、根據生物的觀察而來、根據中國古代的醫理而來、以及人類生命的變化中觀察而來。所以在天就成象，在地就成形，太陽、月亮、星星、山川、河流、了氣流、空氣，兌卦代表了海洋、江河，一共八個現象；所以叫做八卦。

聖人要象其物宜，天就以乾卦作代表，太陽就以離卦作代表，地就以坤卦作代表，月亮就以坎卦作代表，震卦代表了雷電，艮卦代表了高山，巽卦代表現象；在天體上卦著的現象。

卦，是自然界隨處都可以看到的現象，不需要科學儀器的研究，祇要你不是瞎子，天體的這八個現象，人人都可以看得到。所以在天成象，象就是現象。

可是在地球上的生物呢？同天體都有關係，在地成形，有形質的關係。

換句話說，地球上萬物的變化，乃至人、物的生長，都與自然天體的關係非

常密切。所謂變化見矣，這中間就看出他的變化來了。

易經告訴我們的是什麼道理？是一個變的原則。大家千萬記住，宇宙間

：沒有不變的事，沒有不變的人，沒有不變的東西。而且天天在變，隨時在

變，隨地在變，無一而不變，也不可能不變。所以我經常告訴年輕人，講戀

愛談愛情，愛情是會變的呀！天地間很少有真的愛情，愛情是人文自然的產

物，也隨人為的意識而變化。為什麼呢？因為天地萬物都在變化，沒有不變

的，所以在天成象，在地成形，變化見矣。

隨流順變

學了易經，就知道變化的道理，以及變化的必然性；大體上說，我們普

通人是隨變化而走的，一點都做不了主。聖人呢？懂了這個法則，能領導變

化，那也就是超人了；天地間的變化他瞭若指掌，下一步要怎麼變，他都知

道了。

譬如一盤食品，端出來是請大家吃的，你不吃它，過下子主人就收拾走

了。你懂得去吃它，那就是你的智慧；吃與不吃看你的本事了。所以我常常

說，第一等人領導變化，第二等人呢？把握變化，末等人呢？祇有跟著變化

走了。該變死，就跟著死，該活，就跟著活吧；這是普通人。所以，懂得易經就應該知道領導變，其次是應變，最末等的人不必談啦，跟著變化而走，與萬物同化而已。我們知道天地宇宙萬物，隨時都在變化之中，但是這一切的變化，也都有它的法則——**在天成象，在地成形**。人與萬物，都是變化來的。道體變為有形天體時，就有風雲雷雨日月星辰等現象；在地球上就有山川動植等等萬象的形狀。

因此我們研究了易經，再看西方的宗教，聖經上說，上帝根據他的形象，創造了萬物。這話沒有講錯，是宗教徒們解釋錯了；這個上帝，這個天，不是天地的天，是形而上的一個法則。萬物的情形，是形而下的一個形象；這個形象是由形而上的不可知、不可說的那個東西變來的，他具有固定的形態。就是這麼一個作用，被宗教家套上宗教的外衣，拿來賣錢混飯吃，亂講起來了。把那個上帝——形而上的那個不可知，講的有形有象，以訛傳訛，又可怕，又討厭；說穿了，那都是自然的法則。

譬如我們小時候看章回小說，都曉得凡是了不起的人物，都是天上星宿下凡來的；什麼星宿下來變成什麼人。這是什麼道理呢？是從中國文化來的。譬如算命，什麼叫算命？是星相學；是性命之學。真正算命算得好的人，必須要懂得中國的天文，那就會算命了。看相算命叫做星相之學，他的根據

是科學的，是根據天文的變化來的。我們現在算命所用的甲子乙丑四柱，它是代表天體某一星座，在某一年、某一天、某一個時候，所放射的功能，這個功能影響了地球新生人類的生命。

那麼，地球人類在同一秒鐘內有多少出生？中國人、外國人同一秒的時間中出生的人，八字都是一樣，命運也應該一樣嗎？不一定！那又是怎麼算法呢？算命除了根據星相八字，中間還加了地區地形等因素；一個孩子生在同一房間，早一秒鐘後一秒鐘，或者媽媽立著來生，都會有變化，這就很難算了。所以說，誰能算得準？大概只有兩個人：一個已經死了，一個還沒有生。算命有沒有百分之百準確的？沒有！最高最高的準確度也不過百分之九十九，因為那一份形而上的不可知無法計算，這個道理要懂得。

這就是在天成象，在地成形，變化見矣的道理。這是孔子的報告。

孔子這一篇先把綱要提出來報告，我們明白了這個綱要之後，還要瞭解先後卦位，對下面這一段，才能更透徹的瞭解。

打秋千的學問

是故剛柔相摩，八卦相盪，鼓之以雷霆，潤之以風雨；日月運行，一寒

一暑。

剛柔相摩，八卦相盪，這裡大家要注意兩個字，一個「摩」字，一個「盪」字，這是古文。大家知道我們的文字，一個方塊字就代表了很多的意思，很多的觀念，很多的思想。現在的白話文就不同了；要湊了好幾個方塊字，才能表達出來一個意思或思想。這就是新舊的不同，這一代從白話文入手的人來讀古書，統統沒有辦法，原因就在這裡；因為沒有經過文字的訓練。其實大家不要害怕，我常常鼓勵大家，文字的訓練很簡單，差不多兩個禮拜就行了。

記得我當年在私塾裡，老師為我講訓詁學，我盯著老師問了一個禮拜，後來課我都不要聽了。那時候是讀私塾，把最有名的老師請到家裡來教的，後來老師問我，我說我全懂了，下面不要講了。老師大罵我一頓，我說不信我講給老師聽，但是請老師不要告訴我父親，老師說好。我講了以後，老師說你這孩子真懂了，好啦不教啦，另外教別的東西吧！所以依我的經驗，你們最好買一本說文解字來看；再把康熙字典開頭多看幾遍，看每一個字下面是怎麼解釋的。不過要買古本的康熙字典，上面還有篆字的，以後連篆字怎麼寫法你也知道了。；這樣一研究下來，你就全懂了；能夠把部首研究清楚就已經差不多了。這是一個捷路，不過捷路也是很難走的啊！因為大家都沒有

根啊！

現在我們回到本文，剛柔相摩，八卦相盪，大家請注意摩與盪這兩個字。我們現在看報紙，常常會看到「摩盪」，某某人等意見有「摩擦」，兩個字湊攏來是一個觀念。但是，實際上摩是摩，盪是盪；兩個字的含義，應有差別。是故用白話說就是所以；所以啦，我們老祖宗畫的八卦是剛柔相摩，剛與柔是相互摩搓，這樣才能夠產生動能。摩就像用手這麼搓，也好像是用手摸摸它，這是物理世界自然的法則。到了物質世界，陰陽剛柔必須相摩，同性相斥，異性相吸，自然發生這種現象，所以說剛柔相摩。

卦呢？是相盪，盪來盪去；像小孩子們打秋千，那就是盪。小孩子打秋千不叫做打秋千，規規矩矩的來說，那個叫盪，是坐在秋千上，甩得高高的，盪過來，盪過去，是個動態的。所以八卦是互相在盪，互相在碰。因為宇宙物理、天地、太陽跟星球一樣，萬物都在放射。太陽的能永遠不停的放射出來，每個星球都受他的干擾；我們地球的能，也不停的放射出去，太陽、月亮也受影響，這就是八卦相盪的道理。

好了，我們懂得了這個文字的道理，就可以知道這個名辭的意義了，假如說，你們以後學易經，看風水算命，有時候碰到一個「盪卦」，如果不瞭解這些，完啦！什麼叫盪？然後聽那江湖人胡扯，把盪卦講得玄之又玄，說

易經繫傳別講

是他師門不傳之秘。當年我們聽得雲裡霧裡，後來一弄清楚，才知道江湖人物完全胡扯，他自己易經都沒有學通。

如何叫剛柔相摩，八卦相盪呢？大家看文王後天八卦：

▲文王八卦方位圖

什麼叫相盪呢？像坎跟離這麼一甩，離卦原來在上面，像打秋千一樣，甩到坎卦的下面。碰攏啦，叫水火既濟；離卦代表火，水火就既濟。或坎卦盪到離卦的下面，產生另外一個新的卦，火水就未濟，這就是相盪。如果離卦盪到艮卦的上面，就叫火山旅卦。盪到艮卦的下面，便是山火賁卦。這樣

一卦一盪就盪成了八個卦；一個卦盪成八個卦，八八就是六十四卦。

天地間的事情也是一樣，譬如我們教室門一開，進來一個人，你們大家就回頭看看，它也就影響了大家，這就是八卦相盪的道理。一切的變化，都是這樣產生的，所以說剛柔相摩，八卦相盪。我現在是講原理，大家不能只

聽我講，你們腦子裡要有八卦圖象，祇要一盪，馬上就會出現什麼情形，不經思索，都要知道。所以八八六十四卦，你們非背不可，不會背六十四卦的話，這個易經聽了是白聽的。什麼叫相摩？相盪？你要能不加思索的把它畫出來──在你腦子裡清清楚楚的畫出來，才有用處。

孔子以上講的這個法則，也就是宇宙的法則。

大自然的法則

鼓之以雷霆，潤之以風雨，日月運行，一寒一暑。

這不是自然的法則嗎？同時大家看看古人的文字，一個字也不隨便使用。

為什麼要鼓之以雷霆？這不是像打鼓一樣，鼓就是膨脹。在醫院裡看到一個病人肚子大大的，中醫叫它水鼓脹。其實是肝的毛病，肝發炎肚子就會大（其他腸胃有毛病，肚子也會大），舊的病名是水鼓脹；就是這個鼓。這個字代表那個生命的動能；那個衝動的能，膨脹、生長。**鼓之以雷霆，**鼓就是在這裡是形容雷電的動能變化，**鼓之以雷霆，**物理世界生命的一切，鼓之以雷霆，是雷電的作用，震卦的作用，這個雷電膨脹了以後，氣流──陰陽一摩擦，「碰」！就打雷，打了雷以後沒有事了，這個雷電已經消散了。消散之後變成什麼？

又變成氣流，氣流的陰陽一摩擦又發電，這就是剛才我們講的**剛柔相摩，八卦相盪。**

氣流一摩擦，就發電；發電以後，就打雷；雷電過了以後，它又變成氣流。所以八卦中，震為雷，巽為風；風就代表大氣，大氣層跟雷電一樣的相摩相盪，於是這個自然物理世界——**鼓之以雷霆**，充沛膨脹。這其間電能最重要，像原子呀！核能呀！現在的專家都在研究它，不過我們古人用一個代號，就包括了那麼多的意義。

在這個物理世界中，如果沒有雷電或氣流，生物便不能生存，有了雷電還不夠；所以下面**潤之以風雨**。講到這裡使我對我們當前的教育，有著很多的感慨。記得我們當年的老師是坐著教，學生站在旁邊聽；現在是老師站著教，學生坐著聽，將來恐怕是學生躺著聽，老師跪著教。這個世界大概已經快到這一步了，是不是？**鼓之以雷霆，潤之以風雨**，我們當年的老師，教到這裡，特別要用紅筆把這個潤字圈一下，要大家注意雷霆是電流產生的變化。風雨是什麼呢？風就是刮風下雨。你說氣流又是什麼東西呢？氣流是沒有什麼東西的，我們感覺到風來是氣流，那錯了！風不是氣流，氣流是碰到物體，接觸了才感覺到的。我們晚上聽到噓噓的聲音，那不是風聲啊！雖然文字上描寫說風聲颯颯，其實颯颯不是風聲，風是沒有聲音的；颯颯是它碰

到物體而發出來的聲音，反擊出來的聲音。我們說聽到風的聲音，那是風碰到我們的臉、碰到我們耳朵，我們才感覺到有聲音。

所以風雨是什麼東西呢？就是上面那句話，**在天成象，在地成形**，那是宇宙的能所變化的一種現象而已。所以光是**鼓之以雷電，潤之以風雨**還不行，重點還在下面。

我們談地球物理，就是地球文化，它始終離不開地球。那麼地球靠什麼呢？靠大陽系統的法則：日月運行，一寒一暑。

太陽月亮的運行，隨時會使地球發生變化，因為太陽月亮是反轉，地球是正轉，所謂天道左旋，地道右旋，是兩個不同方向的轉動，才維繫了太陽系統的和諧。假如地球跟太陽、月亮都是循一個軌道同時在那裡轉，說不定它們早就碰撞起來，早已碰得粉身碎骨了。這樣連我們老祖宗也都沒有了，那還有我們的存在呢？

為什麼它們不碰撞呢？因為它們各有規則──一個正轉，一個反轉，永遠在那裡轉。因為它是相反的轉，太陽、月亮中間各有一種引力，影響到地球也是一反一正。地球上熱天冷天是怎麼來的？我們現在固然很明白，它是由於太陽照射的角度，影響到我們地球而形成寒暑的現象。可是古人呢？他們沒有像現在一般的科學知識，地球物理也沒有這麼發達，但他們卻很明白

的告訴了我們，用很簡單的文字表達方法，說明了天氣的變化是由於日月運行，一寒一暑。像這些話，我們孩童時期，在幼學瓊林中就讀過了。這兩句話包括了所有科學的道理；但是話說回來，如果沒有西方的科學衝激，來與我們東方文化相摩相盪的話，如果沒有中國古人的地球物理的這些記載，便沒有我們今天的科學文明。

孔子在這裡講的剛柔相摩，八卦相盪，是宇宙中極自然的道理。鼓之以雷霆，潤之以風雨，日月運行，一寒一暑，這是構成地球人類萬物生存的原理與生命的根源。

還有一點，大家要知道的，我們過去學古文，要學韻文，尤其是寫文章，每一個字都要琢磨，氣韻不對要換一個字；像這裡的句子，它的平仄音韻，都對稱的那麼美，是很自然的文字組合。以上講的是八卦相盪與物理世界，地球物理的關係。下面講到人道的問題。

人文世界的開始

乾道成男，坤道成女，乾知大始，坤作成物。

在人文世界裡，乾坤代表男女，乾坤是個代號，乾代表男，坤代表女。

過去的算命先生，看到人家的八字，一定要先問是乾命還是坤命；換句話說，就是問是男的還是女的。**乾道成男**，大家千萬不要以為男人就是陽，女人就是陰，那你就不懂易經了。因為陽裡邊有陰，陰裡邊有陽；人文世界乾代表男人，坤代表女人，乾坤祇是一個代號而已。下面講到乾坤的邏輯思想：

乾知大始，坤作成物。乾卦代表了形而上，大家不要以為這裡所謂的「形而上」，是西方人的學說，實際上「形而上」這個名辭，最早是孔子提出來的。；在繫傳裡就有：形而上者謂之道，形而下者謂之器的說法。

上帝的本來面貌

乾知大始就是形而上的道。宇宙萬物生命是從那裡來的？先有蛋呀先有雞？先有男的先有女的？人是從那裡來的？是猴子變的，猴子又是從那裡來的？如說是上帝造的，又是誰創造了上帝？你說上帝是天生的，沒有這回事；上帝是他媽媽生的，那他媽媽又是誰生的呢？他的外婆又是誰生的呢？上帝造人是宗教家的說法，不能用科學來解釋，如果你要用科學方法去瞭解去研究，對不起！宗教這裡是謝絕參觀的。我們自己的宗教呢？中國文化開始在易經的系統裡，早已完全擺脫了宗教的外衣，絕不迷信，就這麼偉

大！

乾知大始，宇宙萬物生命是怎麼來的？有一個來歷，你說它是上帝也好，菩薩也好，阿拉亞也好，隨便怎麼叫，孔子的易經把它叫做「乾」。「乾」是什麼？就是這個「東西」──宇宙萬物從那裡來的那個東西。**乾知大始**，由這裡來，他那個生命也就是現在科學上所說的「生命的能」。「能」是假定的名詞，「能」是什麼東西？「能」是沒有個什麼東西的。「能」要發動了以後，它就構成了物質，物質的代號就叫做「坤」，就是**坤作成物**，構成了物理世界。

所以天地也不是上帝造的，也不是菩薩造的，乾坤就代表了宇宙萬物的一切。**坤作成物**，構成這個天地萬物的代號就是坤。如果你問形而上的乾坤到底像個什麼東西？怎麼生的？怎麼變的？那麼請問菩薩是什麼樣子？上又是什麼樣子？西方人看上帝是藍眼睛、高鼻子。東方人看他也就不同了，廟裡釋迦牟尼的像就是那個樣子嗎？圓圓胖胖白白的臉，像個女人？那是我們東方人看的。是不是原來釋迦牟尼的樣子？誰曉得呢！上帝也是一樣，東方人看的是東方人的樣子，西方人看的是西方人的樣子，中東人看的是中東人的樣子；反正都不一樣，這些都是宗教的文化。

但是在我們易經的文化裡，宗教的外衣早已經不存在了，就是這個符號

「☰」乾、「☷」坤，宇宙萬物的動能，也就是創造宇宙萬物的能。我們孔子在繫傳就已講出來了：

乾以易知，坤以簡能。

你要瞭解宇宙萬物的功能，它怎麼能夠發生萬物，創造萬物的？這個「易」，就是易經的「易」；它包括了宇宙的一切。大家研究了易經，懂得了易經的「易」，就可以上知天文，下知地理，知道這個宇宙是怎麼來的。坤呢？坤代表物理世界的功能。這個功能非常簡單，我們由孔子這兩句話可以得到了一個結論。世界上最高深的學問，就是最平凡的；最平凡的才是最高深的。

大家學佛修道信上帝，「高深敬慎」這四個字永遠不會懂。我們一提到上帝，一提到佛，便以為如何高遠，如何高深。所以我常常跟信佛的人說，你們信佛修道，你們心目中的佛和上帝，是自己想像的上帝和佛了。所以孔子說：，思想上加入那種神秘高深，這些都不是原來的佛和上帝了。所以孔子說：

易則易知，簡則易從；易知則有親，易從則有功；有親則可久，有功則可大；可久則賢人之德，可大則賢人之業；易簡而天下之理得矣！天下之理得，而成位乎其中矣。

把戲只隔一張紙

易則易知，簡則易從。易經的道理，過去有所謂三易，就是交易、變易、簡易。後來有人加上「不易」，宇宙萬物有一個不變的原理，就是不易。

實際上易經的道理是「交易」、「變易」。一切的變化都是從交互中來的，變化之中有交互，交互之中有變化，從變化交互中看到萬物的複雜性。到了二十世紀的今天，宇宙中有很多的變化，我們現在還摸不清楚；還有人類的歷史文化，無論是東方、西方，都已經有了幾千年的歷史，但是，究竟生命是從那裡來的？到現在還沒有辦法知道。科學家、哲學家搞了幾千年，誰也弄不清楚。

易經對這些問題的看法，就是「變易」。變易的道理你懂了以後，就知道「交易」才是萬物發生的來源，非常簡單；等於中國的禪宗，一悟便什麼都懂了。所謂易則易知，簡則易從，是因為易經最高深的地方非常簡單。所以古人就那麼簡單的畫了八個卦，非常簡單大家才容易瞭解，才能夠實行。易則易知，簡則易從，易知則有親，易從則有功。因為易知，大家才喜歡，像吃飯，大家都知道，因為容易萬事萬物便都在其中了，用不著思想邏輯。

嘛！大家才有興趣，有了興趣去做，便會有成就。

易從則有功，有親則可久，有功則可大，可久則賢人之業，可大則賢人之德。可久就是永久的歷史價值。大家讀歷史，歷史上那麼多皇帝，大家所知道的名字有幾個？最多不過十五個，那麼多的名將，大家能叫出幾個名字？那麼多賢相，大家能叫出幾個人？為什麼呢？因為他的功業不能垂之永久。但是，如果我們一提孫悟空，誰都知道；一提關公，大家也知道；現在一貫道很流行，濟公活佛，也是沒有人不知道的。為什麼？這就是孔子說的，有親則可久，可大可久，才能獲得萬世的尊崇。你有功名地位，兩三年以後，這個人是誰，大家都不知道了，因為他沒有可久可大的功業，沒有這個可久則賢人之德，可大則賢人之業的貢獻，所以很快就被遺忘了。

易簡而天下之理得矣，天下之理得，而成位乎其中矣。

易經的學問一點也不高深，因為它平凡，天地間萬物萬有的道理便都包藏在裡邊了。天下之理得，而成位乎其中矣，這個法則，把所有一切應用物理的法則，一切人類的規則，統統都包括在內了。

第二章

設卦觀象

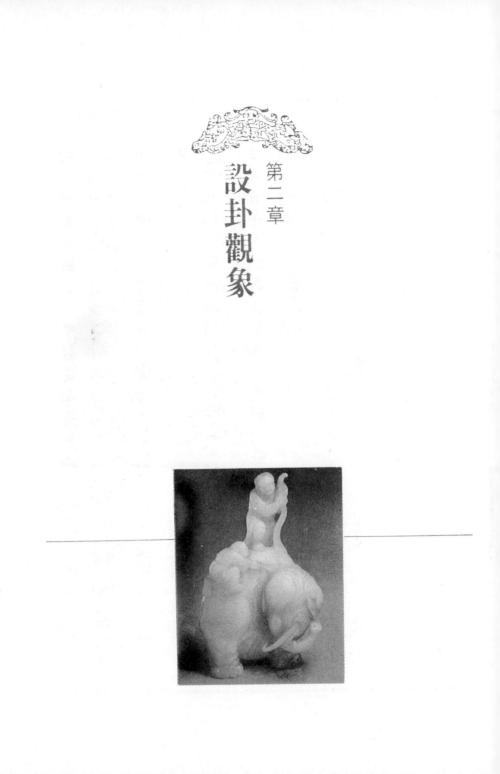

聖人設卦。觀象。繫辭焉而明吉凶。剛柔相推而生變化。

是故吉凶者。失得之象也。悔吝者。憂虞之象也。變化者。

進退之象也。剛柔者。晝夜之象也。六爻之動。三極之道

也。

是故君子所居而安者。易之序也。所樂而玩者。爻之辭也。

是故君子居則觀其象而玩其辭。動則觀其變而玩其占。是

以自天祐之。吉无不利。

易經與鬼

聖人設卦，觀象，繫辭焉！而明吉凶。

大家研究易經，我再三要強調的，就是八八六十四卦的順序；一定要背得來。如果要想運用的話，還必須把天干、地支、陰陽、五行都弄清楚了，才可以。

「聖人」是泛指我們老祖宗，有智慧、有道德、有成就的人。聖人設卦是說八卦，是以往古聖們假設的。說到這裡，我們對易經這部書，不要看得太神祕，太去迷信它；但也不要輕視它，看得太輕易太單純了。不過易經的神祕色彩，在我們中國卻是由來已久的。記得我們小的時候，晚上睡覺枕頭下放一本易經，就不怕鬼了。所以我們小孩子們，個個都讀易經，就是為了怕鬼。

設卦　觀象　繫辭

孔子研究易經的心得報告說：聖人設卦。這個卦是個邏輯符號，是假設

的。易經的八卦與八八六十四卦，究竟在講什麼，大家千萬不要作成固定的看法，那樣就不能學易經了。假定我們的藝術家學了易經，也可以另外畫一種抽象畫，那何嘗不是易經呢？所以易經是包括了一切學問。孔子這個報告，重點在設卦，設是假設之辭，卦是符號；古人解釋卦者掛也。卦是掛在天體上我們看得見的一種自然現象，等於我們牆壁上掛的畫一樣。所以說，卦者掛也，自然界的一切擺在那裡，拿我們現在話來講，卦者擺也；擺在那裡給我們大家看的。也就是太陽呀、月亮呀、風呀、雨呀，所有看得見的自然現象。所以聖人設卦，就是把一切自然現象，假設了一個代號，作什麼呢？讓我們觀現象，觀察這個自然的現象。

透過了這個符號的含義，觀察自然界的現象——一切的山川河流、風物氣候的自然現象。這些現象都觀察清楚以後，**繫辭焉而明吉凶！**繫辭是卦下面的文辭文句，凡是卦下面寫的文句，就是繫辭。例如乾，元、亨、利、貞，就是所繫的辭，辭就是文辭，是加以文字的解釋。由這個自然的現象加以人文思想的解釋，而使我們明白了吉凶。

吉凶兩字大家要注意，天地間的事不是吉，便是凶，不是好，就是壞；沒有不好不壞的。不好就是壞，不壞就是好；像做生意，如果沒有賺錢但也沒有賠本，在你認為是沒賺沒賠，沒賺沒賠就是賠了，賠了精神、賠了時間

……所以沒有不賺不賠的事。由此可知天地間的現象，只有兩種：不是吉，便是凶。所以說繫辭焉而明吉凶，吉凶的道理是如此。

繫辭的一總叫做繫傳，爲孔子所作（卦爻下面的辭，爲文王周公所作）。一般人寫文章，說這個人的文辭如何如何，就是指這個「辭」，不是詩詞歌賦的詞。但是現在人很喜歡用這個「詞」，這是不通的；不過大家都這樣用了，你便也見怪不怪，跟人家講下去，也就是了。如果說「詞章」如何，那就要用詩詞的詞了。孔子寫的叫繫傳，有上下兩篇，拿現在話來說，就是論文或心得報告，孔子那時叫繫辭。因此他說：繫辭焉而明吉凶。

剛柔相推而生變化

剛柔相推而生變化，吉凶是那裡來的？拿物理現象來講是：剛柔相推而生變化。剛柔，我們知道就是陰陽，物理世界中，抽象的就叫陰陽，實質的就叫剛柔。剛就是陽，柔就是陰。像矛盾，事實上也是互相推盪的一種現象；在中國的文化思想中，矛盾也不過是一種現象，就是易經所謂的象。它表示了這種變化的關係，說明了矛與盾的原理。

像太極拳的推手一樣，你推過來，我推過去，兩種力量，互相推盪，剛

柔相推而生變化。洋人們講邏輯什麼的，講到矛盾呀，統一呀，肯定呀，否定呀……大家認爲高明得很，以爲這就是學問。我們當年也拚命的讀，但我讀完以後就丟了，那不過是變化的現象，沒有什麼了不起。等於現在講心理學，舉出很多的個案，證明這個心理反應是如何如何。這樣作法很辛苦，個案看完了，有沒有用？這些心理狀況也許是社會上普遍發生的現象，也許是整個的社會心理發生的變化，總之，變化的過程太多了。譬如說我們用的電燈，開了電門我們祇感覺它亮，不知它隨時都在變化；剛開始那一秒的電已經消化了，它隨時在消化，隨時在成長，隨時在生滅。可是大家看不到這個變化，祇看到電燈在亮著。而易經已經看到這個變化，知道這個過程，所以它指出物理世界是**剛柔相推而生變化**。這兩大原則，大家要記住。

觀察自然的現象，繫辭告訴我們自然現象的涵義。拿佛學來說，自然現象中山河大地是無情的東西；一切眾生，像我們這些有生命的人，是有情的東西。所以佛學稱眾生爲「有情」，是有靈性，有思想的；物質世界則是無情的東西，是沒有思想的。聖人設卦，讓我們觀察到無情世界的現象，**繫辭焉而明吉凶**。眾生是那裡來的，也是宇宙物質世界的一種現象。**剛柔相推，繫辭**是兩種正反質能相互推動，因而產生了有情世界的一切眾生。

假使這兩大原則把握住了，知道了剛柔相推而生變化的原理，你想卜卦

算命的話就可以百算百準了。不過這個中間也有它的變化，是看時、空的大小來決定的。；像醫生看病，說今天病好一點沒有？病人說沒有，還是很痛。但你昨天還痛得躺在床上，今天已經可以下床活動了，已經不錯了。可是人總不滿足，因為他不曉得**剛柔相推而生變化**的道理，大家懂了這個原則以後，就可以進一步學易經了。

人生的歷程

是故吉凶者，失得之象也；悔吝者，憂虞之象也；變化者，進退之象也。

這三個道理，就是最高的人生哲學，也就是政治哲學。我們知道，宇宙間祇有兩個現象：一個吉，一個凶。那麼吉凶又是怎麼來的？好與壞是怎麼來的？是人為假定的。人類心理自己反應得失的一種現象，就成為「失得者，吉凶之象」了。譬如我想賺錢，錢到了我手，就是大吉大利；錢不到我手或失掉了，這就是凶。所以吉凶是人類心理相對的一種反應，天地間沒有所謂絕對的吉凶，也沒有絕對的是非，也沒有絕對的好壞；這是指形而上者而言。

所以形而上者「沒有」，形而下者「有」。有，是那裡來的？是由人類

心理來的。吉凶是怎麼產生的？也是從人類心理的判別而產生的。譬如說青年人談戀愛，談到最熱烈的時候很得意，但你不能就認爲是吉。表面上看來很得意，事實上，說不定失意已暗伏在裡邊了。現在覺得很好，到時候分開也很痛苦啊！我常常說一個人求生不易，但求死也很難；想死還眞不容易呢，跳水太冷，上吊很悶氣……沒有一樣好受的，這些是非好壞都是從心理現象來的。

同樣的，吉凶也是一種心理現象，一種失得的心理現象。我常說你學了易經以後就不要卜卦了，因爲八八六十四卦沒有一卦是大吉大利的，也沒有一卦是大凶的；充其量告訴我們吉、凶、悔、吝四個現象。人生也祇有四個現象，這就是易經陰陽的四象，所謂太極生兩儀，兩儀生四象。

太極以西洋人的說法，就叫做本體、叫上帝，佛家叫如來。我們中國文化不來這一套，不給它加一個宗教的外衣，也不賦予它一個假定的名辭——本體；這個萬有的生命，我們叫它太極。太極就生兩儀，兩儀就是陰陽，永遠代表兩個相對的力量，兩儀就生四象。兩儀生了四象，就是老陰、老陽、少陰、少陽。

人文世界的一切現象也祇有四種——吉、凶、悔、吝。怎麼叫悔呢？就文字看，知道就是後悔，人生對任何事情每一刻都在後悔中。剛剛吃飯的時

候，菜很好吃，拚命的吃，吃飽了，肚子難過了，後悔了「剛才少吃一口多好」這就是悔。悔字以我的解釋，它眞正的意義，祇有一個名辭可借用來說明，才最恰當，就是佛經上講的「煩惱」，這就是悔。佛經講的煩惱不是痛苦，是開始時心理感到很煩，過久了感到不舒服，也不是痛，可是隨時隨地就是很不爽朗，很煩、很苦惱，也就是不高興。一般人說的煩惱，就是易經的悔；煩惱二字是印度的宗教文化，後來傳入中國的。

吝是什麼？吝就是困難、是慳吝，整個易經八八六十四卦，只有吉、凶、悔、吝四個變化。四個之中祇有一個吉是好的，其餘三個成分都是壞的。悔吝是小凶，不是大凶；不好，也不是太壞。宇宙間的萬事萬物不動則已，一動祇有四分之一的成分是好，四分之三都是壞的。這個以後還要再講，現只先說一下。

是故，吉凶者，失得之象也；悔吝者，憂虞之象也。

憂就是憂愁、煩惱。虞就是思慮，腦子不停的想；用腦筋叫做慮。用腦也很痛苦，一個人要不痛苦，什麼都不要想才好。不用腦筋，祇睡覺，睡醒了走來走去最舒服。但是那很難做到，絕大多數人都要用腦筋；祇要用腦筋就有憂愁，就有煩惱。所以說**悔吝者，憂虞之象也。**由此可知宇宙間一切事情，一切人的心理，都離不開吉凶悔吝四個字。所以人生祇要有思想，就有

煩惱，心理上就有得失；得到了高興，失掉了痛苦、煩憂。

變化者，進退之象也。有進有退，這就是變化。進退之象，就是各種的變化。如果反過來講，什麼是進退呢？就是「變化之象也」。同樣的「失得者吉凶之象也，憂虞者悔吝之象也，進退者，變化之象也」也是很好的文學，其理論是同樣的；不過前者是把結論先拿出來講，後者是把主題放在結論裡頭來講。

這是古文的寫作方法，它變動不居，又是音韻鏗鏘的，不但可以朗誦出來，而且還可以譜在樂器上面演奏或歌唱的，一個字也不能差。他的音韻要清楚，像吉凶者，失得之象也等……都是很好的文字，也是很好的音樂。

我們學了易經後，如何來判斷一個問題呢？現在根據易經繫傳孔子思想的原理，來告訴大家，怎麼樣才叫吉凶？那就是**失得之象也**，或者說「失得」兩個字也可以。假設我們問？什麼叫做悔吝？答案是**憂虞之象也**。什麼叫做變化？答案是：**進退之象也**。這是易經講的，不要自作聰明，隨便亂加亂減，那是不行的。孔子把答案都告訴了我們，你祇要懂了這些就可以了。下面孔子進一步再來發揮。

下台一鞠躬

剛柔者，晝夜之象也；六爻之動，三極之道也。

在物質世界裡，孔子繫辭上傳第一章中，提到「剛柔」這兩個字。剛就是陽，柔就是陰；白天屬於陽，屬於剛；夜間就是陰，屬於柔。所以說剛柔者，晝夜之象也。換一句話說，這個物理世界是一陰一陽，我們夜裡看到的是黑暗、是陰，但黑夜並沒有什麼可怕。譬如我們的手，翻過來是這一面，翻過去是另一面；一陰一陽是它的變化，白天夜裡只是變化的現象而已。所以懂了易經之後，就不會怕夜暗，更不會怕鬼；陰陽祇是現象，與鬼沒有關係。

我們年輕時怕鬼，現在我卻想看到鬼，因為鬼比人友善得多了；假若我們跟鬼交交朋友，不是也滿好嗎？可是鬼還看不到呢！我尤其喜歡夜裡，因為夜裡比白天舒服得多了，夜深人靜時那份安閒、那份靜謐，真是好。白天卻譟雜得不知道搞些什麼才好，所以這就是觀念問題。

其實太極並沒有晝夜，晝夜是物質世界的一個變化。假設我們利用現在的科學，去到太空，在太空也不分晝夜了。晝夜是地球轉動而產生的現象，

這種現象，並不完全是由地球自身形成，而是由於太陽、月亮、地球轉動的結果，一個球被擋住了就變成夜裡，太陽照到那個球時就叫白天，就是這個樣子，沒有什麼了不起。所以說，**剛柔者，晝夜之象也**，因此產生了一個哲學：人有了白天的忙忙碌碌，夜裡總要休息一下；同樣的，上台忙了一陣子後，總要下台來歇歇；下台久了以後，說不定還要再上上台。這一上一下，也就是**晝夜之象也**，沒有什麼，而是很自然的現象。

人生的價值

下面講到卦，聖人設卦，卦有六爻，**六爻之動，三極之道也**。先天圖是畫三畫的，如乾為天三，坤為地三等等，都是三畫。後天八宮卦是用六畫的。如乾為天三三，天風姤三三，每一卦必須有六爻。爻就是交的意思，彼此交互的關係。

易經的卦為什麼有六爻？六爻是由三個步驟來的。什麼叫三極呢？就是天、地、人。這是中國文化的特點：上曰天，下曰地，中間是人。天地有沒有缺陷呢？以易經看起來，天地是有缺陷的，天地並不圓滿。譬如，西方人說天地是上帝造的，實在說起來，上帝也算是粗製濫造，如果上帝把這個世

易經繫傳別講

界全部造成白天，連電都不用浪費了，還要發明電燈做什麼？它永遠下雨嗎？也好呀！我們就可以變成魚啦！也用不到蓋房子、造汽車啦！很多的現象都是一半一半，使人忙死了！又晴天，又雨天，有時還刮颱風。我常說笑話，人的眼睛長的不好；如果前邊長一隻，後邊長一隻，不是前後都看得見嗎？鼻子也長得不好，吃飯還用牙齒咬。有人說眉毛長的也不好；如果長到手指上，連牙刷也可以省了。這個笑話是說明了天地有缺陷，於是中國文化中提到人文文化的價值，也是孔子曾經講的一句名言──人生的價值在「參贊天地之化育」。

說到這裡，我講一段親身經歷的故事，這已經是四五十年前的事了。那時候我在四川大學教書，他們請我專題演講，說講題是「人生的目的」。我說這個題目不好講，因為問題本身就是答案，用不到我講；這個題目已經告訴了大家，人生是以人生為目的，其他的都是後人加上去的。如西方人認為：人生是以享樂為目的的啦！還有我們國父以為：人生以服務為目的啦！其實享受也好、服務也好，都是後人為他加上去的。

什麼叫目的呢？像我今天來上課，上課是我的目的；大家從家裡走來聽課，聽課是大家的目的。人從媽媽肚子裡生出來，沒有一個人會在媽媽肚子裡問：我為什麼要生出來？我生出來的目的是什麼？沒有一個人是問明白了

才生出來的。到底人生以什麼為目的？我告訴你，大聲的告訴你，人生是以人生為目的。這個題目本身就是答案，還有什麼好講的！

如果勉強來說人生以什麼為目的，古今中外的說法都是空談。拿孔子的話來說，人生的目的，我們不能說是人生的目的，應該說是價值才對。

人生的價值是什麼？是在**參贊天地之化育**。參贊就是彌補的意思，彌補天地的化育之不足。如天要刮風下雨，人類發明房屋把風雨擋住，可知人生的功能是參贊天地之化育，也就是幫助萬物。因此中國文化把天、地、人，並稱為三才——宇宙間的三才。提到人的價值，在中國文化中，把人提得非常高。；現在我們聽到外國人講一聲人道主義，便跟著人家屁股後面走，我看了真有無限的感慨。這些人真是可憐，忘記了自己的文化；放眼世界今天講人道主義的，除了我們中國以外，都是亂吹的，都是後生晚輩。大家回頭看看我們的易經，那才真是人道主義的文化。

向心力與離心力

六爻之動，三極之道也。這個天、地、人的三極一動，就是六爻；六爻又動，就生相對的力量，就有了陰陽。也就是說，有了向心力就有離心力，

所以讀了易經以後，我感到很可怕。古人說懂了易經便可以為將相，我今天還在跟一位同學講用人之道：這個人對我們忠心耿耿的，我們對人家也絕對的忠誠，但是到了利害關頭要命的時候，忠心不忠心便不知道了；因為有向心力，便有離心力。我常常說，世界上誰又是最可靠的人？連自己都不可靠，還能夠相信別人嗎？因為人是會變的。人文思想的產生，是希望人在動亂要命的時候，能夠不變；那就是聖人，有道之人，三極之道就是這些。這個「道」，在這個地方講的是原理，都是形而上的原理，易經所以有六爻的答案就在這裡——所謂三極之道也。因為變動是互相對立的，因此三極就產生了六個變化，我們老祖宗老早就發現了。自然科學進步到現在，也沒有超過這六個範圍，這就是三極之道也。上面講的都是以物理世界的自然現象，說明它發生過程中的道理。

心安故理得

孔子的思想觀念不同，他是以人文為中心，我們看看下面孔子所說的，他又把大自然的法則——拿人文的觀念來講，也就是物理科學的原理，用到人生的哲學裡邊來，下邊就講：

是故君子所居而安者，易之序也；所樂而玩者，爻之辭也；是故君子居則觀其象而玩其辭，動則觀其變而玩其占，是以自天祐之，吉无不利。

這是說，我們要懂得自然科學的原理，用之於人生哲學。君子是受過高深教育的知識份子，應該瞭解這個道理。居、就是平常，後世的古文叫平易；意思是說一個人平平常常，所居就能夠平安，心安理得。心安理得這四個字，最初是在易經裡邊提到的，心安後那個道理——真理就自然產生出來了。

君子所居而安者，易之序也。所居而安者，易經八八六十四卦何以這樣排列？它有它的原理，你懂了這個原理，就懂得人生了。所謂所居而安者，易之序也，就是這個道理。

所樂而玩者，爻之辭也。這裡孔子已經告訴我們，易經是要我們玩的，你要背會了易經，就好玩了。就像買一副麻將牌來玩，自然會玩出道理來。小時候大人告訴我們，夜間不可讀易經，因為晚上讀了易經，鬼都會嚇哭的。現在懂了其中的道理，就知道夜裡確實不可以讀易經；不是怕鬼哭，是怕自己吃不消。因為夜裡一研究易經，雖然時間已經很晚了，但還有一點點沒弄清楚，再研究一下再睡，繼續研究下來，弄通了，忽然又發現了一個道理，又進入了另一種境況；這樣精神又來了，又不要睡了……就這樣一下到了

天亮還不知道。古人說「閒坐小窗讀周易，不知春去已多時」，那是真的，一點也不假，坐下來讀易經，不知不覺一個春天就過去了。

下面所繫——弔在那裡的一句話，就是爻辭。孔子告訴我們學易經的重點，易經的每一爻，所樂而玩者，爻之辭也。孔子告訴我們學易經的重點，易經的每一爻，學、人生哲學、政治哲學等等，夠我們學一輩子的。這裡邊包括了大自然的物理哲們學易經的好處：學了易經，懂得易經，我們便心裡很安詳，少煩惱、少痛苦；就是君子所居而安者，易之序也的道理。第二個問題就是告訴我們，用什麼方法去研究，孔子說所樂而玩者，爻之辭也。就是說學易經不要那麼嚴肅，要我們很輕鬆地去研究爻辭，就這麼簡單。

自天祐之　吉无不利

下面告訴我們一個重點：

是故居則觀其象而玩其辭，動則觀其變而玩其占，是以自天祐之，吉无不利。

大家注意！這裡告訴我們，大家學了易經，是要我們居則觀其象而玩其辭，不是要我們來卜卦算命的。觀其象，我們人生，人與人接觸，每天一起

床，自己當天的運氣自己知道，一看自己的現象就知道了。**觀其象而玩其辭**，我們觀看現象之後，要再看看爻下面的辭句，幾千年經驗累積下來，其中含義，有個原理你自己要能找出來。**動則觀其變而玩其占**，我們人隨時在動，你要做生意，念頭動了，或者你當公務員，上級給你一個命令去辦一件事情，這也是動……一動另一個現象就來了，你觀察這個變化，就懂了易經，而**玩其占**。占就是占卜，可以未卜先知，曉得這件事情如果照這樣辦，結果是甚麼樣子；如果照那樣辦，結果又是甚麼樣子，自己都已經知道了。也就是說懂得了了人生，自然會達到未卜先知。**而玩其占**，不要卜卦就已經知道了。

下面一個重點告訴大家，就是**自天祐之，吉无不利**。我們信宗教、信主、信阿拉、信菩薩、請上帝幫忙，統統沒有用。世界上沒有任何一種他力能夠幫助你的。學生求老師，請老師幫個忙，我說辦不到；我是你老師，也幫不了你。有時候求媽媽幫幫忙，也做不到。肚子痛，求媽媽我痛一下，可能嗎？不要說媽媽，上帝也一樣做不到。

人要怎樣才能做到？靠自己，自助則天助；自己保祐自己，上帝才能保祐你，一切來自自力。中國特有的經驗，唯有自己先站起來，自己幫助自己，才能**自天祐之，吉无不利**。自祐，自己保祐自己，唯有這樣，才能得到他

易經繫傳別講

力，自天祐之這個天，就代表他力給你的感應。來自他力的一切，就叫感應；有感就有應。所以自己能夠自力站起來，自天祐之；那麼上天才能感應你。自己如果站不起來，你躺在地上我扶你一把，會走路啦！如果我放了手，你又躺下去，下一次我再也不幹了！只好讓你永遠躺在地下。所以人要能自助才能天助，能夠自立自強的人，才能大吉大利。由此我們可以知道，易經告訴我們：人生命運都掌握在自己手裡，任何一種外力都是靠不住的。

以經解經

　　有關易經的著述，這幾千年來太多太多了！四庫全書收藏之富，也是羣經之冠；其中對繫辭的解釋，眞是衆說紛紜，不看還好，越看越糊塗。四庫全書中的這些註解，大部分的要點我都看過。發現古人們的解釋，跟我們現代人一樣，各有各的主觀；而且重點多著重於文字的詮釋，尤以漢儒爲然。

　　外國人常把研究中國的學問，叫做「漢學」，這是很錯誤的一個觀念。「漢學」是我們中國文化上的一個專用名辭，是談漢朝學術問題的。漢朝的知識份子，處於中國文化空前的大浩劫──秦始皇焚書之後，很多古書，都被燒毀。那時候的書，是由當時人背出來的；爲了怕有錯誤，所以當時的知

識份子，把每一個字、每一個句子，都加以考據，往往因爲一個字的考據，可以寫一篇博士論文，要一百多萬言，看了叫人頭大。爲了一個字，古人吃飽了飯沒有事幹，走火入魔鑽到牛角尖裡去，拚個死去活來，寫了一大篇，那是不能看的。也不是不能看，而是越看越叫你不懂。講句不客氣的話，有時候我認爲眞應該把它燒掉，沒有什麼用處！可是再想想，有用的地方也許還有，所以今天我們要想讀得懂自己文化的古文，最好的辦法就是以經解經。有時你讀他的本文，前邊不懂的地方，等你讀了後邊，那前邊的也就懂了；即使錯了，也錯得很少，不會離譜。假使看古人的註解，有時候錯下去。別人的很多註解，先不要看他；因爲先看了別人的註解，有些觀念就會先入爲主。如果你的主觀先被人拉住了，以後便很難變化，所以我主張以經解經。有時你讀他的本文，前邊不懂的地方，等你讀了後邊，那前邊的也就懂了，一錯就是幾十年，回都回不來；臨死後悔也來不及了。再說一家有一家的註解，各家的註解太多了；多得讓你沒有辨識的能力，所以說，以經解經，才是讀經最好的方法。

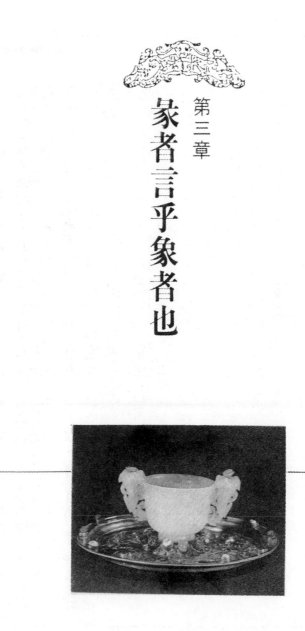

第三章

象者言乎象者也

象者。言乎象者也。爻者。言乎變者也。吉凶者。言乎其

失得也。悔吝者。言乎其小疵也。无咎者。善補過也。

是故列貴賤者存乎位。齊小大者存乎卦。辯吉凶者存乎辭。

憂悔吝者存乎介。震无咎者存乎悔。

是故卦有大小。辭有險易。辭也者。各指其所之。

卦象爻象

者，言乎象者也；爻者，言乎變者也；吉凶者，言乎其失得也；悔吝者，言乎其小疵也；无咎者，善補過也。

這裡有四個東西，大家要注意：

一、卦辭

二、彖辭

三、爻辭

四、象辭

卦辭——我們過去已經講過，一個卦下面文字的解釋，就是卦辭。

彖辭——彖，唸ㄊㄨㄢˋ，有人唸ㄊㄨㄢˋ。彖就是斷語，對一件事情下的判斷與結論。彖是古代的一種動物，在易經裡很多地方都以動物作代表，如龍啦、象啦、象啦等等。據說古代有一種動物，可以咬鐵，鐵到牠嘴裡，牙齒一咬就斷啦！這種動物就叫做彖。因此易經就借這種動物的功能與現象，作決定性判斷的結論代號。彖辭是對卦象的斷語，具有不易的絕對性和肯定性的結論，所以就叫彖辭。

象辭——象是古代的一種動物，有人唸ㄊㄨㄢˋ。象就是斷語，對一件事情下的判斷與結論。象是古代的一種動物，在易經裡很多地方都以動物作代表，如龍、象啦、象啦等等。據說古代有一種動物，可以咬鐵，鐵到牠嘴裡，牙齒一咬就斷啦！這種動物就叫做象。因此易經就借這種動物的功能與現象，作

爻辭——每一卦有六爻，爻就是交；就是從交通的交變來的。換句話說，爻就是兩個十字架，這個十字架代表地球的磁場、太陽、月亮的經緯度。地球的磁場有一點點偏，像地球一樣，西北偏東南。所以這個十字架不是正的，是斜的。因為我們中國個體字造字的時候，本身就是個圖案，爻字就是根據這種實質的現象而來的。表示了兩個十字架彼此交互的關係，所以說，爻者，交也，爻下面的文字就是爻辭。

象辭——象在古代是一種身體和力氣都極為龐大的動物，在東南亞一帶如緬甸、泰國等地很多很多。由於象的體積太大，很遠很遠就看得到，乃至老花眼的人也看得到，所以易經便根據這種動物的現象——一種龐大的現象，對一卦作一個示意的說明。象就是現象；象下面的文字，就是象辭。

現在我們繼續研究易經繫辭的本身。

象辭是判斷什麼呢？言乎象者也，一個現象出來了，就加以判斷。譬如說有人生病了，要用醫藥，他患的什麼病？醫生們根據醫學的觀念，就他病情的現象，來會診、判斷他的病情，再來用藥。所以象者，言乎象者也，一切的現象一出來，有智慧的人就加以判斷，這就是象辭的意義。

爻者，言乎變者也。爻辭是作什麼用呢？卦裡邊的爻，一爻一爻，都互相關聯，宇宙間的事物彼此也都有關聯，不停地在交互變化，所以，爻者言

乎變者也，是講宇宙多種事物交互變化的關係，這就是爻辭。

以上這些，大家要記清楚，以後研究易經就方便了。

楚人失弓

吉凶者，言乎其失得也。什麼叫凶？什麼叫吉？失去了就叫做凶，得到了就叫做吉。為什麼得到了、佔有了，就叫做吉？失去了、沒有了就叫做凶？這就是我們人文文化的觀念，其實失去與得到都沒有什麼了不起。我們中國春秋時候，有個有名的楚人失弓的故事，也代表了中國文化的另一方面。

在楚莊王的時候，皇帝有一張寶弓，不見了；當時的宰相、大臣們，驚慌的不得了，甚至全國人都非常震驚。皇帝丟了這張寶弓，那還得了！為了找這張弓，弄得全國雞犬不寧。這事被楚莊王知道了，便告訴部下說：不要找了，我丟了一張弓，他得到了一張弓，不是不得不失嗎？我用跟他們用有什麼不同呢？「楚人失弓，楚人得之」，都是我們自己人呀，這沒有什麼不好呀！部下聽到了很高興，都以為楚莊王度量大，是一位非常偉大的皇帝。

我昨天丟了錢，被人檢起來拿去用了，那也很好，錢反正是要用的，我用他

用都一樣！從我們中華文化這一種哲學思想看來，便沒有什麼得失之分，當然也無所謂吉凶了。但這必須是少數的聖人們，才會有這種開闊的思想，大多數人是做不到的。所以說吉凶者，言乎其失得也；得到了以為吉，失去了以為凶，便成了社會一般人的常則。

善於補過

悔吝者，言乎其小疵也。悔吝吉凶，我們剛剛提到過了。悔吝這兩個字，在易經卜卦上常常碰到。什麼是悔吝？就是小毛病，也叫煩惱。悔吝這兩個字，在易經卜卦上常常碰到。什麼是悔吝？就是小毛病，也叫煩惱。但是，易經除了吉凶悔吝四個現象以外，還有一種現象，叫无咎。我們後人卜卦，遇到了无咎這兩個字，便以為无咎很好，這是不懂易經道理的緣故。

无咎者，善補過也。天下事情沒有絕對好，也沒有絕對壞；你認為好，就出毛病啦！人生就是悔，悔就是很困難的，沒有真正的无咎。要真正達到沒有毛病的話，你要「善於補過」；自己隨時反省自己，隨時隨地，要能檢查出來自己每一方面的錯誤，隨時隨地檢查自己的毛病，這樣才能无咎。不是卜卦卜到无咎，便認為沒有問題，是好卦，那便錯了！

譬如你做生意，三點半鐘要錢，你卜到无咎就認為沒有問題，那靠不住

，你要去找才行，錢不會自己進來的，不然你會一垮到底；要善補過才行，這就是无咎的道理。不是說无咎就是很好，就是沒有毛病，那便錯了。下面他下了結論說：

是故列貴賤者存乎位，齊小大者存乎卦，辨吉凶者存乎辭，憂悔吝者存乎介，震无咎者存乎悔；是故卦有大小，辭有險易，辭也者，各指其所之。

大家注意！他講到列貴賤者存乎位，齊大小者存乎卦，辨吉凶者存乎辭。這裡有三個重點，一個是位，一個是卦，一個是辭。所以有人認為學易經，懂了卜卦的法則，就可以懂了人生，什麼叫貴！什麼叫賤！什麼叫運氣好！什麼叫運氣不好！重點就在那一個「位」上，當位就好。

譬如玻璃工廠做煙灰缸，一次做了一千個，一千個煙灰缸統統一樣。這中間有一個被太監買去，給皇帝用，而且皇帝還很喜歡它，擺到皇帝的御書桌上。大家看皇帝很喜歡，誰也不敢去碰，認為價錢一定很貴。另外一個煙灰缸被人買去，擺到公共廁所裡邊用，連小偷也不會去多看一眼。它的用處完全一樣，它的位置完全不同，因此就分出了貴賤。所以，世界上沒有一樣東西是絕對的貴、絕對的賤；貴賤是由於它存在的位置不同，當位不當位而已。當位就對，不當位就不對。所以有一句通俗的話說：「福至心靈」，這

個人福氣好，他到了那個位子，自然就聰明了。

同樣一個東西，如果位置不對，你認為最貴的也最不對勁。所以算卦的道理也是這樣，八八六十四卦那一卦是好卦，那一卦是壞卦，看你當位不當位；當位了就是好卦，不當位就是壞卦。你的命好，運氣不對沒有用！譬如等公共汽車，好不容易來了一部車子很空，你滿以為可以上車找個位子坐了，偏偏這時候有個老朋友跑來跟你打招呼，祇有眼看著這部空車開走了！後面的車子都是滿滿的，你還是沒有位子坐，永遠擠不上去；這是命好運不好。所以說列貴賤者存乎位，位不對便什麼都不要講了。你說很多事情你看不慣，看不慣也要看，沒得辦法！

齊小大者存乎卦。每個卦你要記清楚，什麼叫大卦，什麼叫小卦，也是不定的；也要看他的位在那裡。位對了就是大卦，位不對就是小卦；位對了，小卦也叫大卦。位不對，大卦也變成了小卦。譬如乾坤兩卦最大，但是如果乾坤不當位的時候，一點用處都沒有，還是小卦。

月兒彎彎照九洲

辨吉凶者存乎辭。因此易經的卜卦、算命等等，對人生的作用，以及所

的思想感觸卻不相同，就是這個道理。

羅帳，幾個飄流在外頭。這是唐代的白話詩，同樣是一個月亮，但人們心理

可是大家看到後，感受卻不一樣。有人看到彎彎的月亮，心裡是那麼高興，那麼惬意；有些人看到彎彎的月亮，心裡卻非常傷感，非常凄涼。其實個人的喜樂，同月亮有什麼相干呢？這所謂的「觸景生情」，事實上還是自己心裡先有了一個觀念意識的存在，再由當時的景物引發出來而已。幾家夫婦同

月兒彎彎，每個月月初或下旬，月亮都是彎彎的，同樣一個彎彎的月亮

　　幾家夫婦同羅帳，幾個飄流在外頭」

　　「月兒彎彎照九洲，幾家歡樂幾家愁，

出這些。如唐朝有名的白話詩：

煩，那好的地方也不對了，也不好了。我們隨時可以從文學的境界中，體會

滅，我們心裡認爲對了，不好的地方便也好了。不對了，我們心裡感到很憂

之；，所以文辭語言，是人類思想的代表。由於這種思想是在我們一念之間生

思想、你的觀念；你的觀念對了，便一切都對了。孔子說辭也者，各指其所

說的吉凶的道理，是好呢？不好呢？繫傳說：辨吉凶者存乎辭，辭就是你的

其介如石

辨吉凶者存乎辭。吉凶表現於文字思想，是一個觀念的問題。平時我們用易經卜卦的時候，卦的下面，往往會有一個憂或者是悔、吝的釋語。假設我們做生意，卜卦碰到了憂，一定會很痛苦；碰到了悔吝，一定會有煩惱或阻礙。這些悔、吝絕對無可避免嗎？不然，如果你研究易經久了，你便會知道，遇到憂、悔、吝的時候，是可以解決的；怎麼解決？就是我們平時常說的，要能行得正、行得直、心裡沒有歪念頭、壞主意。縱是遇到煩憂、悔、吝，心裡坦蕩蕩，以平常心處之，那一切也就平安了。

我們老總統的號叫介石，就是取於易經其介如石這句話。這句話的意思是在高高的山頂上，有塊石頭巍巍然的站在那裡，這種頂天立地的精神，就叫其介如石。老總統從小讀易經，所以才取這兩個字為號。孔子說：憂悔吝者存乎介，介就是一個人頂天立地的站在那裡，行得正、坐得穩、一切作正念、最好的存心；當你遇到最痛苦、最麻煩的事時，自然也會逢凶化吉了。

辭也者各指其所之

震无咎者存乎悔。假如卜卦卜到了无咎，不要以為沒有問題；要存乎悔念、一切要小心，自己要多反省自己，這樣才會无咎。孔子又告訴我們，讀易

經要懂得卦有大小，**辭有險易**。易經下面的卦辭，有險有易。有險，看起來非常可怕，但不一定可怕；有易，這個易的含義有兩個：一是便易的易，一是可以變化的易。有易，也不要高興，以為盡是便易，他會變的。我們人類的價值，就是有頭腦有智慧，用自己的智慧把危險變成平易，壞的把它矯正過來變成好的。但是，自己也可以把好的破壞了，變成壞的；所以說**辭有險易**。

易經每一卦，每一爻下面的文辭，都是講些什麼？**辭也者，各指其所之**。大家注意這個「之」字，在我們讀古文的概念中，都知道這個「之」字是虛字，所謂「之乎也者」；但有時候它卻是個實體的字，不是虛字。之者至也，是指到達了那裡。

譬如我們用手去架上拿毛巾，摸到了毛巾的時候，就是手之所之；之就是到。明白了這些，這個「之」字所產生易經的學問，要特別注意。大家以後自己看易經，遇到一個名辭叫「卦之」的，就說明了這個卦包含的意義，「所之」是到達了某一個境界。

我曾經審查過一篇寫易哲學的論文，文中提到「卦之」這個名辭，他說這句話錯了，那裡有這種說法！「之」字一定是「交」的訛字，所以他把「卦之」改成「卦交」。我看了以後，感到啼笑皆非；沒有辦法，祇好用紅

筆批他個五十九分，這不是笑話而是事實。辭也者，各指其所之，這是第三章，這三章在孔子繫傳裡是一組，是一個中心思想。下面一章開始就不同了，開始講易經的哲學了，非常非常要緊，現在請大家看原文。

第四章 易與天地準

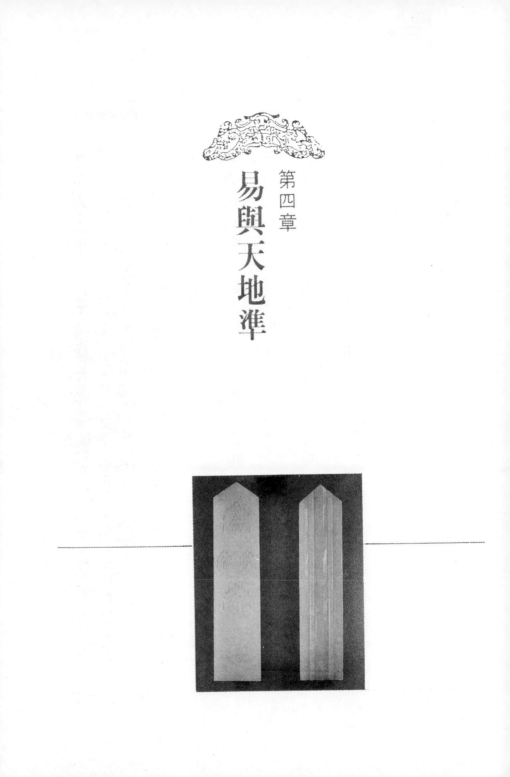

易與天地準。故能彌綸天地之道。

仰以觀於天文。俯以察於地理。是故知幽明之故。

原始反終。故知死生之說。精氣為物。游魂為變。是故知

鬼神之情狀。

與天地相似。故不違。知周乎萬物而道濟天下。故不過。

旁行而不流。樂天知命。故不憂。安土敦乎仁。故能愛。

範圍天地之化而不過。曲成萬物而不遺。通乎晝夜之道而

知。故神无方而易无體。

「易與天地準，故能彌綸天地之道。」

易經這部書，在我們中國文化的地位，有幾句名言可以形容，就是：「經典中的經典，學問中的學問，哲學中的哲學」。最高最高的思想，四書五經一切中華文化思想，都來自易經。至於孔子研究的心得報告，有幾個要點：

一切學問的準則

第一、周易這一部書的學問法則，是宇宙萬事萬有一切學問的標準，**易與天地準**。不論人事、物理，一切的一切，都以此為法則。換句話說，化學的也好，物理的也好，數學的也好，無論自然科學、人文科學，也不管軍事、政治、經濟、教育、社會、文學、藝術等等，都離不開這個法則。

天地之準是宇宙間最高的標準，最高的邏輯，故能彌綸天地之道。彌就是畫一個圓圈，因為圓周形無所不包。綸就是在這個圓的外面，再綑上一條帶子，一直一橫；好像我們小時候沒有玩具，用棉花團一個圓球，外面再用線把它纏起來，當皮球用，在地上拍，彌綸就是這個意思。簡單的說，如果人家要問我們，你們中國的易經是怎麼樣的一門學問？答案是**彌綸天地之道**

的學問。宇宙間萬事萬物一切的法則，都在它的範圍之中了。

中國的實驗科學

第二、我們的祖先畫八卦，創造易經的哲學，它是幻想來的嗎？不是的，他是科學的，是經過科學實驗的程序的；是仰以觀於天文，俯以察於地理而研究發明的。我們老祖宗，觀察這個天文，不曉得經過幾千萬年，才累積起來成為這個心得經驗。

我國的天文內容很多，譬如我們小時候看過一部書叫白猿占經，書的表面花花綠綠的，很奇特。這是一本早晨看太陽，晚上看月亮，觀察天象而知道刮風下雨的書。那個地方有災變、有刀兵，晚上一看天文就知道了。這本書的來歷，據說是上古時候有個猴子修道，活了一萬年，他觀察天文，紀錄下來，累集得到的經驗，成了這一部白猿占經。當時我們聽說了這本書，興致很高，千方百計設法購得，視為拱璧，藏之密篋，輕易不讓別人來看。等到自己年齡大了，知道了個中乾坤，也就一笑置之。過去一些同學們感到很新奇，我說你們誰要想當諸葛亮、劉伯溫，你們拿去好了；同學們當然很寶貝，但當他們弄清楚了個中道理，也沒有什麼稀罕了。

神祕的無字天書

　　我們老祖宗瞭解到天地的法則，是科學的觀察來的，仰以觀於天文，俯以察於地理。這個地理，並不是你們中學讀的地理；在中國古代，看風水也叫地理，這個地理是地球物理的另一種學問，所以古人又把看風水稱爲堪輿學。輿圖之輿，過去就叫地理，是依據一般的地理圖形——包括山脈河流的走向等等。堪就是察看，察看地球所能負擔的能力；輿是車，也是載，有地厚載物之意。所以堪輿就是地理，一般稱它爲風水。這裡我們所談的地球物理，是新興的一種學問，可是我們老祖宗早就研究了地球物理。我常告訴外國的朋友，關於地球物理這門科學，我們中國幾千年前就已經開始研究了。

　　我們中國有一本書，不但外國人不懂，連中國人也看不懂，這本書就是無字天書；祇有圖案，沒有文字，在道藏裡邊。以我看來，這本書就是地球物理學，全書都是圖案，畫了很多圈圈，都是洞洞，白洞黑洞；究竟那一個指什麼？誰也不曉得。這本書就是五嶽眞形圖。

　　在我們中國古時，認爲地下面都是通的，地球是個活的生命。我們古人之所以把地球視爲一個活的生命體，就是認爲地球裡邊有人。現在美國人的

研究，也認為地球裡面有人；地球裡邊也有另一個世界。這話是否可靠，地球裡面到底有沒有人？很難說！記得我們年輕時唸過一首求仙得道的詩：

「王子去求仙，丹成上九天，洞中方七日，世上已千年。」

那個時候我們認為是真的，絕對不假，洞中方七日，世上已千年；小時候這種故事讀得多了。現在西方也有這一類科幻故事，譬如天上的飛碟，是從那裡來的？這有很多說法：一種認為是來自外太空，一種認為是來自地球內部的人類，因為我們搞原子彈、核子彈，擾亂了地球內部人的生活，所以他們派出來偵察偵察，看是怎麼一回事。據說美國曾經有位叫維特上校的軍人就被他們抓走，帶到地下去審問了。不過我想如果能被他們抓到另一個世界去玩玩，我倒滿希望的；據說到了地下，便可以長生不死了。我們中國人過去都說，地下人的生命比我們長，像王子去求仙說的：洞中方七日，世上已千年，那多好呀！這是不是神話呢？也很難說。到現在不但地球裡邊是個謎，就是連地球的北極是什麼樣子，也還沒有人下過定論。科學家們、航空專家，都沒有辦法；因為飛機到了北極上空，一切儀器便都失靈了，分不出東西南北，祇有在那裡打轉；如果被地心吸力吸進去，飛機便飛往地下了，什麼原因，現在人們還弄不清楚。倒是幻想的科學家的這種想法，幾千年前也什麼都完了。進去之後變神仙不變神仙，我們不知道，但這些情形到底是什麼原因，現在人們還弄不清楚。

我們老祖宗便知道了；這些在道藏裡邊都有，但很可惜沒人看得懂；如果我們能懂了，知道那裡是門戶，一開門我們便可以進去了，那該多好。我曾經想關起門來研究他十年八年，總要弄出個眉目，如果能進去，洞中方七日，世上已千年，也滿好玩的；但總下不了這個決心，因為到底沒有這麼長的時間，讓我下這個功夫去研究。

旅程

我們老祖宗的易經，是仰以觀於天文，俯以察於地理，由於他科學累積的經驗，是故知幽明之故。幽是看不見的一面，像宗教家講上帝、講天堂、講地獄，究竟有沒有？沒有人能看得見，這就是幽。明呢？就是我們擺在地面上的，看得見的，就是明。換句話說，世界上的神祕學、宗教學都是屬於幽的，你如果懂了易經的道理，關於明的你固然看得見，幽的——鬼神的世界，你也都知道他的根源。不但如此，而且原始反終，故知死生之說。懂了易經的道理，像我們學佛，學禪宗的所說的生死，在中國文化看來都是笑話，那是小問題。一個人怎麼死？怎麼活？怎麼來投生等等，在中國文化中，那不是問題。

譬如上古時候距離現在幾千年前，大禹王就說過：「生者寄也，死者歸也」的話。生，是來觀光旅遊的，死就是回去；回去休息休息再來。易經也是這樣說法：**原始反終，故知死生之說**。人從那裡來，還回到那裡去。年輕時很調皮，讀到這裡便報告老師說我懂了！老師很詫異，問我懂了些什麼？

我說：生是莫名其妙的來，死也是回到莫名其妙那裡去。老師哈哈大笑，這雖然是笑話，懂了易經就了了生死，生死本來是兩頭的現象，像早上太陽上來了，晚上太陽下去了。但是生死也等於佛所說的，是分段生死，一個階段一個階段的；至於眞的生命、太極是無窮無盡，無始無終的。這一次你生成一個男的，下次再來你要變成女的；這一次變人，也許下一次變狗呢！這就是分段生死，跟佛講的六道輪迴是一樣的道理。分段生死，生來就好像這個世界上的觀光之客，因此產生了文學的境界，李白的春夜宴桃李園序中就說：

「夫天地者，萬物之逆旅；光陰者，百代之過客。」

天地就是萬物的旅店，所謂光陰就是時間，現代人常說的時間隧道；從宇宙看世界幾千年，也不過是個小孩子，是很幼稚的、很短暫的。宇宙不止幾千萬年。逆，就是歡迎；你來了，店老闆當面歡迎你。旅，就是旅館。光陰者百代之過客，這種思想跟我們老祖宗易經的思想，是一貫來的，所以死

生不成問題。

人生的問題

莊子以為人生最大的問題，就是人怎麼生，怎麼死！宗教家也在追求答案。宗教家認為，有一個高人創造了我們，哲學家不相信，科學家也不相信。你說他造了我們，我還要問，他是誰創造的呢？每一個宗教教主又是誰造的呢？其實所有的宗教主都是我們造的！因為我們信他，他才能夠存在，才有存在的價值；如果大家都不信他，世界上那還有他的影子？所以說他是我們造的。不過我又是誰造的？我的媽媽，我的外婆？那我外婆外婆的外婆，最初最初是誰造的呢？先有蛋呀先有雞？誰也沒法解決這個問題；問到最後便完了，那又是哲學、科學問題了。宗教是不能問的，還管他雞呀蛋呀！尤其是我們中國人，管你雞呀蛋呀！一齊加點醬油蔥花紅燒吃掉算了。中國人個性懶得問這個，西方人卻拼命的去追根究柢；可是中國古代文化原始反終，**故知死生之說**，承認鬼呀、神呀、仙呀、佛呀、上帝呀、菩薩呀，宗教所信那些看不見的，中國古代文化都說有，那是心物一元的。**精氣為物，游魂為變，故知鬼神之情狀。**你懂了易經，鬼神都在你手裡掌握，聽你的命令

。所以我們年輕時候學易經，就是為這個目的而學；學了易經鬼都不怕，鬼還要聽我的命令，這種學問非學他不可！

誰創造了宇宙萬物

事實上，照我們易經的觀點，這個宇宙萬物，既不是上帝造的，也不是菩薩變的，是什麼呢？精氣為物。什麼是精？不是人體荷爾蒙那個精啊！這個物也不是我們所看到物質的物。中國秦漢以前，老子也好，莊子也好，提到這個物字，他們的觀念就是一個「東西」；跟我們現在所謂的什麼東西一樣，這是個抽象的觀念。精氣為物，構成一個東西。游魂為變，游魂也是個東西，不過與精氣是兩層；精氣是固體的，游魂已經不是固體的，而到了物理的狀態。

游魂為變——起了變化。鬼是什麼呢？是實體的、向下走的；游魂像是冒出的煙，是向上走的，就是游魂。什麼是精氣呢？好像我們抽香煙，煙抽完了，分為兩層，煙向上走，煙灰還在這裡，就是精氣。這裡有三樣東西：香煙、燃後冒的煙——游魂、抽完後剩下的煙灰——精氣。所以精氣為物，游魂為變，是故知鬼神之情狀。鬼神有沒有？有，絕對有的，但是你不用害

怕，這是心物一元變化出來的；所以學了易經可以統御鬼神，每一個人都可以作教主了。

堪輿學上的問題

仰以觀於天文，俯以察於地理，是故知幽明之故。

我們老祖宗仰觀俯察的這個「地理」，包括了現在所謂的地球物理等等一切。說到地理，大家會聯想到看風水的問題，雖然是個小道，但也必須運用易經的法則，今天順便跟大家介紹一下。

關於看風水的問題，這裡邊包涵的也很多，大體上說，看風水所謂的地理，就是堪輿之學；它在我們中國文化系統中，已經有幾千年的歷史了。站在文化的立場，風水雖然是小道，但大家也不要輕視了它，因為它也是一門很複雜很深奧的學問。像我們古代開礦，那時候並沒有所謂的地質學，也沒有探測的儀器，完全憑堪輿之學，就可以斷定礦原、藏量及深度等。

一般看風水大概分為兩派：一是三合，是依據天、地、人各種不同的法則；一是三元，是以時間為標準的方法，分為上元甲子、中元甲子、下元甲子。比較而言，三合是注重形巒的，也叫巒頭；三元是注重理氣。後來又分了

很多派別，開始時是晉朝的郭璞，專門用五行——金木水火土來相地，來觀察地理。郭氏著有葬經，是講安葬死人法則的學問；死人與活人有什麼關係呢？這就很難講了。說起來恐怕就是電、感的關係吧！有時候有道理，有時候沒道理，但是郭璞本人的故事，卻不無令人有所感慨。

我們看晉代的歷史，郭璞是當時的知名之士，學問當然很好；他研究這一套學問，對當時的政治影響也很大，可是他卻不幸遇到了一個君弱臣強的時代。有位宰相叫王敦，很跋扈，想造反篡位作皇帝，但他怕這些有學問的讀書人反對他，有一天就請郭璞吃飯，想威脅屈服他。吃完了飯，王敦就問郭璞：郭先生你的陰陽五行是很靈的，請你算算我的命好嗎？意思是說我能當皇帝嗎？郭璞就勸他不要篡位當皇帝，不然會有不測之禍。王敦很不高興，就問郭璞那麼你算算你自己的命如何呢？郭璞笑著說：我的命，到今天中午就完啦！因為你要殺我。王敦說，我正是這個意思，就把他殺了。所以有人說，善易的人不卜；歷史上能夠先知的人，多半不得善終。大家千萬注意：一個搞神通、搞先知的人，大部分都得不到好結局，這是必然的。

難得糊塗

易經繫傳別講

古人有句話說「察見淵魚者不祥」。一個人用肉眼能看到水底有幾條魚，而且看得清清楚楚，這是很不吉利的。這句話就是說人不要太精明了！如果知道很多人的陰私，便認為自己消息靈通，那對自己實在是很不利的；所以一個人要裝糊塗一點才好。

大家知道清朝有一個名士叫鄭板橋，他就常說：「聰明難，糊塗難，由聰明轉入糊塗更難。」內心要絕對的聰明，外邊要假裝糊塗。尤其是家庭夫婦之間，彼此有點不到的事，要裝作沒有看見；這就是由聰明轉入糊塗，這也是最高的修養。

鄭板橋接著又說：「放一著，退一步，當下心安，非圖後來福報也」。這個福報並不是指信宗教、作點好事、或求來生享福的福報，而是為了自己一生心境上平安的福報。我們剛才說到玩神通、玩聰明的人，結局都不太好的原因，就是因為他們不能由聰明轉入糊塗之故。

獅子與狗

現在回頭再講中國過去的地理——看風水的問題。開始我們講三元、三合，所謂形巒；一般的說法就是龍，看龍脈。龍是形容詞，不是真的有龍；

形彎就是五行相配。有的山頭是圓形的，便屬於土形；有的山頭是尖形的，便屬於火形；方形的是屬於金形；另外還有木形的山。金木水火土配起來，就是看形彎。

風水師常說這個山是麒麟呀、獅子呀、寶劍呀、軍旗呀、紗帽呀，都是鬼話，不要相信。獅子跟狗差不多，麒麟跟豬差不多，為什麼不說是狗形山、豬形山呢？由此可知這些都是胡說是迷信。後來堪輿學到了唐代，分為四家，就是賴、李、楊、廖，最有名的是楊救貧。我們年輕時，聽說看風水要練眼睛，要能看到地下三尺深。那也是騙人的話，不可能的事！當時我也練了很久，後來越想越不對勁，便不再練了。

事實上，一個地理師要能看到地下三尺，也是有道理的；但是要用智慧之眼去看，要瞭解地質的情形，豈止三尺！三丈也應該瞭解的。楊救貧因為十分高明，所以不輕易為人家看墳地；他只為忠臣、孝子、節婦、義士這四種人看。這些是中國社會的典型人物，他指定地點，把這家死去的父母埋下那一邊；埋下去三年以後，你等著看吧！升官、發財都來了。不出三年一定大發！不管什麼地，只要楊救貧一指點，頭向那一邊，腳向

青山何處不埋人

這種方法我們年輕時候聽了，心中認為非常神奇，也非常嚮往；其實是用三元理氣，任何一個地方都可以葬人。過去我家孩子們也有信來，說為我選了一個好地，我寫信告訴他們，「青山何處不埋人」！人死了那裡不能埋呢？不要那麼麻煩，那裡死，那裡埋；壽終正寢跟死在道路旁邊是一樣的。但是講堪輿之學，的確有這種學問，叫做理氣。懂了理氣，懂了三元的道理，任何地方都可以。

譬如今年為下元甲子年（一九八四），卦氣便跟著變了。台灣是屬於後天卦巽卦的位置，巽在東南；台灣幾百年沒有走過這個運，這幾十年正是巽卦當令，所以也是台灣最走運的時候、氣最旺的時候。過了這個卦氣，便要開始鼎卦，鼎卦的方位、當令、當權，又另是一種氣象了。楊救貧的方法就是抓這個東西，抓住這個時運；運氣正要到那裡的時候，等於一條光線，正好照到那裡一樣，不論水澤、荒邱、道旁……這時候你把人埋下去，等到你自己發達了，有辦法了，再把你父親、母親移去他處安葬；這是唐朝楊救貧的大概。地理這門學問，我平常也常鼓勵一般人學，但是派別很多，這個裡

邊竅門也很多，絕對不能迷信。

有一本書，我在香港看到，現在已經在台灣流行了。這本書有圖案，寫得很明白；譬如正對門口有棵樹，這是很不好的。記得有次到南部去，走到清水等車子，看到一戶人家，門口一棵榕樹，榕樹鬚一串一串糾結不清，很是不好；一問這家果然有問題。

子貢為夫子擇地

風水這東西有時也真邪！你說不信嗎，有時候還真靈；不過有時候也不盡然。我們中國看地是一德二命三風水、四積陰功五讀書，你懂了這些以後，便不要看風水了，一切都要靠自己努力才行。雖然如此，過去大家還是很重視它，在我們歷史上出將入相的人很多，像宋朝的范仲淹、朱熹，也是一代大儒，他們的風水都很高明；孔子的學生們也很注意這個問題。孔子死後，他的墓地是他的學生子貢看的。當時三千弟子會議如何來葬夫子，結果選了地（就是後來葬漢高祖那塊地）。子貢看了說：不好，這塊地不行，因為這塊地只能葬皇帝，不能葬夫子；我們夫子比皇帝偉大！所以子貢選了山東的曲阜。但是子貢又講了：這塊地固然不錯，只是這條水有問題；若干年後

，下一代女家差一點，再下一代又好一點，再下一代又差一點……由於過去重男輕女，女家好壞大家認爲不算什麼，這麼一塊千秋萬世的好地，雖然有這一點缺陷，也總算是塊好地了，於是孔子便葬在這裡。

這些故事說明中國文化中，古代的讀書人必須要通三理——醫理、命理、地理。爲什麼要通三理？

因爲中國文化講孝道，一個作兒女的人要懂了這些，才能爲父母盡孝。父母年紀大了，作孩子的一定要懂得命理，孔子在論語中就說：「父母之年，不可不知也」。父母的年齡不可不知道，爲什麼？知道了父母是多大歲數了，自己出遠門能不能回來，自己心裡有數；算一算知道什麼時候是個關口，怕有麻煩，早點準備，要特別小心。第二點，萬一有病了，自己懂得醫理，知道治療。不幸死了呢？懂得地理，找個地方安葬父母。所以一個讀書人就要能懂得命理、懂得醫理、懂得地理。

神奇的堪輿術

到底地理有沒有關係呢？有關係，我小的時候也看到很多。當時有一個老前輩，又會算命又會看地，我們老喜歡跟著他跑，一邊跑一邊聽他講些道

理，講些學問。那時候不用筆記，完全靠腦子記憶，有時候一件事要他講好幾遍。記得有一次走到一個山上，看到一座墳墓，這一家是我們都認識的；他說：這家的後代一定很不好，我們要幫幫他。我說我們又沒有錢，又沒能力，怎麼幫法？老師帶我們站在山上說：你看他的祖墳下面出了毛病啦！我們站在山上看墳墓，一片白白的，很多墳墓，都一樣呀！老師說某某家的墳墓裡有水，在我看來卻跟別家的墳沒有什麼兩樣。

過了半年，聽說這家要遷墳了，那時候還小，怕看棺材、怕見鬼，不敢去看；老師說不怕！我帶你去；年輕人多學些經驗，於是便去了。到那裡還沒有開始挖墳，老師說這個棺木有問題，裡邊都是白螞蟻。結果把墳挖開了一看，不但棺木變了方向，而且已變成黑色，外邊還乾乾的。再打開一看，棺木內一半都是水，棺木上全是白螞蟻；想想老師的確有一套。

我們一般人講風水，風水是什麼？什麼叫做風水？風水就是要避開風、避開水。所以我就問老師，棺木怎麼會歪呢？裡邊怎麼會有水呢？他說這是風的關係，地下有風，風的力量就那麼大，把他吹動的。水呢？水是從附近集中來的，所以看風水就是要避開風、避開水。這意思就是，不忍心父母的屍骨，在地下還受風與水的浸襲。老師還講了很多故事給我聽，好風水的地方的確不同。記得家父四十多歲的時候，自己把自己的棺材做好擺起來，墳

墓也做好；這是中國的老規矩，免得子孫們麻煩。在開始爲家父做墳時，老師來啦！指定要挖下去一丈二尺深。一般而言，並不需要挖那麼深；因爲這是塊金色蓮花地，挖到一丈二尺深的時候，中間有塊土是金黃色的，像蓮花一樣。當時我們也很稀奇，跟著去看，果然慢慢的挖出黃土。他說還要挖、還要挖，一挖下去果然有塊土跟蛋黃一樣，像不像蓮花，當時也顧不到了，祇感到很驚訝，這都是我親眼看到的事情。

那個時候，既沒有大學地質系，也沒有儀器來測量，到底他是怎麼知道的？所以中國許多的學問，都是根據科學的原理來的，都是最高的理論科學；但是很可惜我們一般後代人，大家都把它用到看風水、看死人上去；用到辦公室搬位置，換桌子什麼等等來挑運氣，那實在太小啦！我個人一輩子不在乎這個，有人說我辦公室位置不對，不能坐！我偏要坐；因爲我不需要鬼神來幫助我。一生行事無愧無怍，了無所憾，所以什麼都不怕。但是各位千萬不要學我，因爲我是個什麼都不在乎的人；大家不要迷信，但也不要不信。

說到迷信、使我想到現代人動不動就講人家迷信，有些問題我常常問他們懂不懂？他說不懂，我說那你才迷信！自己不懂只聽別人說，便跟著人家亂下斷語，那才眞正是迷信。當然不但科學不能迷信，哲學、宗教也同樣的。

不能迷信。要想不迷信，必須要自己去研究那一門東西，等研究通了，你可以有資格批評，那才能分別迷信與不迷信。這是講到地理的時候，對我們一般人看問題的一些感觸。

理論與科學

剛才講過，地理的學問包括很多，至於整個的地理，我經常提倡二顧全書不能不讀，一部是顧祖禹的「讀史方輿紀要」，一部是顧炎武的「天下郡國利病書」；這兩部書都是講地理的，不能不讀。我們過去讀史記、讀漢書時，一定把這兩部書擺在旁邊，讀到那裡，隨時翻閱。譬如我們讀到福建，便聯想到台灣，便想到鄭成功是怎麼到台灣的，不能不讀台灣的古代歷史。台灣古代歷史資料、山川、形勢、人物、物產等，在讀史方輿紀要一書中，說的都很清楚。

尤其一個學政治、學軍事的人，如果連讀史方輿紀要都沒有看過，連地理都不熟，那還談什麼政治？談什麼軍事？一個政令下去、一個政策的決定，可以適用於台灣，不一定適用於山東或四川；可以適用於黃河以北，不一定適用於長江以南。拿台灣而言，一個方案、一個政策，在台北很好，在台

南、屏東便不一定需要。在台北能行得通，到屏東便不一定行得通；到台東可能更不一定需要。所以一個爲政者，要上知天文下察地理，讀史方輿紀要與天下郡國利病書，無論從事軍事或政治，乃至地理師，都不能不讀。我記得年輕時出門，行李比人家都重，所謂「半肩行李一肩書」——帶的都是書。這兩部書隨我走的路，實在不少。抗戰勝利後，我把它捐給四川圖書館了，這幾十年我手中沒有這兩部書，最近才把它印出來，大家不能不看，這是講地理順便提到的。

死生如旦暮

上次講到原始反終，故知死生之說，就是講到了生死；中國文化素來認爲：人類活著與死去，沒有什麼差別，也沒有那麼多的痛苦。生者寄也，死者歸也；活在世上等於住在旅館、來這裡玩玩、來觀光的，觀光完了當然是要回去的；所以說，死生如旦暮——像白天與黑夜一樣；有生必有死，有夜必有晝。換句話說，這個死生觀念不是唯物的觀點。唯物觀點認爲人死如燈滅，中國文化的觀念不是如此，它的看法是：死也不是死，有死必有生；生也不是生，有生必有死。用佛家的說法就是輪迴，也就是所謂的三世因果。

三世是指前世、今生、未來的來世。當然我們現在的生命死了，佛家叫分段生死；是屬於整個生死的一小段，所以生死是三世因果，六道輪迴在那裡轉。印度佛學，跟中國古代的說法一樣。所謂*原始反終*，就是現象的變化；經過能生能死的那一個，生命並沒有動搖。等於水泡成茶、造成酒，茶與酒雖然不同，卻都是由於水的作用而然，但水的性能永遠沒有變過。所以*原始反終，故知死生之說*，上一次我們講到這裡。

東方文化的宗教觀

因此，東方文化認為，死生不是問題。西方呢？認為死生的問題非常嚴重，因此有了宗教；宗教是解決人們死後的問題的。講到宗教問題，我常說宗教家都是賣死不賣生，都是作「死」人生意的；是告訴大家不要怕死，死了可以上天堂。大宗教家開了五家觀光飯店等客人上門：佛教稱他的觀光飯店是西方極樂世界；基督教稱他的是天堂……大家以此來號召、搶生意。中國文化不站在死的一面看，而站在生的一面；認為人生是生生不已。

固然太陽有落下去的時候，但太陽天天都要再升起來，因此中國文化從來不提死的問題。也有人說：西方人認為中國文化不重視宗教問題，甚至說中國

文化中沒有宗教。我說你搞錯了！中國文化談的是生的宗教，不談死的宗教；你們的宗教是夜裡提燈籠走路，鼓勵人家去死，死了好到你那裡去。中國文化不鼓勵人家死，鼓勵人家生，生生不已；今天太陽落下去，明天又有太陽升上來，後天還有太陽出來。

我以往常常告訴那些老朋友，叫大家不要那麼悲天憫人，杞人憂天；天下事自有天下人去管，你我要是死了，太陽照舊從東方出來。同樣的，我們的歷史也一樣會延續下去，子孫們過的比我們會更好、更快樂。天地間沒有什麼不得了的；我小的時候就聽到老前輩們常常說，不得了呀！不得了呀！現在看看，有什麼不得了的？我們活的不是比過去還好嗎！這也就是生死問題。

道家不死之藥

精氣為物，游魂為變，故知鬼神之情狀。 學通了易經，就曉得三樣東西；我們人類的生命有三樣東西，宇宙也有這三樣東西，叫做精、氣、神。中國的道家常提出來講，如果掌握了精、氣、神這三樣東西，就可以飛昇成仙。我們常常講精神，究竟什麼是精神？是精力旺盛！如果說吃了維他命，或

是夠營養的東西，精神便特別好的話，這是唯物的囉！但是，精的問題不是物質的。有一個觀念，大家要弄清楚：：物和物理以及物質，所代表的意義不同，不能混為一談；；所以精、氣，不是物質的，也不是物理的；當然更不是男性身體內的精虫，或女性身上的卵臟。

譬如我們說，這個人精神很旺盛！這是抽象的，可是它代表了一個形態，這個裡頭解釋便很多了。因此道家所說的長生不死之藥，不是去蓬萊仙島求來的，而是在你自己身上的，所謂「上藥三品，神與氣精」。修養得好，照道家的說法，可以長生不死。我不喜歡用長生不死的說法，而喜歡用長生不老的說法。一個人要耐得老，活到一百年、五百年、幾千年都可以，絕對不死是不可能的。

不管長生不死或是長生不老，這些都是精神的作用；；這個不是西藥，也不是中藥，也不是物質；所以身體有了毛病，真正要治療身體好起來，只有靠自己。能夠利用自己本身的精、氣、神，便可以返老還童，便可以長生不老。

宇宙也是這三樣東西，精、氣、神。這個東西很難解釋，為了表達方便起見，我們可說它是光、熱、力。神就是光；氣就是力；精就是熱。宇宙萬物的生命，離不了光、熱、力三樣東西；如果離開了它，就是一個死東西了

。等於我們活在世界上，日光、空氣、水缺一不可；宇宙間就是這樣，所以

孔子說精氣為物，意思是說，物質的東西構成活的東西，是由精氣凝結而來

的。

譬如一支香煙吧！沒有燒過以前，這支香煙的顏色、味道是一種樣子，

等它燒過變成灰以後，那個神彩就兩樣了。所以活的時候，凝結精氣為物，

死了之後，便游魂為變，於是他把這兩層分開了；也等於柏拉圖講的，世界

分兩層：一層是精神世界，一層是物理世界一樣。但是它不是二元論，精氣

為物，游魂為變，是一個功能變出來的兩面；游魂就是神，我們活著就是神

，死了就是魂，所以也叫做靈魂。這個靈魂，現在就在我們活著的生命裡；

精氣所構成的這個生命，就變成神，精氣凝結是物的世界，物理世界。精神

世界是游魂為變，神變了叫游魂；所以說，死後這個神就變成游魂了。

鬼跟神到底有沒有？鬼是一個個體的東西，我們研究鬼字的構造，先要

注意到田字。田字很重要，田就是田地，鬼是向下走的，不是向上走的。田

字出頭便是由，上下出頭叫申；雷呀、電呀，都是由田字來，所以孔子承

認有鬼神，是兩重世界的東西，雙重世界。有一位立法委員的老朋友，他的

書中也引用雙重世界、多重宇宙的說法，裡面就講到物質世界、精神世界是

兩重世界。

故知鬼神之情狀，易經的道理學通了以後，便可以瞭解宇宙的萬象，也瞭解了形而上的幻象，於是便可以與鬼神溝通，也可以說與天人溝通，天人合一了。易經就是這樣一門學問，這一篇是個最重要的開頭。

儒者之恥

與天地相似，故不違；知周乎萬物而道濟天下，故不過；旁行而不流，樂天知命，故不憂；安土敦乎仁，故能愛。

易經學問系統的精神，可以說是在推崇這個仁智，「仁」的智慧，是成就聖人的境界。聖人是個名稱，是學問、德業修養達到成就標準的人；所以聖人也是人，不過他與一般人不同，是俱有仁智最高境界的人。

因此懂了易經這個學問以後，便與天地相似，而不違了；也就是說，一個人達到上知天文，下知地理，宇宙的法則都把握在手，就是古人得了道的「宇宙在手，萬法由心」的境界。智慧到達這樣的成就，一切隨意自在，在這樣才是完成了一個人生。人是應該向這個目標來努力的，智慧的成就，同天地的法則一樣，與天地相似，一切合於自然之道，故不違。因此老子也提到「人法地、地法天、天法道，道法自然

宗教就是佛的境界，上帝的境界，

」的話。法就是效法，我們人生的境界始終與宇宙的法則，天地的法則，合在一起；也就是說，不違背大自然的原理原則。

知周乎萬物，而道濟天下，故不過。這個「知」就是智慧的智；古文知與智，是相通的。這裏講懂了易經以後的人，智慧的成就便無所不通，這是高推易經的聖境。古人講到儒家，認為就是一個有智慧的代表，春秋戰國以後，一般都把儒者當成了很高的知識分子，儒家也就自認：是一個讀書人什麼事情都要了解，否則便認為是恥辱，所謂「一事不知，儒者之恥」。所以作為一個真正的知識分子，天下事要無所不知，不但要上知天文，下知地理，還要中通人事、乃至萬物的物理，都要清楚。達到這個境界便是**知周萬物**，智慧周遍了所有的學問。等到一旦出來有所作為，有所作事，便可以道濟天下。這個道就是成功的貢獻，有動力、有方法，它能夠救濟這個「天下」，儘管也會有很多艱難；但**故不過**，不會有錯誤，也沒有錯誤，這是學易的價值。

上面兩句話是易經學問縱的一面，橫的一面呢？

旁行而不流，樂天知命，故不憂；安土敦乎仁，故能愛。

旁行是無所不通，乃至可以說，旁門左道，什麼都了解。但是，**旁行而不流**，雖然有時候迫不得已也會用些手段、旁門左道什麼的，但不會違背原

則，辜負初衷，絕不會過分，而失之於流——不正當。套句俗話來說，就是風流而不下流。所以樂天知命，故不憂，中國文化對於人生最高修養的一個原則有四個字，就是樂天知命。樂天就是知道宇宙的法則，合於自然；知命就是也知道生命的道理，生命的眞諦，乃至自己生命的價值，這些都清楚了，故不憂，沒有什麼煩惱了。所謂學易者無憂，因為痛苦與煩惱、艱難、困阻、倒楣……，都是生活中的一個階段；得意也是。每個階段、都會變去的，因為天下事沒有不變的道理。等於一個卦，到了某一個階段，它就變成另外的樣子；就如上電梯，到某一層樓就有某一層的境界，它非變不可，因為知道一切萬事萬物非變不可的道理，便能隨遇而安，所以樂天知命，故不憂。

安土與愛

安土敦乎仁，故能愛。這句話在中國文化中，產生了一些流弊；我們古代——不僅中國，西方也不例外，農業社會裡大家有個共同的觀念，就是安土重遷。換句話說，每一個人對自己的故鄉，都非常眷愛、非常留戀，很怕遷移，尤其怕遠遷。為什麼他們會「安」於其「土」，不願遠遷呢？人類是地球文化，他們離不開這個地球；也就是離不開這個土地。人為

什麼會有仁慈心理呢？仁慈是效法土地的法則而產生的，也就是老子講的人法地——效法這個土地的法則之故。說到大地與我們人類的關係，也很好笑；大地給我們生命，大地給我們一切恩惠，我們卻沒有一樣可以還給大地；要還的就是屎尿和一堆臭皮囊。

我常常提到張獻忠的殺人哲學，也就是有名的七殺碑，我親自見過；這個碑還在四川成都小城公園的圖書館裡。張獻忠的碑文，我們看了也祇好作會心的一笑；你說他有沒有道理？仔細想想也有點道理。他說：「天生萬物以養人，人無一德以報天，殺！殺！殺！殺！殺！殺！殺！」這看來好像是土匪哲學，但就另一個觀念去看，似乎不然。人對大地一無報答之處，而且祇有破壞；但天地像父母一樣愛護我們。因此孔子要人效法天地，所以**安土敦乎仁**。敦，就是很熱烈、很誠懇的意思。效法大地的精神來作人，實踐我們仁愛仁慈的精神，**故能愛**。所以說仁者愛人，像大地一樣的愛人；像天地一樣，祇付出，一點也不求收回。

講到**安土敦乎仁**，大家不要因為西方文化一來，科學文明進步了，人也都不大安土了，喜歡出來旅行遷移。其實這個不是真正的西方文化，我常常跟同學們講：你們看西方文化，不能僅看美國；美國的文化不能代表西方文化，因為她太短太年輕，立國不過兩三百年，還很淺很短。我常常跟美國朋

友講笑話，也是真話，我說：如果談人文思想、政治理念，你們給我們當徒孫，我們還不要呢！你們祇有兩百多年的歷史，我們有幾千年的經驗。如果談科學呢？那我們就自愧弗如了；我們還是個小老弟，實在是要跟你們學才行。

我們真要瞭解西方文化，到歐洲看看，他們也還很安土。安土心理很怪，我常常研究，一個沙漠地帶出生的人，苦得那個樣子！但是到了晚年，你問他那裡最好，他還是認為他的家鄉最好。窮家的孩子出來，乃至於很多的人，你問他，誰做的菜最好吃？他們會說：媽媽做的菜最好！世界上的人很怪，**安土敦乎仁**，在那個地方出生的人，就對那個地方有感情。

情與無情

我常常談到一個問題，出家的同學都知道；佛學有個名稱簡稱沙門，漢代翻譯為桑門。到了中國以後的佛教，那些真正的出家人──就是出家人中的出家人，這些真正修行的人叫「頭陀行」，也就是苦行僧。依照戒律：「頭陀不三宿空桑」。一個頭陀行的人，在一棵樹下過夜、打坐，不能超過三天，這是戒律規定；到第四天非離開不可！因為在那個地方住久了，就會與

那裡發生感情，就會留戀了。我們拿一個杯子、一隻手錶來說，再不好的杯子，但這是我用的，我會對他產生感情；如果你不小心打破了，我會生氣！人們對物也會有一種留戀的感情。所以一個真正修道的人，「頭陀不三宿空桑」，是非常有道理的。

太公素書（就是圯上老人送給張良作軍師的那本兵書）中就說「絕嗜禁欲，所以除累也」。人要能割捨了嗜好，拋棄了欲望，才能除「累」──才不會受感情的拖累。人對於感情的牽掛比什麼都厲害，所以很多修道的人，不能有所成就，就是這個原因……這些道理都與安土有關係。由此可知，人不但對土地有感情，對個人週遭的一切，久而久之，也都會產生感情、產生留戀。

在易經的道理中，非常注重這個「情」字，因為情是一種現實的東西。對性呢？易經中則不大注重，因為那是形而上的東西，形而上是空的，什麼都可以不要；但情是有的，如何處理感情，是個藝術，也在於你自己，而上帝、佛，都幫不上忙。所以**安土敦乎仁**，你要懂得了這個道理，**故能愛**，就能夠博愛。博愛不是含有佔有私心的狹隘愛，而是很廣博的、普遍的、無私的。

宇宙的大學問

下面講易經整個學問的運用，以及他的目的。

範圍天地之化而不過，曲成萬物而不遺，通乎晝夜之道而知，故神无方而易无體。

易經的學問懂了以後，整個宇宙萬物都懂了，所以說：範圍天地之化，這個中國文化易經所發明的「化」，後來被道家所運用。譬如宇宙這個名辭，最早出現在道書淮南子裡邊。宇、是代表空間，宙、是代表時間；時空兩個東西就是宇宙的代表，所以宇宙是屬於時空的範圍。而天地則是有形的，可見天地的觀念小，宇宙的觀念大。

後來佛學又創造了一個更大的名辭，可以包括了宇宙，這個名辭叫做法界。法界包括了時空、萬物以及天地間的一切。我們中國漢代的道家，在淮南子裡邊，就說明了時間與空間的關係；易經的學問也是包含時空兩部分的，就是範圍天地之化的。

這個宇宙，在我們中國文化裡，不認為是上帝創造的，也不是其他神創造的，沒有宗教的性質。在易經文化中，還有一種科學觀念，叫做造化——

自造自化。整個天體宇宙是大化學的鍋爐，我們人不過是這個鍋爐中的一個小分子、一個小細胞、一個很會活動的細胞而已。這是造化的一種功能。人類把自己看得很重要、很偉大，但站在宇宙的立場看人類，不過像花木上的一片小葉子一樣，是微不足道的。而整個的造化卻非常偉大，祇有懂了易經以後，才能知道易經是範圍天地之化而不過的；就是說，沒有任何法則是超過易經以外的，所有宇宙的一切學問，都離不開易經這個範圍。

圓的哲學

易經的另一個重點，是曲成萬物而不遺。懂了易經的法則以後，能夠瞭解宇宙萬有的一切運用；這個運用的原則是曲成。大家注意這個「曲」字，舉凡老子、孔子、儒家、道家以及諸子百家的思想，都從易經文化中而來。

易經這個名詞叫曲成，老子的「曲則全」，就是從易經這個觀念中來的。

為什麼是曲則全呢？易經告訴我們，宇宙是沒有直線的，通常是個圓圈。我們人的生命，只有修道的人瞭解。圓圈這個圖案，就代表了太極，人也是這樣。我們人的生命，卻是很糟糕的；我們前面的什麼都看得見，後面的什麼都看不見。我們生命的圓是分段的，我們形體的圓是一

個光圈。實際上這個形體，是我們整個生命的中心、一個支柱，所謂神以形生，精以氣凝；人體的生命就是這樣。

根據現代科學的研究，我們每個人，乃至萬物，凡是活的生命都有光。過去大家看到菩薩、上帝的畫像上，都有一個光圈；現在科學研究，已經可以看到人的光圈。人的光圈約有一尋──就是八尺左右；換句話說，你的手臂有多長，你周身上下就有這麼大的光圈。人體光圈有各種不同的顏色，而且這些顏色是隨你的心情在變化的。如果你動了一個壞念頭、惡念頭，你光圈顏色，就變黑了。；你心理有個善念頭，你光圈的顏色也是亮的。光有幾種，最好的是金色，佛經上所謂的金色晃耀，就是聖人境界。其他還有紅光、黑光、白光、藍光、黃光等。

我們中國人學了易經會看相，也有人會看光。如果是紅光，代表將有血腥之災；黑氣就代表有災難來了；綠光是一種魔的境界。這說明一切都是圓的，光也是圓的。我們研究地球物理，到太空去轉了一圈，還回到原來地方。換句話說，宇宙間的一切沒有直線的；所謂直線就是把曲線切斷，加上一些人為的作用，假名叫做直。真正學了易經，講話也要有些藝術，轉個彎；連罵人也是一樣，轉一個彎罵了他，他還很舒服。如果你要罵一個人混蛋，他會跟你拚命；如果你說

我們大家都是混蛋，他便沒有什麼說的了。所以說**曲成萬物**。

但是也不能太過了，變成一個球，你又不通了。所以我們老祖宗，早就曉得宇宙萬有的道理，是由曲線完成，人身沒有那一個地方不是曲線的，大家信佛打坐修白骨觀，每一根骨都不是直的，我們背脊骨也不是直的，孔子研究易經說**曲成萬物而不遺**，不會遺漏那一樣，因為它是圓周形的。真正的圓代表一切的圓滿，因為我們的生命都在這個圓圈以內，沒有那個地方會有遺漏的了，所以說是**曲成萬物而不遺**。懂了太極中的學問以後，就可以瞭解這個曲成的道理，老子說「曲則全」，一走曲線就一切圓滿了。

光明來自黑暗

通乎畫夜之道而知。我們開始講象數時，就講到一天十二個時辰是分晝夜，分陰陽的；就連短短的一分鐘也分陰陽。我們明白了日夜這一明一暗就是個現象，由這個現象而知道：有陰必有陽，有光明面，下一步一定有黑暗面。有上台，必有下台；有下台也可能會再有上台的時候。

明極暗生，暗極明生；明從那裡來？從黑暗來，黑暗從那裡來？從光明來；那個能明能暗的是本體、是太極；既不屬於明，也不屬於暗。

從前有個禪師參禪，但還沒有解脫到生死的問題。有一天他讀易經繫辭，讀到通乎晝夜之道而知這一句，他便大徹大悟了，於是就在下面加了兩個字，變成「通乎晝夜之道而知生死」。

不可說 不可說的神

下邊一個結論，這也是東方文化特別的地方：

神无方而易无體。

什麼叫神？把宗教外衣統統剝光了，我們東方最高的宗教哲學是**神无方**。神是沒有方位的、沒有形象的，我們本身生命也好、精神也好、宇宙的生命、宇宙的精神也好，神是沒有方位，無所不在，也無所在的。

易无體，易經是沒有固定的方法的。所以你用八八六十四卦來卜你的命運，說你的命不好，你便難過。誰教你不好的？命不好自己可以改造呀！通了易經道理之後，生命、命運統統可以自己改造。但是如何改造呢？很簡單：一德二命三風水四積陰功五讀書。人定可以勝天，命運是靠自己的；所以說：神无方，而易无體，這是孔子研究易經的心得報告。

我們大家學易經，先要把繫辭上下傳弄通了才可以，否則一學易經八八

六十四卦，你便著易經的「道」了；借用佛家的一句話，你就著相啦！一臉的卦氣像神經病一樣，那就不好看了。我們看京戲，諸葛亮出來是八卦袍、鵝毛扇；姜維是諸葛亮的徒弟，臉上也有一個太極圖，也是八卦袍、太極圖、鵝毛扇……可見八卦、太極圖都是代表智慧的；人家一看就知道是有智慧的高人。但也有臉上畫半個太極圖的，那就說明了他是假智慧、狗頭軍師。在京戲中，羽扇綸巾就是智慧的象徵。

神无方而易无體。易以什麼爲體呢？易以用爲體。體在那裡看到？體在用上看到。無用就無體，體本身看不到它的功能，祇有在用上才能看到它的功能。所以說**神无方而易无體**。我們瞭解了這個，再看西方哲學，尤其是宗教哲學，就已經低了一級啦！不過我們自己沒有貢獻，光拿老祖宗來誇耀，那是過去的成就，那是老祖宗的，不是我們的；我們交了白卷，祇有對不起老祖宗，我們作後代子孫的應該檢討才是。

說到這裡，想到過去一個朋友來看我，說他做了一個夢，夢到他自己死了，給自己寫了一副輓聯，上聯是「眞對不起，此生交了白卷……」，我說好！作的眞好！這輓聯不祇你能用得上，我們很多人都用得上；對老祖宗而言，我們眞對不起他們，因爲我們都交了白卷！

第五章 一陰一陽之謂道

一陰一陽之謂道。

繼之者善也。成之者性也。仁者見之謂之仁。知者見之謂

之知。百姓日用而不知。故君子之道鮮矣。

顯諸仁。藏諸用。鼓萬物而不與聖人同憂。盛德大業至矣

哉。

富有之謂大業。日新之謂盛德。生生之謂易。成象之謂乾。

效法之謂坤。極數知來之謂占。通變之謂事。陰陽不測之

謂神。

道可道　非常道

一陰一陽之謂道。

一陰一陽之謂道，這裡邊問題就很多了。這個道，不是本體之道，是應用之道。所以我常說，講中國文化有兩個問題最難解釋：一個是天字，一個是道字。中國文字是從六書來的，譬如這個道字，有時候講形而上，有時候講形而下；形而上的道是不可說、不可說的，所以說神无方而易无體。

有時候形而下的法則也叫道，甚至我們走的路也叫做道；所以一個道字、一個天字，有好多種定義。研究上古的文化，譬如我們讀老子：「道可道，非常道」，一個道字用了三四次，有時候用作名辭，有時候用作動辭；動辭與名辭的意義就不同了。所以我們讀古書時，對某些特定的文字，不能呆板的看。

現在易經上講的這一句，是應用之道；宇宙之間任何東西，都是一陰一陽。譬如有個男的，一定有個女的，之謂道——這個道是個法則。有一個正面，就有反面；宇宙間萬事萬物不可能祇有正面或反面的。明末清初有個大文豪，與鄭板橋齊名的李漁，他說世界本來是個活的舞台，幾千年來，唱戲

的只有兩個人：一個男的，一個女的。這句話實在不錯，幾千年來，這個世界舞台上，歷史就是劇本，演員祇有兩個人：一個男人，一個女人。

一個模子不成世界

修道的人有句名言：「孤陽不生，孤陰不長」。單陰獨陽是不能有成就的，必須要陰陽配合。不過，這句話被後世外道的人所盜用，認為修道要一陰一陽；要男女如何如何才可成道。那是胡說，靠不住的；不要上當。但是宇宙間的法則的確如此，一陰一陽，缺一不可。如果我們拿政治哲學來講，民主政治就是一陰一陽；有你的一派，就有我的一派，這是必然的；如果青一色那就不好玩了。試想，如果人人聲音一樣、面孔一樣、思想一樣、動作一樣，沒有男的也沒有女的；大家一個面孔、一個方式，你說這個世界有什麼好玩？我想大家活不過三天就厭煩了！因為人形形色色，又要吵架、又要吃醋、又要搗亂，一天到晚都有事情做。人天生就是這麼一回事，懂了這個，也就懂了一陰一陽之謂道。

矛盾與均衡

繼之者善也，成之者性也，仁者見之謂之仁，知者見之謂之知，百姓日用而不知，故君子之道鮮矣。

一陰一陽雖然是有正有反，但是調和正反的，不是矛盾的統一而是均衡。一陰一陽要達到調和、均衡，便得了道，不均衡便不得道。所以繼之者善也，成之者性也。這就是孔子特殊的地方！為什麼說「人之初，性本善」？善有什麼好處呢？為甚麼一切的宗教都是提倡去惡為善？因為善的作用是完成均衡一陰一陽的。一陰一陽就是一善一惡；有善必有惡，有惡必有善；有是必有非，有非必有是。天地間的善惡是非，那一個對？都不是絕對的，道德也不是絕對的。

譬如說道德禮貌：在某一個時候是道德，換一個時間、換一個空間，你那麼做就不道德啦！甚至在另一個時候，卻反而成罪惡了。所以善惡是非、道德黑白，是沒有絕對的，都是人為的。說一個絕對，就是相對了；因為絕對是從相對而來，對相對的而言，才會產生絕對的觀念。形而上的統統被佛說完了，所謂：「不可說，不可說」、「不可思議」，但是他老人家已經犯

了錯誤啦！明明說不可說，但他已經說了，說了什麼？說了一句「不可說」

，可知形而上就是這樣一個東西。

　形而下是沒有絕對的，祇有靠人為來調整它；所以說：繼之者善也，成

之者性也。這個善字，到孔子的學生曾子作大學時，加了一個「至」字，成

為「在止於至善」。什麼叫至善呢？至善是沒有善，也沒有惡。有一個善的

存在，就有一個惡的存在，善過了頭就變成惡了。像父母對兒女的愛，關心

過度，最後會令你很痛心。所以愛人是痛苦的，被愛是幸福的；一點都沒有

錯！但是一個人如果幸福得太過頭了，那又一點都不幸福了；你什麼都關心

我，我會很討厭。被愛的太過分了，不是好事；善的過分了就是惡。

　這個宇宙間相對的法則，善惡是非與利害都是相對的。為什麼會如此？

你說人活著真痲煩！有那麼多痲煩，那你不要活去死好了。有人說死了倒好

，一了百了。我說如果你到了那邊，發現那邊的痛苦、痲煩比這裡更多，想

想還是回來的好，可是老兄！你要叫我為你回來作擔保，替你去領入境證，

我可辦不到啊！有位同學傷心了來找我，說：老師！我還是死了的好。我說

：死了就真解脫了嗎？他說：我認為。我說：你先要去考證考證啊！萬一死

了的地方比這裡還要痲煩，後悔可來不及了；要考慮考慮啊！這是真的呀，

你可知道那個世界，跟這個世界一樣的痲煩嗎？如何使它不痲煩？善繼。如

性與情

下邊有句重要的話來了！**成之者性也**。中國文化祇有易經、禮記提出來性的問題；當然這個性，不是講男女之性，而是講人性、天性，代表形而上本體的那個性。所以佛家後來講明心見性，性就代表了本體。中國文化開始祇分兩層──性跟情。性代表本體；譬如說宗教家就叫它上帝，或者叫做如來；這些都已離開了人的立場。中國文化就把這些拿出來，這就是性，本性。這個宇宙是怎麼開始的？先有雞呀先有蛋？先有男的先有女的？一切所來自的那個東西叫性，它所起的作用叫做情；這就是性、情之分。

這個宇宙萬物的功能，前邊我們講過。宗教家叫他上帝，叫他如來；中國文化到孔子提出這個報告，跟禮記一樣：**成之者性也**──就是本體功能的性。換句話說，也是一陰一陽之情。所以我們談到看風水，講究來山去水、山勢要環拱、水要來朝，才叫有情。

曾經有位同學說，他家的風水很好，有山有水，家裡很多人都發了財，現在祇有一位老祖母守著，請老師幫我去看看。一看，我說搬到外邊去了。；現在祇有一位老祖母守著

何教他善繼？就要均衡調和。所以孔子說：繼之者善也。

果然不錯，有山有水。但是你這個地方沒有用呀！你說你有山有水是不錯，但是來山不拱，去水無情。所以你家骨肉分散，四分五裂，非搬出去不可！只有老祖母在，可見骨肉無情。

有一次去一位朋友家，我說你的房子很好呀！他說是呀，前邊還有個花園呢！不但有花園，還挖了一個很大的噴水池養魚；我說你趕緊把它填起來，不填不行；好好一個風水，給你搞得這麼糟糕，挖壞了。大家還記得嗎？過去總統府前邊，左右各挖了一個水池，已經很糟了，還向上噴水；晚上電燈一照，看來像一對白蠟燭一樣，幸虧不多久就拆掉了。這些問題不能亂玩的呀！你說不迷信，它就擺眼色給你看看；你說絕對迷信嗎？也不要相信它，人為也可以轉變的。我是專門找危險的地方住的，你說這裡有鬼，我非來住不可；很想藉機會來看看鬼是什麼樣子。鬼也很可愛的呀！比人還可愛；能交幾個鬼朋友，不是也很好玩嗎？

鬼怎麼來？神怎麼來？三世的有情無情怎麼來？它的根本在那裡？所謂**成之者性也**，這句話很重要。在座的有在家的、有出家修道的，你們想要成道，就要瞭解這裡孔子說的**一陰一陽之謂道**；要想有所成就，光靠打坐煉氣功沒有用啊！要有善行的成就才可以，所謂**繼之者善也。**要想真的成道，必須要明心見性，**成之者性也。**這是孔子說的，他這個

地方等於傳了道。孔子研究易經的結果，懂了這個所謂一陰一陽之謂道。孤陽不生，孤陰不長；但是你要想達到陰陽合一的均衡，必須要有功德才能夠做到；沒有功德，還是沒有這個機緣的。

旁門八百　左道三千

前面我們講到：一陰一陽之謂道，繼之者善也，成之者性也。這兩句話被後人污蔑了；污蔑的很厲害。中國有派修道的人，與正統的老莊有差別。

道家正統的修道者叫丹道派，又叫丹鼎派，是修煉神仙長生不死之道的道派（這是我們後世為它們起的名稱）。正統丹道派，又分南宗北宗、東派西派等四派。除此之外，又有所謂旁門八百，左道三千。旁門裡頭有所謂採補派，專講男女間兩性關係的修法；以男性為主的叫採陰補陽，以女性為主的叫採陽補陰，這一派是相當旁門，相當邪門的。可是在道家裡邊，這種人隱隱約約的非常之多，再加上由西藏過來的佛教密宗，元朝以後，有所謂的雙修法。在過去這些都是很大的祕密，現在已經公開，全世界到處都有公開的圖象了。有關這一類道派的書，其基本理論，就是一陰一陽之謂道與成之者性

也作擋箭牌的，真是一塌糊塗！

不過這些書還真不容易看得懂，其中有很多的術語，現在香港還有這種專門的道院，其他東南亞各地也有。基本上這個觀念是非常錯誤的，所謂「採補」，本來是道家的名稱，它是指採天地精華之氣，來補養自己肉身的生命，也就是莊子所說的「與天地精神相往來」的意思。現在台灣很多男性煉這類功夫，像吊磚頭、提肛門等，都是這一派的。這比旁門左道更等而下之、更差一層了。所以在這裡不厭其詳的告訴大家，希望大家要弄清楚，以後看到道家書裡，引用易經陰陽男女的說法，就知道是被這一個道派錯用了易經裡邊的話；明白了這些，才不會誤人誤己。

這些旁門左道，言之鑿鑿，確實也講易經，但把成之者性也的「性」字，當成男女之間的「性」，如此牽強，真是誤會得可怕。不但如此，這類道書很多，它們還強調我們的老祖宗黃帝，就是用這個修法而成功的。此外，古代還有好幾位神仙，都是全家飛昇肉身修成功的，道書上叫做「拔宅飛昇」──就是連房子庭院都隨他飛上天去了。家裡所有的貓呀、狗呀，連老鼠、螞蟻也都一同變成神仙啦！能有這種成就的，當然沒有多少人，只有黃帝是秉「服陰處陽」而修成的。道書上是這樣講，這一派，錯誤觀念很大很大，這是大家需要瞭解的。

錯誤的相對論

現在我們回轉過來講，易經所謂一陰一陽之謂道，並不是道家旁門所講男女的陰陽，而是講宇宙的體用。本體是寂然不動的，它起的作用，就是「用與象」；每一個現象都是相對的正反兩個力量而成，天下萬事萬物都是相對的。有人講易經講到這裡，說這就是愛因斯坦的相對論。那也是不對的，不要亂扯！相對論是相對論，我們中國人很多認為你跟我相對，就是愛因斯坦的相對論，這種科學觀念是很笑話的。易經所講的這一個相對，是指宇宙間的萬事萬物的相對；站在西方的邏輯來看就是矛盾。這個矛盾最後當然還是統一的、中和的。不過西方唯物學家的矛盾統一，是反面的看法；中國的相對是中和的、是從正面來看的。這個觀念，學邏輯、學哲學要特別搞清楚。

現在一般東西方的應用邏輯，都是從黑格爾的思想來；多半講正反合矛盾統一，忘記了東方看正面相對的中和。有中和就有分化，這個均衡的存在，就是一陰一陽之謂道。陰極陽生，陽極陰生；這個道不是講本體之道，是講用；宇宙萬有一切的象，它的用都是兩個相對的力量而產生。

甚至於說我們自己的心理，也是相對的；當我們心裡剛剛寧靜的時候，

我們的壞思想就起來了。當我們煩惱痛苦到極點的時候，又很希望求得寧靜。用陰代表煩惱痛苦，用陽代表寧靜安詳，就知道沒有絕對寧靜的時候，也不會有絕對煩惱的時候。因為陰極陽生，陽極陰生，是必然之道。不管現象怎麼變，道的本體是不動的，能夠懂了這個原理，把握這個原理，就是繼之者善也。換句話說，假使善惡代表陰陽，有善必有惡，有惡必有善，善惡兩個一定相對。

現在提出一個宗教問題：大家知道天主教、基督教是西方宗教，卻不知道五大宗教的聖人，都是東方人，沒有一個是西方人；耶穌、摩西都是東方人，世界上的宗教都發生在東方，不過後來傳到西方在那裡發芽生根了。另一個問題大家要注意的就是：有上帝存在就有魔鬼，上帝與魔鬼一定相對。拿西方的宗教來講，上帝是萬能的，但在我看來，一樣也不能；連個魔鬼都沒辦法！上帝有多大的功力，魔鬼也有多大的神通，都是一樣。這個道理是什麼呢？有善必有惡，絕對相對；善惡是非全是人為的。世界上有真正的善惡沒有？沒有！有真正的是非沒有？也沒有！都跟易經一樣；因為時間空間不同，善惡是非的標準也不同了。

比如像我們這個社會，現在女生夏天穿露膀子衣服，如果在幾十年前這樣穿著，那不嚇死人才怪！這是人呀？是妖呀？但現在如果還作此思想，這

講別傳繫經易

個人就是落伍！可見這個善惡是非，沒有絕對的標準。所以形而上的道，是沒有善惡是非的，形而下的用，就有善惡是非了。所謂有陰就有陽，理解了這個道理之後，就知道善惡是相對的，不是絕對的。但在人類的世界裡善惡卻又是絕對的，所以必須要用陽的一面。；至少，不管你用陰或者用陽，要能繼之者善也，是本著最善的出發點，不論善於用陰，或者善於用陽都成功；也等於禪宗六祖所講的：「正人用邪法，邪法亦是正；邪人用正法，正法亦是邪。」因此，繼之者善也，成之者性也。完成善的大業，在人來講是人性的最高點。這幾句話歸納起來，你就曉得繼承孔子學說衣鉢的曾子，在大學上說：「大學之道在明明德，在親民，在止於至善。」這句話，是根據什麼來的；性善是根據易經的繫傳而來，大學之道是根據乾卦文言與繫傳而來。

宇宙間至善的代表

現在講到本體這個東西，宇宙萬有的本體（本體也是借用的名辭）──萬物未生以前那個東西是「○」，無象可以形容的。這個無象之象，它代表完整完滿的一切；它是清靜的、至善的。當它起用的時候，祇要一動，相對的力量就出來了。；就顯出了一陰一陽，就有善惡、有是非、有變化。所以，**一陰**

一陽之謂道，是指用與象而言。至於未動之前，那個本體是寂然不動的；既不善、也不惡、也無陰、也無陽。

後來正統的道家與佛家，所講的「得道」，不是一陰一陽之謂道的道，而是無陰也無陽、不動也不靜、無是也無非、無善也無惡的境界，也就是道體的境界。至於講到用，那就是全部的易經。

易經究竟講什麼？現在問題來了！孔子研究的答案是：仁者見之謂之仁，知者見之謂之知，百姓日用而不知，故君子之道鮮矣！

鮮，是古文的用法，就是少、很少的意思。易經的用是我們過去講過：神无方而易无體，這個原則要把握。第二個問題是，易經的用是那個用？是本體之體的用呢（體也是假設的）？起用了以後的用呢？理想不同、角度不同，觀念就會改變。所以仁慈的人瞭解了這個道，仁者見之，這個見之就是觀念；他的觀念就是仁。所以孔子講仁，孟子講義，各人不同，墨子叫做兼愛，耶穌叫博愛，佛叫慈悲、平等，儒家講仁、義、道、德，都是名稱的不同、觀點的不同。

我們瞭解了易經的象數，它是從十個方面來看問題的，從一個卦象反覆錯綜來觀察分析，所見就自然不同。所以仁者見之謂之仁，知者見之謂之知。喜歡搞學問的人，他瞭解了這個道就叫智，智慧的智。但是由於個人觀點

的不同，其所見也就不同了。總而言之，天下這個道在那裡？套用西方的宗教家說的：上帝在什麼地方？上帝無所在、無所不在。拿佛家來講，就是如來「無所從來，亦無所去」；佛就在這裡，在你的心中，不在外面。在道家來講，道即是心，心即是道。不過這個心，不是我們人心的心，也不是思想這個心；這個心必須思想都寧靜了，無喜也無悲、無善也無惡、無是也無非，寂然不動的那個心之體，那就是道。

道到了我們人的身上，百姓日用而不知。百姓是古代對一般人的總稱，拿現代語來解釋，可以說就是人類。拿人的立場來講，百姓代表人類；拿佛家講，那更擴大了！一切眾生、一切生命的存在，它本身就是一種道的作用。百姓日用而不知，我們天天用到這個道，可是你卻不知道這個道。人是怎麼會思想的？怎麼會走路的？怎麼會吃飯的？怎麼曉得有煩惱？有痛苦？當媽媽沒有生我們以前，我究竟在那裡？假設我現在死了，要到那裡去？先有雞呀先有蛋？先有男的先有女的？整個問題都在這裡，這都是道的分化。可是道在那裡呢？道是不可知不可見的。在用上能見其體，在體上不能見其用；一歸到「體」，「用」就寧靜了。

所以，孔子說我們的生命在用中，我們天天在用道，而自己卻見不到「道」。百姓日用而不知，故君子之道鮮矣！因為道太近了，道在那裡？就在

你那裡！不在上帝那裡、不在佛那裡、不在菩薩那裡、不在老師那裡，就在你那裡；在你的心中。心在那裡？不是這個心，也不是這個腦子，你在那裡就是在那裡。可是人不懂，**故君子之道鮮矣！**因此，孔子那個時候的報告就說：得道的人太少了。為什麼呢？因為想要懂，但沒有這個智慧。

凡夫不知的道

中國文化代表儒家的兩本書，一本是曾子所作的大學，另外一本是子思所作的中庸；但是這些都是孔子思想的分派，並不能包涵儒家學術思想的全部。可是我們後世一提到儒家，大家不去研究孔子自己說的論語，卻以為大學、中庸是至道，代表了全部的儒家的思想；真是拿著雞毛當令箭！大學中庸不是不好，祇是比較起來，孔子的境界像大海，大學中庸已經不是大海了；因為它們已經變成有範圍的東西。儘管如此，可是我們要瞭解，中庸大學的思想，仍然是很了不起的；他們對於道的境界各有他們的看法，但都離不開以人為主宰的中心。子思在中庸就提到這個話：「天命之謂性，率性之謂道，修道之謂教，道也者不可須臾離也，可離非道也。」

中庸第一句話就開始談天命、談性、談道，大家看了頭都大了！其實，

這個在我們中國文化，是很普通、很平常的話。像我們讀這個書，十歲的時候已經會背了，這是童子功；現在不要帶本子，一下就唸出來啦！這就是中國古時教育的功夫。那個時候由於環境單純，被老師逼個兩三天就背下來了，現在一輩子都忘不了！「道也者不可須臾離也，可離非道也」，須臾就是剎那之間。道在那裡？**百姓日用而不知**，中庸之所謂道就是人的道，是以人為本的。中庸一開始，子思就告訴我們：「天命之謂性」。這個天不是講我們頭頂上那個深藍色的天，也不是天文的天；這個天是自性當然的自然；就是這個儒家思想的代號，也叫做道，儒家就用這個「天」，來代表本體。

有始以來，這個生命，是自然下來的，就叫做性，也就是說，我們的生命是自然來的。但這不是物理思想上的自然，是自性當然的自然；就是這個樣子的自然，人生來就是這個樣子，萬物就是那麼個現象，所以說「天命之謂性」，「率性之謂道」。這個率就是直道而行，很直，但是我們人一加入後天的思想便不是率了。譬如一個嬰兒，開始會講話時後天已經受到污染，就已經不是率了；儒家經常用赤子之心來形容。一般人解釋赤子為嬰兒，那是不對的；所謂赤子是不會講話，生下來一百天左右那個嬰兒，胞衣裡剛出來，一身肉是發紅的，那個嬰兒才叫赤子；赤子之心是指它而言的，那個心就是道，道的存在。並不是說嬰兒就是道。

我們大人覺得此心純潔、乾淨，既無歡喜、也無煩惱，跟自然的赤子之心一樣，那就是道；就是所謂的「率性之謂道」。可是我們人做不到，因此到了我們這個階段，就是「修道之謂教」了。赤子之心做不到了，在平常煩惱思想裡頭，慢慢修行，慢慢糾正自己的心理行為，使它返還天命之謂性的道。

天命之謂性、率性之謂道，修道之謂教（教育之教），是三個階段，這三個階段同大學開始所說：「大學之道，在明明德，在親民，在止於至善……」三個綱要的精神是相同的。

道是不可須臾離的，並不是你修它就有，不修它便沒有；那就不叫做道了。譬如我們今天打打坐，修修道；到教堂禱告一下，上帝就保佑，不禱告上帝就跟我們分家；那算什麼？那不叫做上帝的偉大。我念了佛，佛就保佑，不念佛了，佛就不保佑；那佛不是勢利鬼嗎？那不是道！道在那裡？道沒有離開過你，「道也者，不可須臾離也」，隨時都在你那裡。「可離非道也」，不修它，它便跑了，修它，它便來了，那還叫道？我送紅包給他他就看我，我不送紅包給他便不看我，那不是道。道，你修也好，不修也好，他永遠在那裡。修道而得道的，不過把自己本來的找出來而已；不修道，不得道，像是你本來放在口袋裡忘了而已，那個東西還在那裡，所以「道也者不可

須臾離也」。須臾就是很快，等於佛學講剎那之間一樣。佛經講剎那之間，就這麼一彈一彈指，便有六十個剎那。（這個問題，佛經裡邊有三種說法：有說一彈指有六十個剎那，有說有九十個剎那，有說有三十個剎那，反正是很快很快。）

「可離非道也」。人離開了道，然後修道才能得到道，那是騙人的，自欺欺人的，道本來人人有，換句話說，盜也有道，壞人也有善心。老虎最凶，但牠不吃牠的兒子。壞人再凶殘，但一提到殺他的兒女，或者他的父母，眼淚也會掉下來，也是很人性的，所以道沒有離開過人。易經上講：百姓日用而不知──一般人本來就在道中，卻不自知，還要拚命去求道，所以中庸上講：「雖夫婦之愚，可以與知焉，及其至也，雖聖人亦有所不知焉。」

當時我們讀到這一段，問老師：夫婦怎麼是愚的呢？老師衹叫我們好好的背，將來自會知道，現在跟你們講不清楚。當時想這個老師混帳透頂，現在想想這個老師真高明透頂，年齡的不同，看法也不同了。夫婦之愚，現在我們攤開來講，男女兩個談戀愛，結婚生活在一起，那不是一塌糊塗、好笨的事情嗎？那才是鬼打架！但是，你不要以為鬼打架，其中有道，也是道的作用，除了教堂、佛堂有道，連最下流的事情，也是道起的作用。所以說「夫婦之愚，可以與知焉」，懂了這個道理，才知道這個中間有道。「及其

至也」，如果進一步認真去研究的時候，「雖聖人亦有所不知焉」，雖然得道的聖人，還是有所不知的。

這兩句話實在很難懂，當時老師祇說，將來你們會知道。後來研究禪宗，看到書中記載：明朝末年的密雲悟禪師，打柴出身，沒有讀過書，後來悟了道，無書不通。當時有位大學問家問密雲禪師，這兩句話怎麼解釋？密雲禪師說：「具足凡夫法（凡夫就是普通人，儒家稱作愚夫，也稱做小人），凡夫不知，具足聖人法，聖人若知，即是凡夫，凡夫若知，即是聖人。」明朝的那些大學問家，祇好兩個膝蓋跪下來，佩服到了極點！密雲禪師解釋百姓日用而不知的道理，也就是剛才所講：「夫婦之愚，可以與知焉」的最好解釋。他的意思是說：得道的人固然有道，但是一切眾生都有道。得了道的人跟普通人一樣，並沒有一個道的境界；真正到了最高位的人，忘記了自己的位置，那才真正是了不起！所以具足凡夫法，可惜凡夫不能自己知道，具足聖人法，聖人也絕對自己不執著它；聖人如果自己執著得了道，那就是個凡夫，不是聖人了。得了道的聖人以為自己得了道，那就是個凡夫，不是聖人了；一個普通人如果一下明白了道，他就是凡夫，不是聖人，不是得道的人了；一個普通人如果一下明白了道，他也立刻變成聖人了。

同樣幾個字，換來換去有這樣妙，聖人、得了道的人說我悟了，我是大師，我比你們高，那是渾蛋、是狗屎。這個道理被他文字一玩，玩得大家昏頭轉向。這位禪師不認得字，得了道後，能夠講出那麼高明的話，所以百姓日用而不知，我們自己有，道在那裡？就在我們自己這裡。可是你就不知道！故君子之道鮮矣。這是孔子的話。

天愛萬物　一切平等

顯諸仁，藏諸用，鼓萬物而不與聖人同憂，盛德大業至矣哉！

前面我們講到繼之者善也，成之者性也。道在惡的方向很難呈現出來，在善的方面容易表達，所以顯諸仁，藏諸用。最明顯的道，善良的陽面是什麼呢？是仁義、博愛、慈悲。那麼道在那裡呢？是藏諸用的，因為道之體不可見，用裡頭就可以見到體了。

譬如電，我們看到電燈認為就是電，錯了！這是電力磨擦發的光而已，電是不可見的，但到處卻都有電的存在，電是藏諸用的。我們雙手擦熱就會發電，在用上就看到它的體。那麼「用」怎麼來的呢？「用」是由體的功能發出來的，所以說：顯諸仁，藏諸用。

鼓萬物而不與聖人同憂。孔子的文章寫得真好，「鼓」這個字形容的妙極了。鼓，不是打鼓，是吹氣鼓起來，也就是充滿。有人害肝病，肚子鼓了起來，叫氣鼓脹，就是這個鼓。充滿就是鼓，意思是說：道，充滿在這個世界上，一切生命靠道的鼓能而發生作用，所以道是充滿在萬物之中，就是鼓萬物。譬如一株花，葉子這麼漂亮，紅花綠葉真美！而且這一片葉子給植物學家研究起來，比一個原子工廠還偉大、還複雜，這個究竟是誰創造它的？這是道的功能。鼓萬物，這個功能充滿於萬物的生命中，但是而不與聖人同憂，天地生萬物，沒有什麼煩惱。

天地固然生壞人，但也生好人，平等平等；大地固然生毒藥，但也生補藥，沒有什麼好壞。天對萬物是平等的，博愛的；下雨的時候毒草也得到滋潤，好草也得到滋潤，一律平等，沒有分別。

聖人則不同，得了道的人，憂時、憂世、悲天、憫人，這是聖人們人為的作用。但是天地之道：鼓萬物而卻不像聖人那樣憂時憂國。所以說盛德大業至矣哉！天地萬物之道，是最高的道德，最高的事業。天地生萬物給人，而我們一切眾生還給天地的，都是髒的東西；不過天地從來沒有生過氣，天地有如此的偉大。所以人要效法天地的胸襟，才夠得上是聖人的行為，所以說：盛德大業至矣哉！這是孔子提出來宇宙萬物的道體，用之於人生哲學的

道理。

眞正的愛

富有之謂大業，日新之謂盛德。

下面他解釋幾個名辭。什麼叫做大業？富有之謂大業。眞正富有纔叫做大業，什麼人富有？人都很貧窮，祇有天地、自然最富有。天地爲什麼這麼富有？天地製造了萬物，而不佔有，他生出萬物是給萬物、給我們用的，他自己不要，因此他最富有。愈是想佔有的人，愈是最貧窮的，愈是佈施出來的人愈是最富有的；眞正偉大的事業是付出，而不是據爲己有。所以我說，愛是最富有的！不要說她不愛我，就哭起來了，那不叫做愛，那叫做哭。眞正的愛，祇有付出，沒有佔有；這也就是道、就是富有，所以富有叫做大業。

什麼叫做德呢？我國古時，道跟德是分開的，道與德合起來用是秦漢以後的文化；秦漢以前，道是道、德是德。什麼是德呢？*日新之謂盛德*。這裡要注意了！日新兩個字，在中國文化上很重要，大學裡頭也引用到「苟日新、日日新、又日新。」我們年輕時把苟字讀作狗，喜歡養狗的人倒很好；天天爲狗洗澡，爲狗換新衣服，眞是狗日新、日日新、又日新。這個苟日新，

我們從小背了，感到很好玩，也不懂是什麼意思。

什麼是苟日新、日日新、又日新？是不斷的進步，是沒有今天只有明天。一個人如果滿足了今天的成就，那就叫做落伍；今天就是今天，今天過去了，只有明天，永遠是明天，永遠在前面，所以苟日新。一個人如果滿足了今天的成就，這個人就完了；學問道德也是一樣，要天天不斷的前進，所以說日新之謂盛德。

我經常告訴年輕人，大家要注意啊！不要落伍，千萬不要被人生煩惱痛苦佔去了；人生永遠是明天，不要看昨天，昨天已經過去了，今天也沒有，因為說今天，今天也已經過去了。世界上最可憐的人，乃至老人的共同悲哀，都是祇有昨天，沒有今天，更不想明天。我的老朋友中，有好幾個就犯這種毛病，人老了是什麼樣子？你現在跟他講的，他馬上忘記了；但是想當年時候的事，他都想得起來。天天跟你講，從前我怎麼樣怎麼樣，天天都是這些老話。還有老年人哭起來沒有眼淚，笑起來眼淚就流出來了；坐在那裡就想睡覺，躺下來卻睡不著；這就是老年人的情形。所以老年人祇想昨天前天的他不敢想，任何人祇要這個心理現象一來，就是已經老化了。不老化的人，明天的他不敢想，任何人祇要這個心理現象一來，就是已經老化了。不老化的人，也就是有道的人，他們能夠日日新、又日新，不斷的進步，所以，孔子說日新之謂盛德。

永遠的活著

生生之謂易，成象之謂乾，效法之謂坤。

生生之謂易這一句話最重要了！中西方文化的不同點，可從易經文化生生兩個字中看出來，易經的道理是生生，也祇有易經文化才能夠提得出來，西方沒有。你們研究西方文化，基督教、天主教，舊約新約裡頭、回教的經典裡頭，乃至佛教的經典裡頭也一樣，一切宗教祇講有關死的事，都鼓勵大家不要怕死。祇有中國易經文化能說：**一陰一陽之謂道**。死是陰的一面，也在道中；生是陽的一面，也在道中。

一切宗教都是站在死的一頭看人生，所以看人生都是悲觀的，看世界也是悲慘的；祇有我們易經的文化，看人生是樂觀的，永遠站在天亮那邊看。你說今天太陽下山了，他看是夕陽無限好，祇是近黃昏；過十二個鐘頭，太陽又從東邊上來了。這種生生不已，永遠在成長、成長、成長⋯⋯所以我常說，倒楣的人，他的好運氣就要來了。為什麼呢？因為易經不是說**生生之謂易**嗎？梢倒過就是好運，這是循環的道理。大家倒楣一來就怕啦，如果這樣，你就被倒楣魔鬼吃掉了；要把「倒楣」當甘蔗吃，吃完了以後，下一步好

的就來了。所謂生生之謂易是中國文化特殊的哲學觀點，全世界文化都沒有這種觀點。所以我說，祇有中國文化敢講現有的生命，可以修到長生不死。這便叫做神仙！神仙的境界是「與天地同休，與日月同壽。」這個生命是永遠的。

道與零

前面我們談到生生之謂易，再加上成象之謂乾，效法之謂坤，三句話連起來，就可以體會出這個本體的功能、道的功能了。道的功能永遠是生生不已，這就是易的作用，這是第一層功能。成象之謂乾：乾代表天，構成了第一個現象，所謂天就是太空、虛空的整個現象，也包括天體上的太陽、月亮、星辰系統等，這是第二層功能；效法之謂坤：跟著天體的法則而形成這個地球，才有了我們人類世界的乾坤，這是第三層的觀念。這也就是老子思想所根據的「道生一、一生二、二生三、三生萬物。」亦即所謂的：生生不已。

在老子的思想中，道是一個名稱，是假設的、不可見、不可知、不可說的。道在那裡可以見到呢？藏諸用，在用上見到它的體。那麼什麼是他的用

呢？**生生之謂易**，道永遠是生生不已的。道一動就是一，一當中就有二；一動就有陰有陽，就有正面有反面出來了。所以我們講易經的數理哲學，與西方的數理哲學，有個相同的地方，就是都認為宇宙萬有開始於零。

零是什麼意思？零就是一個圓圈，沒有數。但大家不要誤會了，沒有數，並不是了無一物，它卻是無限的數、無量的數，不可知的數，不可見、不可盡，乃至無量無邊；這就是零。老子「道生一、一生二、二生三、三生萬物」，就是從這裡來的。數理哲學最高的祇講到「三」這一步，而「四」是另一個哲學觀念了。

那麼宇宙有多少數呢？祇有一個數「一」。永遠是一，一加一叫做二，一加二叫做三；到了十又是一個一，到了百又是一個一，到了千又是一個一，到了萬還是一個一……永遠是個一，沒有二，二是假定的，這就是數的道理。道生一、一生二、二生三、三生萬物；所以，**成象之謂乾，效法之謂坤**的一切道理，都在其中了。

占與卜

極數知來之謂占，通變之謂事，陰陽不測之謂神。

要瞭解易經，必須要瞭解卦與象，就是要會畫卦，八八六十四卦要背得來，每一卦的變化現象都要知道；不但要知道象，還要知道數。數有先天數、後天數，這些都要記得。先天數就是依「乾兌離震，巽坎艮坤」的次序數字；也就是乾一、兌二、離三、震四、巽五、坎六、艮七、坤八。後天數是依洛書配後天卦的數字，為坎一、坤二、震三、巽四、中五、乾六、兌七、艮八、離九的次序，後人把它編成歌訣，以便記誦：

一數坎兮二數坤，三震四巽數中分，五寄中宮六乾是，七兌八艮九離門。

為什麼先後天的數配合不同？我們過去已經說過，後天數以合十為主，合十是佛學的名辭，意思就是敬禮。如果你看到某某合十的文字，就是說某某敬禮的意思。合十就是合攏來為十，後天的數以合十為代表，先天的數不是合十，而是以陽極配合中和而來，所以說極數知來之謂占。占就是未卜先知，不要卜卦，就能知道未來的事，古人招指一算，就是這個意思。大家要想學會招指一算，便要先知道八卦在你手上的位置，在你手上排出九宮，他的順序是：

乾、坎、艮、震、巽、離、坤、兌。

如果我們在手掌上排成九宮，你便可以根據易經的方法，來招指而算了。但是各位要注意！占是占，卜是卜；用數來求卦的謂之占，用工具來求卦

講別傳繫經易

的叫做卜，這些我們前面都講過了。卜有用骨卜的，如牛骨、龜甲等。抽籤也是卜，乃至還有鄉下用的箆卜、筷子卜等。

大拇指→

食指→

巽 4
震 3
艮 8

中指→

離 9
坎 1

無名指→

坤 2
兌 7
乾 6

小指→

筷子卜的方法，是半夜燒一鍋水，把筷子平放在水面上轉一下，看筷子指向那個方向，就悄悄的向那個方向去偷聽人家講話，然後就以之而斷。我小的時候，有一次親自看到，一家人的孩子要去考試，便用筷子來卜卦；他的父親順著筷子的方向去外面偷聽，剛好鄰居要牽狗進來，狗不進來，鄰居便罵狗：天到什麼時候了，你還不進來……他爸爸聽到「快點進來」，就很高興，說一定會中。後來果然中了，也是很奇怪的。鄉下很多人用這個方法，這叫做聽隅言。偶然聽到對方不加思考的一句話，叫做機；用這個機來斷悔吝吉凶，就是所謂極數知來謂之占。

變通與通變

通變之謂事，前面我們談到占卜的問題，看來似乎很簡單，其實縱使學會卦與那些方法，也不一定管用。因為占卜主要的是靠智慧，曉得隨機「變通」。易經包含了五大學問：理、象、數、變、通。理是哲學的，變通是機，這都要知道。譬如我們這裡，講台黑板、椅子一擺，人家看這個現象，就知道我們這裡是上課或開會的；這裡邊還有數，看椅子的多少、地方的大小，就可以知道有多少人來上課、來開會，以及上課開會時間

有多長等，這就是數。

象數是科學的，理是哲學的；懂了哲學的與科學的，就可以未卜先知嗎？不行！還要知道變與通，所以說通變之謂事。如果你腦筋死死板板的，不曉得通變，那就是笨蛋！告訴你原則方法也沒有用。卜卦要知道通變，應用靠你的智慧，不能夠通變，便不會運用。我們平常罵人家不懂事，就是他不曉得變通，所以說通變之謂事。

通變跟變通不同啊！通變是要能夠先通達了變通的道理，再去領導變，那是第一等人。第一等人知道未來是怎麼變的，要當它還沒有變的時候，先領導它來變。第二等人是應變，社會開始變了，便把握機會來改變，這就是應變。末等人是跟著人家屁股後邊轉，人家變了你不能不變；一般普通人就是如此，這些也就是末等人了。

你們知道毛澤東對易經也很有研究嗎？他的易經老師是山東人，姓趙的，是第一次國共和談的代表；穿著布鞋、長袍，代表共產黨參加和談。毛澤東後來的三反五反，就是用易經的道理，但是用錯了時候。他知道社會形態非變不可，我不等你變，老子先來變。但他變得太早了；變得太早或太遲都不行。宇宙萬事一定要變，在將變未變之間，把握住這個機會，因勢利導，才是第一等智慧，這就叫通變之謂事。

下邊再說什麼叫做神？易經一句話就把世界宗教的問題解決了，什麼叫神？**陰陽不測之謂神**。這個神不是上帝那個面孔，也不是菩薩那個面孔；這個神是抽象的，不可知的，佛學中講不可思議，就是不可以想像、不可以去研究、不可以討論的。但是各位注意，佛學上講不可思議，那是方法上的話，佛並沒說「不能」思議呀！大家祇聽到佛說不可思議，便自己加上理解，認為是「不能」思議，那是全錯了的。不可思議是不可以推測，不可以想像。這個不可思議，就是神的道理，陰陽不測之謂神。

能陰能陽者

這一章在開始時便說：**一陰一陽之謂道**；最後的結論是：**陰陽不測之謂神**。所以陰陽是講用的一面，它的本體（道體），既沒有陰，也沒有陽；可以說陰陽中和了的那個狀態，這就是道。過去有一次講易經時，一位老先生起來向我提了一個很厲害的問題，他說：「陰陽不測之謂神」，請先生再下一註解。當時我年輕氣盛，也很大膽，也用他的口氣說：我之所能敬告先生者是：「能陰能陽者，非陰陽之所能為。」那位老先生對這個答案很滿意。

陰陽是兩個現象，道體不在陰上，也不在陽上；陰陽祇是他的用，**陰陽不測**

之謂神是一個定義。

繫傳研究易經，講到人生哲學同物理的關係，把易經的法則用之於人生、用之於占卜，這是第五章的精要之處。

第六章

夫易廣矣大矣

易經繫傳別講

夫易廣矣大矣。以言乎遠則不禦。以言乎邇則靜而正。以言乎天地之間則備矣。

夫乾。其靜也專。其動也直。是以大生焉。

夫坤。其靜也翕。其動也闢。是以廣生焉。

廣大配天地。變通配四時。陰陽之義配日月。易簡之善配至德。

無所不包的易

夫易廣矣大矣，以言乎遠則不禦，以言乎邇則靜而正，以言乎天地之間則備矣。

孔子在本章第一段中講到，易經所包涵的學問，非常廣闊，無所不包；世界上一切的學問，不管是宗教的、科學的……都在它的範圍裡邊。所以孔子說它廣矣！大矣！非常非常之偉大。孔子認為易經所包涵的學問，**以言乎遠**——就像一個圓圈一樣向前擴充。遠就是擴大，擴大到什麼程度呢？**則不禦**。禦就是邊際，不禦就是沒有邊際；借用佛學上的名辭來說，就是無量無邊。這就是所謂的**以言乎遠則不禦**的意思。

以言乎邇則靜而正。說近呢？就是靜而正。正在那裡？正就在你的眼前。用一句通俗的話來說，也就是遠在天邊，近在眼前。這還不夠，應該說正就在你的眼睛裡，所以你看不見。要體會易學的道理，必須要靜，要有最寧靜的境界，靜得一點雜念都沒有，要有至靜、至正的頭腦與心情，才能研究易經。忙亂的時候，沒有辦法研究易經，因為你的腦筋動不進去。

以言乎天地之間則備矣！總而言之，天地間一切的學問及最高的原理，

要想通達，便必須要通易經，才能融會貫通，備矣！完備了。

致虛極　守靜篤

夫乾，其靜也專，其動也直，是以大生焉。

夫坤，其靜也翕，其動也闢，是以廣生焉。

第二段是談卦的性情的問題。易經裡邊最重要的兩個卦，一個是乾卦，一個是坤卦。乾三、坤三，這是卦象的形態。卦就是一種象徵，拿現在的觀念來說，可以叫它符號邏輯；畫個卦（符號）給你看，你就知道意思了。前面說過，乾卦代表天，代表陽性；坤卦代表地，也代表陰性。換句話說，乾坤就是一體的兩面。就像我們這隻手，一面代表陽，另一面就代表陰。我們現在的觀念，認為手掌是陽，手背是陰，其實，那也祇是人為的習慣而已。

乾這個東西，我們也可以說，不一定代表天、代表陽性或男性。重要的是這個乾「三」的符號，它所代表的功能和現象是：其靜也專，就是靜到極點。極點是什麼樣子呢？就是老子所講的：「致虛極，守靜篤」。老子的道，就是根據易經來的。；要空靈到極點，要寧靜到極點，那個境界才算是「專」。懂了易經再來修道、打坐，不論道家、佛家，如果修定沒有到空靈的極

易經繫傳別講

點，沒有到寧靜的極點，不可能得到純陽之體。

所以呂洞賓得道以後，就叫呂純陽。純陽是什麼道理？靜到極點就是「

致虛極，守靜篤」；空靈到極點，就是**其靜也專**，這就是乾卦。

但是學易經的人要注意啊！這祇是乾卦的一面，可以說它是陽中之陰的

一面，或者說是陰中之陽的一面。這是講它的靜態。我們打坐的人，從這一

卦就可以瞭解**其動也直**的道理了。靜極了就動啦！陰極就陽生，陽極就陰生

；打坐靜到極點，氣脈就動了。乾卦一動，**其靜也專，其動也直**。動起來的

功能非常大，像打高爾夫球一樣，將打未打時，是其靜也專；一桿子打出去

，打的很遠，就是其動也直。球未進洞是陽，等到一轉彎進了洞，便又成陰

了。所以乾卦是：**其靜也專，其動也直。**

至於說直，世界上有沒有直呢？物理世界是沒有直的，物理世界永遠是

圓圈；我們這個地球及其他星球，都是在轉圓圈，所以人到了太空，永遠在

轉圓圈。太極也是圓圈形的，無論你左轉右轉，陰轉陽轉，各個轉法不同，

但他共通的原則，卻都是圓周形的。

至於直線是什麼呢？當圓周還沒有轉彎的時候，看起來似乎是直的，那

就是直線，事實上世界上是沒有絕對的直線。直線是動力發動的現象，所以

乾坤一動，功能非常偉大。你懂了這個原理，修道也不要問人了，靜極了一

定動，不要以爲動了便是著魔、遇到鬼了；這樣想，你才眞是魔。前天一位女士來找我，說她被鬼迷到了；她來了好幾次，我實在很煩，我便罵她⋯我一輩子想見鬼都沒有遇到過一次，你受過教育沒有？鬼在那裡？鬼沒有迷了你，是你迷了鬼了！世界上沒有鬼迷人的，都是人迷鬼的；人才是眞正的魔鬼呢！罵得她似懂非懂。事實上靜極了必動，動是由你靜極而來，不是由魔鬼來，你就知道動不是魔鬼了。動極了也必靜，自然之理也；懂了這個道理，大家便好作功夫了。

其靜也專，其動也直，是以大生焉！所以天地萬有的偉大，就是這個功能，是乾卦的功能。我們可以從萬物的靜態觀察，一粒種子，種在地下，他怎樣才能生長萌芽？祇有在靜態中才能生長，等到蘊養這種靜態的功能久了，等到他生命要爆發的時候，便**其動也直**，其力量是異常偉大的。你們可惜不是鄉下出生的，所以很多天地間的奧祕，你們都不知道。我小的時候，人家告訴我稻子會唱歌，我不相信，半夜裡找了幾個野孩子，偷偷跑到稻田裡去聽稻子唱歌。把耳朵貼在地面，眞的！很清楚的聽到劈劈啪啪的響，跟放鞭炮一樣。當時感到很神奇，等長大讀了易經**其動也直**，便一點也不感到奇怪了。

大家試想，當稻子要萌芽的時候，那麼多稻子同時爆裂開來，自然會發

出很多劈劈啪啪的聲音。稻子開花的時候也是一樣，夜深人靜時，你會聽得很清楚，可知生命力量的偉大。像嬰兒一樣，在母親肚子裡，我們姑且說他是靜態的，當他一出娘胎，碰的一聲，就生出來啦！其動也直，也是這個道理。天地間無論動物、植物……一切的生命都是一樣，偉大的生命就從這個動、靜二相裡邊出來的，這是講乾卦這個邏輯符號，所代表生命的道理。

好夢由來最易醒

夫坤，其靜也翕，其動也闢。坤是代表陰，是靜態的，但坤卦也是陰陽相對，所以本身也有動靜，每卦本身都有陰陽。坤卦的靜態，用一朵花作比喻，當它還沒有展開的時候，是含苞待放，就像是坤卦的靜態，是合攏來的；當他開放的時候，是其動也闢。

所以你們打坐，有人常說什麼丹田發動啦、一跳一呼啦、肛門收縮啦、海底發動啦……有些人還花了很多錢去煉氣功、煉肛門收縮等等……我看了真懶得理你們。昨天吃晚飯時，有人帶了一位客人來，一直宣傳他的肛門功夫，我聽了祇好一聲不響，心裡暗暗在告訴他：小心大便中毒。要煉提肛的功夫，先要煉不吃飯，斷了飲食之後，才可以煉。道家有句話說：「如要長生

，腹內常空；若要不死，腸中無屎。」就是腸子裡邊沒有大便！要常常清理它。道家有所謂「休糧辟穀」，所以才有「要想長生，腹內常空」的話。一個人要隨時保持腹內的空靈，不要吃得消化不良，搞壞了腸胃，老實說，除了特殊的天災外，現在很少人是餓死的，多半是吃死的。修道人修到氣充滿了，腸胃中沒有剩餘的廢物，腸子都變得晶瑩透明，這個時候才可以煉提肛。不然煉提肛、吊磚頭，非要他的命不可。那不是修道，那是修死；年輕人要特別注意！那天客人吹得正高興的時候，我不願掃人家的興，所以不好講，今天特別告訴大家，你們要千萬注意。

大家都有作夢的經驗，好夢很快醒，壞夢卻不易醒；有時候你作壞夢會像夢魘一樣，怎麼樣都醒不了，有時急一身大汗，想醒都醒不了。可是我們人生呢？都是「好夢由來最易醒」，這是古人的一句名言，所謂「多情自古空餘恨，好夢由來最易醒。」我講這個話的時候，有位同學說：老師！這句話錯了，我把它改一下：「好夢由來不願醒」。我說好，你可以天天夢見周公了。瞭解了這個道理，人生一切境界放開了，沒有什麼；好夢由來最易醒，這是歷史的定則。煉吊磚頭、煉提肛，都解決不了生死問題，要修道便要踏踏實實的走正路才行。

坤卦的道理：它的靜態是收攏來，它的動態是張開來，這樣才能廣大，

所以廣生焉。不過講到這裡，我再告訴各位一點，就是有關易經的著述，眞是千奇百怪。記得我年輕時候，看了一本有關易經的著作，這本書當時老師們把它叫爲邪書；認爲是邪魔的著作，是禁止學生閱讀的。有些老前輩問我看過沒有？我說看過了，老前輩說這種著作是不能看的！我說對呀，不過他說的也好像有些道理呀？這本書中解釋易經的陽爻陰爻，是沒有道理的；書中說陰陽爻是古代對男女生殖器的崇拜而來的，後來這本書還被翻譯到外國去了！它說：陽爻「一」，就是男性生殖器的代表；陰爻「- -」就是女性生殖器的代表，並引用繫傳其動也闢的話來證明。它說大家看繫傳中說：夫乾，其靜也專，其動也直，不是陽性的證明嗎？夫坤，其靜也翕，其動也闢，不是在說明女性的嗎？今天提出來讓你們知道，大家將來遇到了這本書，你便不會大驚小怪了。學易經，壞的著作也要看，不要祇看正確的一面，要能從多方面去瞭解，才能眞正的瞭解一本書。

生老病死　春夏秋冬

廣大配天地。變通配四時。陰陽之義配日月。易簡之善配至德。

另外一本書，說易經是一部情報學；這是過去一個作情報的人寫的。有

人問我看過沒有？我說看過了。那你應該寫篇文章駁一駁、罵一罵才對呀！我說你錯了，仁者見之謂之仁，知者見之謂之知，百姓日用而不知。雖然錯，也沒有關係；一種學問錯的也應該讓它存在，祇要你把它歸類到錯的一邊，不就好了嗎？你們要看錯的，便去錯的檔案裡找，這樣的思想、這樣的境界便偉大了。所以孔子自己解釋，什麼叫廣？什麼叫大？他用兩個符號作代表：一個是乾卦，一個是坤卦。廣到什麼程度？大到什麼程度？孔子的說法是：廣大配天地，變通配四時。宇宙間的一切事物，最廣最大的莫過於這個天地、這個太空，乾坤就是那麼廣，就是那麼大。

變通配四時：宇宙法則的太陽系裡，變化最厲害的，就是一年四季。為什麼冬天那麼冷？夏天那麼熱？春天那麼溫和？秋天那麼涼爽？這個大的變化你瞭解了，就曉得人生的境界。所以佛學經常感嘆人生的可憫；人人都有生老病死，非常可憐，從佛學的立場看，人生實在沒有意思。

但是從易經的原則來看，那也沒有什麼。生老病死是什麼？就是春夏秋冬。生就是春，老就是夏，病就是秋，死就是冬。秋收冬藏，你到世界上玩一趟，玩過了也要讓位給後邊人來玩玩，也是不對的。老年人也要走呀，不走也是不對的；所以應該有生老病死，這跟春夏秋冬是一樣的。知道了生老病死就是春夏秋冬，便知道了人生，便知道了這就

是變通配四時。

至善的平凡

陰陽之義配日月，易簡之善配至德。什麼叫陰陽？最好的說明就是太陽跟月亮的作用！易經的道理就是這麼簡單，這就叫**易簡**。我們知道世界上最高深的學問，在於它的最平凡處；最平凡的學問也是最高深的。禪宗六祖告訴大家「佛法在世間」；道家修道教你內修，不要外求，所謂「丹田有寶休尋道」；而儒家所教的，是在平常人與人之間的關係中，應該如何如何，都是很平凡的道理。瞭解了這些，大家便可以曉得什麼是易簡之善配至德了。

這些大家都要注意，人生不要自己覺得很了不起，所謂「唯大英雄能本色」，就是要永遠記住，自己未發達時怎麼樣，不管到了什麼地位，還是一樣，那就對了。所以最平凡的就是最偉大的，也是最高深的，擺出一副最偉大的樣子，就是最糟糕的、最愚笨的。所以，**易簡之善配至德**。宇宙萬有最高的道德成就，就那麼簡單。這是易經繫辭上傳第六章的重要內容。

第七章

易其至矣乎

子曰。易其至矣乎。

夫易。聖人所以崇德而廣業也。知崇禮卑。崇效天。卑法

地。天地設位而易行乎其中矣。

成性存存。道義之門。

人生的最高原則

子曰，易其至矣乎？一個結論先擺在前邊，這是哲學性的；孔子說易經的學問，是世界上一切學問的頂點。**易其至矣乎**，就是到了頂點的意思，沒有學問可以超過它的範圍。

夫易！那麼易經是一種什麼樣的學問呢？拿人生哲學來講，聖人所以**崇德而廣業也！**我們老祖宗們，上古的聖人，拿這個易經象、數、理的哲學，指導我們人生的境界，推崇你的人生，崇高你偉大的德業，發展你偉大的德業——這個業並不是升官發財，而是道德的事業；使我們懂得人生偉大的價值，那就是孔子最精彩的一句話，**知崇禮卑**四個字。**知崇**，智慧要高瞻遠矚，要有最高的目標。**禮者履也**，履就是走路；第一步開始起步是要從最平凡的地方開始。**卑**就是卑下；目標要高遠，但是開始的時候卻要踏實，從最平凡處起步。

能如此，你這個人生一定會有成就的；不然僅有高遠的理想，不曉得從最平凡、最踏實的第一步開始，便永遠停留在幻想中、夢想中，不會有任何成就的。所以聖人的名言是**知崇禮卑**。比如說你要創一番事業，理想儘管很

高，但著手處的第一步，要用你的智慧，踏得很低、很卑的地方，不要踏得很高，想一步登天那就完了！最後非跌死不可。

崇效天，所謂崇高就是像效法乾卦一樣，像天那麼高遠，像虛空那樣無量無邊的偉大崇高。

卑法地，就是像大地一樣，那麼實在、那麼能夠擔負一切。這個大地，擔負了萬物生命的一切，好的壞的它都包容、都擔負。一個當領導的人，要特別注意這點，要能夠卑法地——容納一切，有能夠擔負一切的精神。所以孔子研究易經，乾坤兩卦最為著重，所謂天地設位而易行乎中矣！

研究易經，首先要把乾坤兩卦研究透徹，這兩卦我們過去都講過的，大家回去要再好好復習複習，務期徹底瞭解；懂了乾坤兩卦就懂了天地，瞭解了宇宙。天地代表了空間和時間，我們抬頭就是天，腳踏就是地，不管我們在太空或飛機中都是一樣，天永遠在上邊，在虛空那邊；地就是實在的大地。天地設位而易行乎其中矣，我們仔細琢磨琢磨，這些文字的排列組合，就可看出孔子用字之妙。設就是假設，也是人為規定的。永遠看不見、摸不著、無窮盡、無止境、無量無邊的就是天。當我們腳踏著地，地是可以摸到的，那個確實的就叫作地。所以乾坤兩卦，假設了天地的位置，而易行乎其中矣。整個易經的道理，在你懂了乾坤兩卦後，對易經生生不已的奧妙、祕密

，便可洞若觀火，統統瞭解了。

成性存存和如如不動

成性存存。道義之門。

這是孔子最精彩的一句話，在人生哲學中不僅僅是易經，也與修道有關。這八個字沒有辦法解釋！所以我過去曾經答允商務印書館，把易經翻譯白話，最後想想沒有辦法，祇好放棄，投降了。講易經祇有用古文的解釋，否則沒有辦法；因為白話解釋沒有辦法傳神達義。像你們學佛講「明心見性」，明心見性絕對空嗎？不是空！是有嗎？也不是有。孔子用成性存存四個字，便統統講完了。可見孔子是得道了。成性存存，眞到了瞭解易經那個道統，宇宙萬有那個道體的境界，它永遠是不生不死的。存存，就是這個樣子。什麼叫成性存存呢？就是「如如不動」。什麼叫成性存存呢？就是「如如不動」，並沒有說不動啊！只是好像不動。你說他動不動呢？不能說他是動，也不能說祇有佛家「如來」兩字翻譯的最好，佛家翻譯「如來」代表了佛家，也代表了道。什麼叫「如來」？就是「如如不動」。佛家講「如來」，你說他動不動呢？不能說他是動，也不能說他是不動。你聽聽看！好像不動，像不動。你聽聽看！好像不動，所以叫「如如不動」，這個樣子就叫「如來」。

孔子當年早就在易經中提出成性存存的境界。這個道，我們不要再解釋了，孔子已經說的很明白，就像義者宜也，相宜的宜，要恰到好處，太過了不對的。所以在佛學的心經裡說：「不垢不淨，不增不減」，這就是宜也，也就是中道；「不垢不淨，不增不減」就是道義之門，就可以完成道，達到「明心見性」「如如不動」的境界了。

第八章

聖人有以見天下之賾

聖人有以見天下之賾。而擬諸其形容。象其物宜。是故謂

之象。

聖人有以見天下之動。而觀其會通。以行其典禮。繫辭焉

以斷其吉凶。是故謂之爻。

言天下之至賾而不可惡也。

言天下之至動而不可亂也。擬

之而後言。議之而後動。擬議以成其變化。

鶴鳴在陰。其子和之。我有好爵。吾與爾靡之。子曰。君

子居其室。出其言善。則千里之外應之。況其邇者乎。居

其室。出其言不善。則千里之外違之。況其邇者乎。言出

乎身加乎民。行發乎邇見乎遠。言行。君子之樞機。樞機

之發。榮辱之主也。言行。君子之所以動天地也。可不慎

乎。

同人。先號咷而後笑。子曰。君子之道。或出或處。或默

或語。二人同心。其利斷金。同心之言。其臭如蘭。

初六。藉用白茅。无咎。子曰。苟錯諸地而可矣。藉之用

茅。何咎之有。慎之至也。夫茅之為物薄而用可重也。慎

斯術也。以往。其无所失矣。

勞謙君子有終。吉。子曰。勞而不伐。有功而不德。厚之

至也。語以其功下人者也。德言盛。禮言恭。謙也者。致

恭以存其位者也。

亢龍有悔。子曰。貴而无位。高而无民。賢人在下位而无

輔。是以動而有悔也。

不出戶庭。无咎。子曰。亂之所生也。則言語以為階。君

不密則失臣。臣不密則失身。幾事不密則害成。是以君子

慎密而不出也。

子曰。作易者其知盜乎。易曰。負且乘。致寇至。負也者。

小人之事也。乘也者。君子之器也。小人而乘君子之器。

盜思奪之矣。上慢下暴。盜思伐之矣。慢藏誨盜。冶容誨

淫。易曰。負且乘。致寇至。盜之招也。

現在再重複一下象與卦：

什麼叫象？象是象徵，象一樣東西、一個圖案，後世加一個人旁，變成了照像的像。在本章裡孔子講道：聖人有以見天下之賾，而擬諸其形容，象其物宜，是故謂之象，這就叫做象。

卦是什麼意思呢？我們老祖宗畫八卦，卦是代表一個象徵性的意思，代表一種東西、一種情狀，代表宇宙萬有事物的現象，這就是卦。

無所在　無所不在

聖人有以見天下之賾，而擬諸其形容，象其物宜，是故謂之象。

聖人有以見天下之賾，賾就是奧祕。宇宙中有個奧祕，是故謂之象。宇宙中有個奧祕，有個看不見的東西、看不見的功能。我們知識上要瞭解它，並不是眼睛看到了，而是智慧上知道了，這就是「見」。宇宙間那個看不見、摸不著的東西，有一種力量，這種力量我們用什麼方法來說明它、表示它呢？而擬諸其形容。擬就是理解到了形而上的複雜功能，當它將動未動的時候，像我們開關電燈，當我們的手摸到這個開關，將要按下還未按下時，亮光將要出來還沒有出來的剎那之間，可以說是由這個形而上的能，轉變為形而下的萬有之用，動而未動那個

空、有之間，**而擬諸其形容**。就是這樣，瞭解他那種形象，所以畫卦以象其物宜，以便大家研究、瞭解這種卦象的符號邏輯。這個符號代表了萬事萬物，這就是所謂的象其物宜，也可以說是差不多；有一點像，很像的意思。這句話很重要！**是故謂之象**，這樣一個卦就叫卦象。

由這幾句話，我們就可以理解到：一切的宗教、形而上的道、或者是萬物的主宰，同形而下的關係，最高的形容說法，祇能達到**象其物宜**；就是說差不多而已，沒有百分之百。所以古時釋家翻譯過來的佛，也可以說是一種卦象；佛就是如來，如來就是代表修道有成就的人，他已經達到了生命與宇宙合一的境界；那就是佛，就是如來。更明白的說，如來就是好像來啦，來了沒有？沒有來，去了沒有？沒有去；不來也不去。所以佛家的金剛經說：

「無所從來，亦無所去，是名如來」。

其實，其他的宗教也是一樣，你問上帝在那裡？他會告訴你，上帝是無所在，無所不在的。說了等於沒有說！無所在，你就乾脆說沒有；無所不在，你就乾脆說他在！嘴巴文字，口頭語；講得那麼好聽，教人聽了以為這就是上帝，這就是道……尤其那個神父傳教時的表情……啊！萬能的主啊！上帝呀……臉仰著，眼閉著，兩臂向上張開……啊！無所在！無所不在！那個動作就是像其物宜。實際上無所在，根本就不在這裡；無所不在，就是說本來就在

這裡沒有動過，那兩句話不是說了等於沒有說？但是佛也是這麼說。其他宗教也是這麼說的，大家硬把它套上一個「神」的外衣，已經等而下之了。所以我們老祖宗這個文化，將宇宙最初這個功能的奧祕，變成萬有的作用，這中間祇用四個字來形容它，大家要特別注意，就是象其物宜。

所以易經的卦，它究竟代表了什麼？它是個符號邏輯、通用的符號邏輯、廣泛的符號邏輯，可以適用於萬事萬物。譬如說我們現在日用科學的聲學、光學、化學、電學、乃至生物學、遺傳學、醫學等等一切，始終沒有逃出我們老祖宗易經的範圍。昨天晚上我為了查一個遺傳學上基因變化的問題，結果發現終究還是六十四，沒有超過八八六十四卦這個範圍。當時我看了以後，又是一種感慨，化學的公式，沒有超過六十四位，也是六十四位，醫藥上我教他們畫那個跟烏龜殼一樣的，也沒有超過六十四位，很怪很怪的問題。我們老祖宗怎麼知道的呢？但是這些東西，都是象其物宜。所以我們算命呀、看相呀、看風水呀，算得最靈最靈的，也不過是象其物宜；差不多而已，不會百分之百的。

換句話說，我們今天坐在這裡的各位，是不是上個星期上課時的各位呢？上星期的你，是不是今天的你呢？都不是的，因為你分秒都在變。雖然你覺得現在還坐在這裡，你還是你，但你已經不是昨天的你，更不是上個星期的你了。莊子裡就有「交臂非故」的話，兩個人對面走來，當他們交臂而

過的一剎那，便已經不是原來的兩個人了。天地間的事物，分秒之間都在變化；「交臂非故」，手臂這樣揮一下，再揮一下，第二次便已經不是第一次時的那一揮了。所以事物的變化，只是象其物宜而已，沒有真正的相同，是故謂之象。好了，如果我們要考試問伏羲氏，為什麼要畫八卦？答案就是：

聖人有以見天下之賾。聖人們希望來瞭解宇宙的奧祕，而擬諸其形容，想把它形而上不可見、不可知、無聲無象的功能表示出來，象其物宜，跟原來的差不多，是故謂之象，所以就叫做象。

天地萬物之交通

聖人有以見天下之動，而觀其會通，以行其典禮，繫辭焉！以斷其吉凶，是故謂之爻。

大家先要注意這個「斷」字的發音，截斷的斷與判斷——法官斷案的斷，發音上稍有不同。像漲與脹，很多人把漲唸成脹，聽起來很彆扭；斷續、斷絕的斷，與斷案、判斷的斷，略有不同。前者讀入聲輕音；後者讀入聲重音。繫辭焉以斷其吉凶，掛在卦的下面就叫做繫，解釋卦的話叫辭，這是做什麼的？是以斷其吉凶，是故謂之爻，因此就叫做爻辭。什麼叫做爻呢？爻者

交也；爻字是上下兩個××，也就是彼此交通的意思。

無是無非的形而上

言天下之至賾而不可惡也，言天下之至動而不可亂也，擬之而後言，議之而後動，擬議以成其變化。

孔子在這一段裡，把易經的卦象，爻象，單獨提出來研究，已經偏重於人文哲學、人生哲學的境界了。後世研究易經有所謂兩派六大宗的說法，就是從這裡來的。言天下之至賾而不可惡也，古人看到宇宙的奧祕，就形而上而言，當然這個奧祕無所謂醜，也無所謂美，也沒有什麼可怕不可怕，也沒有什麼神祕或者不神祕；天地間任何事物背後都有這一層奧祕，這個奧祕就是賾。對於這個天地間那麼幽深、渺遠的大奧祕，而不可惡也。沒有那麼亂複雜，不必煩心。

人是很怪的，對很多事情的看法，往往會本末倒置。譬如我們的手和腳，實際上腳比手髒多了——有香港腳、灰指甲、雞眼……我們對腳，不但用襪子包起來，還要用鞋子套起來；生怕它走路受到傷損。

過去我們老祖母為媽媽包粽子——纏小腳的時候，裹腳布裡還要放香粉

呢！腳是最臭的（當然它的臭與穿襪子有關，我們暫且不討論。）我們卻把它保護得那麼好。而我們的五官——眼睛、耳朵……多重要呀！我們卻把這麼重要的地方，放在外面理都不理；把那最臭的腳、屁股，保護得那麼嚴密……那些看不見的，在人的觀念裡會很髒。所以人的觀念，事實上有些是很錯誤的。宗教家心目中的佛、上帝，是不是那麼的聖潔？有沒有那麼的美好？不知道！但也不見得是醜陋！至於人間的是非、善惡、美醜……那都是人為的觀念；形而上沒有這些觀念，形而上的是無是非、無善惡、也無美醜、是平論。但是宇宙的奧祕，是有這個東西——它能善能惡、能美能醜、能是能非。不過，你不能用人的意識去分別它，所以說：**而不可惡也。**

言天下之至動而不可亂也。宇宙萬物生命的功能永遠在動，我們老祖宗早就知道。這個宇宙分秒之間隨時隨地都在動，它不是靜態的，靜就是大動，動得太大太大，看起來好似靜態；事實上宇宙間沒有靜態的東西。譬如我們這個地球明明在動，但我們感覺不出來它的動，以為它是靜態的。等於我們坐在火車裡，不曉得車子在動，祇看到外面的景物在動，因為我們本身在動中而不知動，所以**言天下之至動而不可亂也。**動中有靜，是人文文化的觀念，動中若說沒有靜，也是我們在感受上所產生的。根據這兩個道理，易經便懂得人生哲學應用的重要。這是孔子繫傳的偏向，把易經哲學導向人生哲

學的方向，我們可以叫它人生哲學應用之研究。如果我們不客氣的來審查大老師孔子研究易經論文的報告，這便是我們對它下的評語。

擬之而後言，議之而後動，擬議以成其變化。卦象是比較而來的，等於我們拿照相機，看準確了那個方向一照，這就是擬之，卦象的作用就是這樣。議之就是討論、研究，研究結果才能找出人生行為的法則。擬議就是討論、研究，把結果構成一個圖案，說明宇宙物理的道理、人生的道理，這就是擬議以成其變化。所以我們懂了易經的象數之學，就可以瞭解宇宙萬事萬物變化的道理與奧祕了。

下面孔子引證易經的卦辭來加以發揮。

鶴鳴九皋　聲聞於天

鶴鳴在陰，其子和之；我有好爵，吾與爾靡之。這是中孚九二爻的爻辭，孔子對這四句話，提出了他的心得報告：

中孚☲☴的上卦為巽，巽為風，下卦為兌，兌為澤，合起來為風澤中孚。在易經卦序上，為第六十一卦，中庸的道理就是由中孚來的。中孚是由坤卦變來，孔子在這裡引用中孚卦九二爻的爻辭，提出了他的心得報告。

鶴鳴在陰，鶴，在中國大陸東北、西北都有。最近看到大陸的資料，紅頂的鶴（頂上是紅的，全身是白毛），現在全世界祇有九十幾隻了，大概東北還有幾隻。鶴是很稀奇的動物，在我們中國是一種長壽鳥，起碼活一千多年；有人打坐煉氣功、煉呼吸，道家就有一派是模仿白鶴的。據說鶴的呼吸是在體內循環，究竟是不是這樣？要找動物學家問問才知道。白鶴在晚上睡覺時，鼻子是對著屁股的，氣在體內順著任督二脈循環，所以他能夠長壽。

詩經上有首詩說：「鶴鳴九皋，聲聞於天」。大家要注意，我們中國文字的運用，過去是不能馬虎隨便的。例如形容動物的叫聲，鳥是叫、鶴是鳴、龍是吟、老虎是嘯、獅子是吼、猿是啼、狗是吠，統統不同。鶴鳴在陰，陰是看不見的地方，一隻白鶴在看不見的地方叫；鶴叫很難聽到的。鶴的聲音有兩種，飛的叫「唳」，如鶴唳九霄、長空鶴唳、風聲鶴唳，是非常尖銳刺耳的，像打炸雷、或者很好的銅鑼的聲音一樣；尤其在高山上聽到，那真是別有情味。鶴鳴在陰，鶴在看不見的地方一叫，其子和之，小鶴聽到了便跟著叫，馬上就答覆了，就是這樣的畫面。

下面一句吾有好爵，吾與爾靡之，我有很好的酒，好朋友你來，我們兩人來共飲，喝得醉醺醺的最痛快。這四句話，可以畫成兩幅圖案畫。在這裡大家要注意，爻辭是周公作的，周公為什麼在中孚卦九二爻裡，出現這兩個

圖案，為什麼要用鶴鳴——用叫的白鶴呢？為什麼不用鴨子呢？如果用「鴨鳴在水，其子呷呷之」，可以不可以呢？也可以呀！為什麼一定要改成**鶴鳴在陰**，**其子和之！我有好爵，吾與爾靡之**呢？我們現在把它一齊改成：「我有好酒，格老子與你喝之」，可不可以呢？好像也可以。

假設我們畫一個卦象，白鶴怎麼從這個卦象出來呢？我們看中孚卦＝＝就知道了。中孚卦的二三四爻就是震卦，說卦震為「鵠」，「鵠」是古鶴字，這就是二爻鶴的卦象。第二爻這個鶴是公鶴呢還是母鶴？便要大家來判斷了。答案是母鶴，不是公鶴啊！為什麼呢？鶴鳴在陰，其子和之，我們在鄉下就可以看到了！母雞一叫，一群小雞就來了；公雞再叫，小雞也不理它。同樣的，母牛一叫，小牛便也跟著叫了，母牛跟小牛會對叫，尤其是天黑要歸圈的時候。所以鶴鳴在陰，其子和之，你可以看出母性的慈愛，不要把它當成公鶴，而且這隻鶴不是飛的鶴，是躲在山背後、樹背後、或者看不見的地方。小鶴呢？還站在山崗上，聽媽媽一叫，其子和之，小雞也不會和之，這個「和」的現象，出現在卦象的什麼地方，將來我們研究到中孚卦的時候再研究。**我有好爵，吾與爾靡之**，跟著這個畫面，就可以瞭解到易經的人生境界了。我有好酒，好朋友來，我們一起喝；我有好東西，請大家來吃。這是易經

中孚卦，孔子在這裡把它引用到人生哲學上去了。

如臨深淵　如履薄冰

子曰：君子居其室，出其言善、則千里之外應之，況其邇者乎？居其室，出其言不善、則千里之外違之，況其邇者乎？言出乎身，加乎民；行發乎邇，見乎遠。言行、君子之樞機。樞機之發，榮辱之主也。言行、君子之所以動天地也，可不慎乎？

孔子五十歲才研究易經，在論語中講道：「假我數年，五十以學易，亦可以無大過矣」。孔子說，如果我能多活幾年，把易經研究透徹了，也許我一生便不會再犯錯誤了。在這裡孔子瞭解了一個道理，把易經研究透徹了，從這個卦象裡頭，再加上周公的爻辭，他懂得了人生的境界，一個人的言與行是最重要不過的。

所以他前邊說，一個君子在他的家裡──居其室，如果講出一句對的話──善、則千里之外應之。當然這個君子，不是現在這個君子，他們在廣播電視台隨便說也不負責，在議會講話，也可以不負責，現在的民主時代，可以隨便講而不負責的；所以這種人不是君子。如果是君子的話，不要說議會，就在自己家裡隨便講一句話，善──則千里之外應之。不要認為，一句話沒有

什麼，可以隨便說，任何一個人講的一句話，影響都是非常之遠大。

譬如說父母喜歡隨便說：「他媽的、格老子」，兒子便也會不知不覺的「他媽的，格老子」了。所以**君子出其言善，則千里之外應之**。現在拿物理科學來講，我們動一個思想、動一個念頭，人在頭頂上所放的光就不同，可以用相機照出來。壞念頭是黑光，好念頭是白光，各種心念所放光的顏色都不同。換句話說，我們說話的聲波，在虛空中是不會消失的，可見言行之可怕。**況其邇者乎**！何況近的地方呢！

居其室、出其言不善，則千里之外違之，況其邇者乎？當然，像我們這樣平平凡凡的人，所影響的還小；如果一個做領袖的人，那怕是部隊裡邊的班長，或者帶領工人的領班，都要特別注意自己的言行，要說得到，做得到，做到了再說。這些都非常重要，所以孔子說：**言、出乎身，加乎民**。讀古書這個「民」字，不要把它當老百姓看；依現在白話文的意思，可以解釋作人類或者他人，如果讀古書常把「民」字作老百姓看，那你的古書便讀錯了。古人這「民」也可以說是個代號，也可以說「言出乎身，加乎人」──一句話出乎自己，但是影響的卻是對方。

行、發乎邇，見乎遠，自己的行為，尤其是當領導的人，現前的行為，見乎遠，它的影響都很久遠。因此孔子說：**言行，君子之樞機**。天主教樞機

主教的樞機，就是從易經這個地方出來的。什麼叫樞機？樞機就是機關、中心，開關的中心，言行是君子之樞機。樞機之發，榮辱之主也，開關一動，就關係一生的光榮，所以君子的一言一行，可以動天地。言行有如此之重要，可不慎乎？能不謹慎小心嗎？

孔子引用中孚九二爻的爻辭，來解釋人生哲學，說明一個人的言行對社會人羣，有如此之重要。

下面孔子又引用同人九五爻的爻辭，來探討人生哲學的問題。

先號咷後笑

同人。先號咷而後笑。子曰，君子之道，或出或處，或默或語，二人同心，其利斷金，同心之言，其臭如蘭。

「同人」也是卦名，是由天☰火☲兩卦組成的，叫天火同人☲☰。明朝有一幅名畫，畫得大地都是火，山林也燒起來了；現在還存在故宮，就是天火同人的卦象。先號咷而後笑，是同人九五爻的爻辭，九五爻的位置很好，是帝王的位置，不能再高了；再高就是太上皇了，那就完了，無路好走了。

九五爻得其位、得其時。拿卦來講，每一卦的第二爻、第五爻都是好的，什

易經繫傳別講

麼道理呢？第二爻爲內卦的三爻之中，第五爻是外卦的三爻之中，所以人生一切最好的就是得其時、得其位。位就是空間，宇宙間的一切，脫離不開時位，不得時位，什麼都沒有用。這裡所謂的時，意思就是運氣。光有運氣沒有位也不行，等於人家請客吃飯，請帖上請到你，你跑錯地方了，那個房間沒你的座位，照樣吃不到東西，所以不但要得其時，還要得其位。同人卦九五爻，得其位，可是周公的爻辭是**先號咷而後笑**。像我們看到老朋友，大聲的叫起來，然後兩人相抱在一起就跳起來，又叫又笑，就是這麼個現象。所以學易經最好會畫漫畫，每一個故事的卦象，都把它畫下來，便又是另外一番境界了。

我們學易經看一個卦，要從多方面去看它；譬如這個天火同人卦，一提到天火同人卦，便要馬上想到它的綜卦是什麼？錯卦是什麼？至少綜卦錯卦要知道。交互卦又是什麼？乃至交互卦的錯綜複雜又是什麼？每一卦、每一件事情、每一句話、每一個現象一來，便要多方面去看它。過去常說的八面玲瓏還不夠，學易的人要有十面的觀點。因爲觀點不同，立場就不同，角度不同，觀點就兩樣，這是大家要注意的。

同人卦的錯卦是什麼？綜卦是什麼？一提到同人就知道了，這樣一來，你的卦就很熟了，習慣了你也就用不著看卦啦！乃至把方位也搞熟了，講一

句，你就知道那個方向了。同人的錯綜卦是：

天火同人 ䷌ 錯卦 地水師 ䷆

天火同人 ䷌ 綜卦 火天大有 ䷍

同人卦的錯卦是地水師，由於立場相對，觀點也就兩樣，現象也就整個變了。所以一個長官的看法，與部下的看法絕對兩樣；父母的觀念與子女的觀念也不同。這不是代溝，我國沒有代溝這個名辭的，由於立場兩樣，觀點也就各異，中間沒有什麼溝不溝的；這是一般人跟著外國人亂講，這只是角度問題，不是代不代、溝不溝的問題。

所謂錯卦的道理，就是立場相同，目標不同，兩個觀點的方向不同，經緯度不同。譬如我們兩個人都是股東，但兩個人利害關係不同；對外想公司發財，這個立場一樣，發了財以後就不同了。

同人卦對面的錯卦是什麼？錯就是交錯，這個裡頭是非複雜就來啦！同人卦的錯卦是地水師，地水師的錯卦又是什麼？綜卦又是什麼？一個卦一來，要這樣十面的去看，才能瞭解每一個卦進行中間的各種變化。譬如你作生意，公司開始時，所有的股東，大家觀念一致、決心一致。但當公司一旦發了財，到了年終的時候，大家肚子裡有個機器，你動你的腦筋，我打我的主意，大家就有問題了。像公司的職員，剛進到公司來，你把他錄用了，開始

時非常感激，慢慢的認為是當然，後來便感覺是應該，最後便格老子我給你賣了命，你對我還這樣；便成了仇恨。這是人生的幾個階段，是確定的；無論人或事，到了某一階段，他的內部便要起變化了。

所以我常常想，易經不要學，學了易經、學了佛，學通以後，便成了廢人；什麼事情一來便知道他的結果了。出門可能摔跤，我乾脆就不出門了；坐電梯曉得電梯要停，我乾脆爬樓梯吧！常此以往，這個人就廢掉了！所以我說學易經、學佛這種事，勸青年人不要幹，而且進去了爬不出來的，越學越有味道，可是學通了以後，便成廢人了。最好是學到一半，然後覺得其味無窮，感覺自己學問還好得很呢！

君子之道

易經的學問錯綜複雜，我們研究易經，每一卦都要搞通。現在孔子所提出的，是同人卦第五爻的爻辭。剛才講過同人卦，先號咷而後笑，孔子說這現象是形容什麼？**君子之道，或出或處，或默或語，二人同心，其利斷金，同心之言，其臭如蘭。**這是講君子之道，不是講小人之道。所謂君子與小人的差別，沒有絕對的界限.；君子隨時可以變成小人，小人有時候也會有君子

之道；所謂盜亦有道。以此道理來看，世界上那個是好人，那個是壞人，是很難分別出來的。好人有時會很壞，因為好人那個好太好了，好得讓你受不了，比壞人還令你難過。因為他是個好人，很固執、很呆板；這時候你叫他轉彎，他轉不了彎的，那比壞人還難辦。所以古人常說，寧可用真小人，不敢用假君子；假君子比真小人還要難處，真小人還好辦。所以君子與小人是卦中的代號，好與壞很難辨別；不像小孩子們看電視連續劇，好人、壞人，一看就知道。我們祇能從他的言行中去辨識理解了。

孔子對君子之道，所下的斷語是「出、處、語、默」四個字。真正人生的問題就是出、處的問題，古人常說，人生最難的是出處問題。尤其是在動亂的時候，政爭激烈的時候，你出不出山？這一步很難。出處問題是人生的第一步，看你怎麼站，人生第一步很難啊！這要有高度的智慧才行。我們研究三國諸葛亮的本傳，知道曹操也在拉他，東吳也想用他，很多人都在拉他，但他卻高臥隆中不出來。第一步看準了再站出來，這就是出的問題；不對了便回去，這便是處。所以君子之道的出處，該進該退？該說不該說？不該說時一個屁都不放；該說的時候雖千萬人吾往矣！丟了性命也不在乎，非講不可。所以語默之間、出處之間，都是相對的，這就是錯卦、綜卦的道理。

出處問題太難了！孔子祇講了八個字：或出或處，或默或語。「或」，

同人與同仁

二人同心，其利斷金。這兩句話，小孩子們都會說，就是出在這裡。祇要兩個人同心合力，「利」，不是利害的利，是鋒利的利；像刀子那麼快、那麼利，連黃金都切得斷。所以團結同心共事業，就是同人卦。後世爲了加強它的意義，就把同人的人，改爲仁義的仁，所以我們現在把同事也叫做同仁。

比如股東合夥做生意，二人同心，其利就斷金，相反的不同心就完了。尤其是夫妻呀！朋友呀！兩個人利害相同，同心協力，什麼困難都可以克服。所以同心之言，同一個思想，同一個觀點的話，**其臭如蘭**。這個臭不是香臭的臭，不作形容詞講，臭就是味道。同心之言，那種味道像蘭花一樣，永遠是清香的。這也就是形容同人卦九五爻的爻辭，**先號咷而後笑**的境界。先號咷而後笑，也是形容人快要凍死的情形，到了北方冬天下雪，假使兩個人

是假定之詞，假定應該出來，或不該出來。像現在競選民意代表，應不應該出來競選？這中間作決定很難，就是或出或處，或默或語的問題。下邊孔子講出一個道理來了。

走路，一個人衣服穿的少，凍得他發抖，大聲「嘎……」的叫起來，你趕快要準備了，甚至你可以幫助他，凍得他發抖，把他招死也可以；因為他就要死啦！他的樣子看到好像在笑，實際上是凍得他神經都在發抖。凍死的人都是笑面孔，這是常識；這個現象，也是物極必反，高興到極點會哭，傷心到極點沒有眼淚會笑。大家觀察精神病人，有了這種情形就很嚴重，幾乎沒有辦法救了，除了藥師佛來。孔子以同人卦這一爻的爻辭，作了以上的引伸。

孔子繫傳，我們現在看它是一篇一篇的，當時孔子繫傳的寫法，等於我們現在寫白話文一樣，一條一條的。他研究到某一個卦象的時候，發現了一種原理，便把它紀錄下來，後人加以整理，便成了現在這個樣子。

爭白茅的戰爭

初六，藉用白茅，无咎。子曰：苟錯諸地而可矣，藉之用茅，何咎之有？慎之至也！夫茅之為物薄而用可重也。慎斯術也，以往，其无所失矣！

初六，藉用白茅，无咎，這是大過卦初爻的爻辭，大過卦是由兌、巽兩卦而成，即澤風大過䷛。澤風大過的錯卦是山雷頤䷚，沒有綜卦。這一

卦上面是海洋，下面刮著大風，如果畫成一幅圖案，第一筆先畫一個大地，再畫一個湖沼，山上刮著大風，就是這樣。這一卦用周公的爻辭是藉用白茅。

藉就是借，古人過年送朋友一塊年糕，下面拿些乾淨的稻草墊起來，下面的稻草就是藉。白茅是長在水邊的一種草，根細長，白色有甘味，長江一帶，尤其湖南、湖北最多。

在我國歷史上，白茅曾經引起過戰爭，就是管仲與齊桓公的事。當時齊桓公想侵略南方的楚國，主要是想藉此測試一下自己軍隊的作戰能力。於是齊國便出兵去攻打楚國，在當時來說，齊國是師出無名的；借用現代的術語，齊國是違反國際公法，沒有理由來發動戰爭的。可是管仲心裡有準備，齊國軍隊到了楚國邊境，楚國當然派部隊迎戰，便質問齊國為什麼不遵守盟約，發動戰爭？像現在的兩伊戰爭一樣，違背了國際間的和平條約。管仲一看楚國軍隊的訓練，裝備，戰力都是第一流的，沒得話說，便見風轉舵的說：我們出兵是因為你們楚國不尊重周天子，不服從中央政府的命令，中央政府每年祭天所用的白茅，是來自你們南方的楚國，你們已經好幾年沒有進貢這個東西去了，因此，齊國代表中央政府來懲罰你們。第二，周朝政府的皇帝出巡到了南方，死在楚國邊界上，楚國對此事要負責任（事實上是被楚國謀殺的。當時這位皇帝，渡江的時候要坐船，楚國用膠作了一隻船，到了中流

，膠遇到水融化了，便把皇帝淹死在江中。這事是楚國人幹的，但是因為死無證據，這件皇帝謀殺案，便成了歷史上的疑案）。管仲拿這兩件事情作藉口，代表周天子伸張國際正義，來懲罰楚國。楚國答覆說：過去幾年因為白茅生長的不好，所以不敢進貢，今年生長的很好，應該要進貢，這是小事。至於皇帝，他是死在長江裡，你問我們，我們問誰呢？「問之水濱可也」，你去問海龍王好了。換句話說，是長江裡頭的水把他淹死的，你們去問長江裡頭的水好了。說得管仲沒有話說，就撤兵回來了。

現在來看孔子的報告，藉用白茅，送禮用白茅墊底，是我國古代的古禮，古人的祭祀要用白茅，藉用白茅的道理在此。

大過卦是一個很不好的卦，假使卜卦卜到大過，這可是很糟糕的啊！做生意如果卜得這個卦，是一定要賠本的。這是個倒楣卦，倒楣的很；如果動爻在初爻的時候，无咎，還沒有問題！不會很壞，但也不是頂好。如果你談戀愛卜到這個卦，婚姻是無望的，但是你寫封信給小姐，无咎——沒有關係；小姐也不會罵你的，就是這樣。不過各位要知道，孔子講過卜卦卜到无咎的時候，要怎麼辦？孔子說：无咎者，善補過也。要反省自己，不要責備他人，一切的過錯，多作自我檢討、反省自己，不要祇知責備別人。各位也不要看到易經說无咎，便認為是沒有問題，錯了！无咎者，善補過也。所以學

易經，這些地方都要注意。

諸葛一生惟謹慎

孔子研究大過初爻，對人生處事問題的看法是：苟錯諸地而可矣，藉之用茅，何咎之有？慎之至也。苟是假使，錯就是安置。孔子說，假使是很好的東西，擺在地上也可以，何必要墊底呢？等於現在送禮還要用包裝紙，往往看到很小一個禮物，用包裝紙包了好幾層，這不是一種浪費嗎？所以真正好的東西，不必再墊底了。藉之用茅，何咎之有？本來擺在地上也可以，為了特別特別小心保護這個東西，下面還是用白茅草墊底，免得它破損了，這個當然也可以，沒有錯呀！這個卦象就是如此。

他的道理是什麼呢？就是教人作人做事要謹慎——慎之至也。要小心、小心、特別小心。他說夫茅之為物薄，而用可重也，慎斯術也，以往，其无所失矣！孔子說，白茅這個東西，是草嘛！沒有什麼了不起。雖然是一些草，但是用的得當的時候，這株草便是寶了。這裡我們懂了一個道理：天下事，沒有那樣叫好，沒有那樣叫壞，也沒有那個人叫對，那個人叫不對的；祇要用得對，即便一株茅草，也能得到重用。所以一個人一生做事，隨時要謹

慎小心——慎斯術也。「慎」也是個手段，道德也可以說是種手段，但是寧可用「謹慎」這個最好的手段，不要用別的手段，「謹慎」是最好的手段，也是一種方法。慎斯術也，如果能謹慎小心來處世做事，以往，其无所失矣，永遠不會有過失。換句話說，不要莽撞，不要隨便，不要主觀，不要存有成見，盡量的小心，不要像大過卦一樣，一個不對了，以後錯誤就非常大了。可是盡管有那麼大的錯誤，祇要加以謹慎小心，便不會有更大的過失了。

記得年輕時候，看到一些年輕的軍官們，意氣飛揚奮發，一開口便說拿破崙字典裡沒有難字；當然這是個形容詞，拿破崙也沒有字典。我問他們是真的嗎？他說是呀！我說那麼結果呢？拿破崙是成功了呢？還是失敗了呢？因為他這樣，所以才失敗了；你的字典應該有難字才對。那句話表面一聽好像很有英雄氣概，那是狗屎，拿破崙字典裡沒有難字，拿破崙成功了嗎？項羽的字典裡沒有仁字，項羽對了嗎？所以不要瞎扯，有些話是不能隨便聽的，要慎，要謹慎才會无咎啊！

下面又是一卦。

高高山頂立　深深海底行

勞、謙。君子有終，吉。

這是謙卦九三爻的爻辭。謙卦是地山謙 ䷎，山最高了，但它卻處在平地的下面，而這塊平地呢！卻又在山頂上。謙卦的道理就是這樣，你到了最高處，就要平實，不要認為自己高，這就是謙的道理。所以地山謙，山最高，像崑崙山、喜馬拉雅山頂，那多高呀！但是高有什麼用呢？高要能下才好，山頂上面是平地；意思就是：最高處要是最平凡的，最平凡最恭下的就是謙卦。易經八八六十四卦，沒有大吉大利的卦，每一卦都是有好有壞，找不出那一卦是完全好的。勉強說只有一個卦，就是謙卦，六爻皆吉。全部易經你懂了，不要學了，祇學一卦就行了，那就是謙卦。萬事退一步就叫謙，不傲慢就叫謙，讓一步就叫謙，多說一聲謝謝、對不起，就叫謙，謙卦六爻皆吉。除了謙卦，其餘的卦，有好就有壞，有吉就有凶。現在孔子研究的是謙卦九三爻，我們看到謙卦，先要知道謙卦的錯卦是天澤履 ䷉，謙卦的綜卦是雷地豫 ䷏，這對將來學象數會很有幫助。

現在大家看謙卦的卦象：九三爻下邊是兩個陰爻，上面三爻也是陰爻。

等於一個比方，在一個孤島上，某一家人有個老太太帶了五個女兒，沒有一個男孩子，忽然外邊飄來一隻小船，小船上有個男孩子，這個男孩子到了這個海島上，便等於一塊寶了。這個爻就是這樣，一羣陰爻之中有這麼一個陽

爻，真是高高在上。假設在這個世界上，真有這回事，這個男孩子就春風得意了嗎？不要高興得太早，這是要你命的。換句話說，假設這個孤島上有五個男孩子，忽然來了一個女孩子，這五個兄弟要打架的，說不定還會殺人呢。這個時候，這個女孩子在這五個男孩子中間，雖然被捧得高高在上，但也很難有自處之道。因為人都是被人捧壞了的，當台下句句喊萬歲的時候，就是要你命的時候。所以勞謙懂得這個道理，謙卦到了九三爻是最好的境界，但是上面有個「勞」字，勞、謙。你隨時隨地自己要勞苦，隨時隨地自己要小心，要勤勞、要努力，這是謙卦的卦象；內心要謙虛，要小心謹慎，要後退。因為謙卦的錯卦是履卦，履就是行動，所以一切行動都要特別小心才行。

孔子說，怎麼樣才能做到大吉大利呢？語以其功下人者也。自己的功蓋天下，自己卻不以爲功；德在人間，一切都在幫助他人，自己不以爲自己是在幫助人家，認爲這都是應該的。能夠做到這樣，才能達到勞、謙，君子有終，吉，大吉大利的境界，這就是聖人境界。一切宗教教主所說、所做的都是這些。耶穌釘死在十字架上，他說爲世人贖罪，佛的大慈大悲：我不入地獄，誰入地獄！這都是勞謙之卦。

有終的君子

謙卦反過來就是雷地豫卦，豫就是優哉游哉；謙卦不小心便靠不住，所以周公對這個卦辭下的定義是「勞」、「謙」。大家要注意，易經的用字是一個字一個定義。勞是勞，謙是謙，**君子有終**，這樣子小心謹慎，才會有很好的後果。**吉**，才能夠大吉大利；謙而不勞，勞而不謙，都不會大吉大利的。這是孔子解釋的，什麼叫做勞謙。

勞而不伐，有功而不德，厚之至也，語以其功下人者也。

不管作人或者做事業，當一個平民老百姓或當個老闆、當個領袖，要**勞而不伐**，就是有功勞自己卻不傲慢。

我們有幾位老朋友，身為上將，年高德劭，但卻絲毫沒有矜式傲慢的味道，我常比他們為郭子儀。郭子儀福祿壽考俱全，是當時朝野中外都非常敬重的人，但是你要研究到郭子儀的一生，那就是「勞」而「謙」。他是四朝元老，後來安祿山造反，唐明皇逃難，唐朝的天下已經完啦，是他一手把它扶過來、把它救活的。照這種情形看，皇帝對郭子儀既敬且怕，天下是他打下來的，他不叫你作皇帝，明天你就要交班，就有這麼嚴重。所以很多人替

皇帝出主意，要皇帝收回郭子儀的兵權，免得郭子儀造反，對皇帝不利。於是皇帝就下命令，要他把兵權交出來，他馬上照辦，統統交了；等於現在的退伍還鄉，不帶一個幹部，祇帶了幾十個老弱殘兵，回去種種菜、養養魚，國家的什麼事都不管不問，甚至連電視報紙也不看（這是笑話）；等到天下有事情，西羌造反，什麼人都擋不住，皇帝叫他出兵，他一個兵也沒有，但他一接到命令，換上軍裝，帶著那些老弱殘兵上馬就走。一路走，一路收容散兵游勇，祇要有隻手、有條腿的他都要，就這樣一路收容，編成了部隊。當他把敵人打平了，皇帝叫他下來，他就把兵權交下來回家，還是那幾個老弱殘兵跟著他。

郭子儀是武進士出身，是經過考選錄取的；可以說是正規班畢業的，很知道分寸。後來皇帝身邊的太監妒忌他，挑撥皇帝下令把他父親的墳墓都挖了，他都知道。後來連皇帝——唐明皇的孫子唐岱宗——見了他，都不好意思的站起來向他抱歉，不該挖了他的祖墳。郭子儀說：陛下不要難過，我帶兵幾十年，我的部下挖了人家的祖墳，不知道有多少，我想我這個是報應，不過不要管他是誰挖的了。當然他也很痛心，但他就那樣大量——勞、謙。不過，他講的也是真的，一個再嚴格的將領，帶了幾十年大軍，軍隊做了多少傷天害理的壞事，挖了人家多少墳墓，這不就是果報嗎？所以他說：請陛下勿

易經繫傳別講

以功下人　大吉大利

德言盛，禮言恭，謙也者！致恭以存其位者也。

德言盛，什麼叫德呢？德就是盛。等於說我本來很有錢，跟窮朋友在一起，不但沒有炫耀的樣子，好像還忘記自己有錢一樣，這就叫做德。如果自己真正窮得連一毛錢也沒有，跟窮朋友們在一起，你跟人家一樣窮，你若說能包容人家，那是開玩笑！那不是德，那叫作缺德。德是一切都高過人，而自己不認為高，表現得跟別人一樣，這就叫作盛德。

禮言恭，這個禮不是敬禮的禮，不是看到老人便很恭敬的禮；這個禮是指自己對某一件事情、對某一個人，從內心發出來真正恭敬的那種至誠。所

以為意。實際上是皇帝跟太監商量著去挖的，他都清楚。因為「勞」、「謙」，所以他能活到八十多歲，福祿壽考，歷史上找不出第二個人。他是真正作到了勞而不伐，有功而不德。一生對國家有那麼大的功勞，自己決不認為有功勞，至少不作自我表現，所謂「天下和尚不吃葷，肚子裡有素（數）」，他不自我表現而已。所以孔子說：**有功而不德，厚之至也**，這是成功的條件。

謂：「恭之謂己，敬之謂他」，自己對自己要求的嚴肅，約束自己、管理自己、要求自己、莊嚴自己，這就叫做恭。恭是恭己，敬是敬他。所謂禮，什麼叫禮？禮言恭，對自己要求嚴格。謙也者——什麼叫謙？**致恭以存其位者也**。一個人到了某一個位置，要絕對的恭敬自己、管理自己、要求自己要嚴格；所謂嚴以律己，寬以待人。嚴格的責備自己，但要能夠寬厚的待人，對人家要多多原諒，這就是恭敬的道理。有了此等盛德，當然就是能**存其位者也**，他的德業的位置，永遠是得以保存的。這也就是說，有良好的開始，也有良好的結果。

下邊又一卦，是乾卦的上九爻，到了頂的一爻。

高處不勝寒

亢龍有悔。

亢龍，是像一條龍飛到高空；等於我們現在看美國的人造衞星，不準備收回的那一顆，很遠很遠的那一顆；亢者、高也，亢龍，就是太遠太遠，很遠很遠的龍。**悔**不是後悔，是毛病的意思。這是乾卦上九爻的爻辭。人的地位，不要太高，太高了便**亢龍有悔**啦！過去我曾經講過，袁世凱想作皇帝，

他的第二兒子不贊成，但沒有辦法反對他父親，祇好作詩來諷諫。他說：「遽憐高處多風雨，莫到瓊樓最上層」。袁世凱看了很生氣，便把他關起來，等於慈禧太后關光緒一樣；把他軟禁起來。「遽憐高處多風雨，莫到瓊樓最上層」，也是引用蘇東坡詞「瓊樓玉宇，高處不勝寒」的道理，這就是亢龍有悔的境界。地位到了最高處，高得沒有辦法再高了，便是最難處。放條路子給別人走走；等於做生意賺錢到某一個程度，趕快要放手，道理在那裡？放條路子給別人走走，有一天人家也會把你擠死的。

不放條路給別人走，有一天人家也會把你擠死的。

亢龍有悔，孔子的看法如何呢？

貴而无位，高而无民，賢人在下位而无輔，是以動而有悔也。

人到了最高處的時候，便沒得位子坐了，所以菩薩祇好釘在壁頭上，堯舜禹湯⋯⋯國父都是如此，沒有位置，祇有掛在牆壁上。到了這個位置，太高了；上帝、菩薩、國父⋯⋯太高了，**貴而无位**，都沒得位子坐。**高而无民**，高到最後，別人不敢跟你接近了，誰的話你都聽不進去，這樣下面便沒有羣衆了。因此，**賢人在下位而无輔**，人才遺落在下，而你的左右旁邊，反而沒有眞正的人才；在你左右都是馬屁蟲，君子也都變成馬屁蟲了。

大家不要以爲馬屁蟲都是小人！有時候，連君子也要當馬屁蟲，因爲你地位太高了。假使你活到兩百歲，誰還敢不叫你公公呀？實際上也不能不叫你

公公呀！天天公公，這裡公公，那裡也公公，後天你就拱拱啦，被人家「供」啦；就「供」到土裡去了。到了這個位置，就這樣可怕！所以：「瓊樓玉宇，高處不勝寒」，那是必然的，到了這個境界，就是亢龍有悔，自己就要清楚；所謂動而有悔也，人到了太高位，就會動而有悔。

有時候想想自己這一生，也滿奇怪的；年輕的時候，一出來所交遊的，不但學問好又年齡高；雖然人家都以老弟稱我，自己還並不以為然，表面上我雖是很恭敬，但心裡頭也不免存著：「老前輩的學問，也沒有什麼不得了」的意識。有一次問我的老師——他是前清的進士。我說：「先生！我這篇文章怎麼樣？」先生說：「好呀，不錯呀。」我說「假若我跟老師生在同時，跟先生一起去考試，是否也可以考個進士？」先生說：「嗯！沒有問題；你在當年考個進士沒有問題。」結果我講了一句不應該講的話，現在想想還很後悔；我說：「先生，我想我也沒有問題。」這句話在你們現在年輕人講講，似乎沒有什麼，那時候我們來講，是很不應該的。下來以後心中很難過、很不安，以後每想起這件事，心裡就難過、就臉紅。當然先生很愛我啦，先生聽了我的話，說：「你這個人是可以傲慢的，可以傲慢的。」實際上我下來真後悔；他已經講了我沒有問題，自己還要加上一句「我想我也沒有問題」，你看我這個年輕人多過分！

記得二十一歲便學老總統，留了一撮鬍子；那時唯恐自己不老，被人家叫一聲：「你們年輕人，你們小孩子」，心裡便很難受、很不以為然。因為我從小就坐上位，上位坐慣了——亢龍有悔。現在恨不得常居下位，所以我一進來，你們諸位都站起來行個禮，我一身汗毛都豎起來了。真的，絕對不假！人到了這個時候，一點味道都沒有了；笑話也不能講，玩也沒人玩，亢龍有悔。你們年輕人注意！位高了、年齡大了，就是亢龍有悔；人千萬不要把自己變成高位，要變成最平凡的，最平凡的才是最難得的，這就是我對亢龍有悔的結論。

不讀書的現代人

這一章是孔子將周易上經裡幾個卦的爻辭，提出他的心得意見，拿來講人生哲學的。前面我們講到亢龍有悔，孔子對這一爻的意見是：貴而无位，高而无民，賢人在下位而无輔，是以動而有悔也！我們拿平民老百姓作比方，這一卦的意思，似乎就是指退休的人而言。我常常想，退休的人，作了一輩子官，或者當了一輩子公務員，退下來便會感到很苦惱。但是古人相反，他們退下來，認為是過舒服日子的；因為他們把作官跟讀書連到一起。地位

越高，家裡的書房越大；男人一下朝回來，換上便服，除了跟家人子女稍稍談幾句話後，便進了書房；太太孩子都不進來了。等於皇帝進了御書房，連皇后都不能進來看的。女性也一樣，進了閨房，有她的事情。所以說，古人一輩子都跟學問連在一起，讀書、寫字、作詩……，忙不完的事。現在人一退休下來便非常寂寞，因為自己一無所長，不曉得自己幹什麼好。未退以前，除了上班、簽到、打卡、開會、應酬吃飯以外，一無所本；又沒得學問，這就很困難了！所謂亢龍有悔、貴而无位，高而无民的道理，就是如此。

這就是「亢龍有悔」的境界。地位越高，痛苦越多。

就政治團體講，這個乾卦在古代就代表帝王、代表領導者。一般稱皇帝為九五之尊，即指乾卦的九五爻而言；因為九五爻在上卦之中，是最好的位置，到了太上皇就慘了！自古以來，政治權力就是一大問題；我們研究人類這種心理，年紀越老，權位越不肯放。等於有錢的家庭，有了財富，有了成就，到了年紀越大，說交給子孫，死都不幹。

所以孔子研究人生的道理說：人在少年，戒之在色；這個時候，喜歡談戀愛。到了中年，戒之在鬥；這個時候，喜歡爭氣、爭事業。到了晚年，戒之在得；「得」是什麼都想抓住，尤其到了老年，覺得前頭有限，後慮無窮，別的已沒得抓，祇想抓權力、抓金錢，這是很可憐的。我，沒得可靠的人！別的已沒得抓，祇想抓權力、抓金錢，這是很可憐的。我

們歷史上很多帝王，研究他們的心理，就是這樣。像唐明皇是大家較為瞭解的，其他的皇帝大家較不熟悉。唐明皇年輕的時候，很太保、也很有味道；好玩，也有氣魄。他很年輕便起來把韋皇后——武則天的兒媳婦，推翻了。

唐明皇廢掉了韋皇后，後來他就自己登基，為唐玄宗。

為歷史背黑鍋的女人

唐玄宗年輕時政治手段很高明，跟唐太宗一樣。但是到了晚年，卻把國家政治搞得一塌糊塗，大家都歸罪於楊貴妃，其實楊貴妃、西施，都沒那麼壞，可以說不應該負歷史上的責任。這些跟她們都沒有關係，皇帝們的昏瞶，決不是楊貴妃、西施讓他們昏瞶的。這裡邊歷史的道理很多，可以說楊貴妃、西施，都是背了歷史黑鍋的人物。

昨天有位老朋友來，談起滿洲入關的陳圓圓，認為她真是禍水。陳圓圓是江蘇常州人，這麼一個女性，影響了明朝以後三百年的歷史，吳梅村有詩形容：「全家白骨成灰土，一代紅妝照汗青」。很多人認為陳圓圓是歷史上的禍水，我認為陳圓圓是個很了不起的女性，最高明的是她的晚年。在昆明我去看過她出家的地方，那個園陵很清雅。她也曉得最後吳三桂不對，這還

不算稀奇，她把李闖的一個部下，姓劉的大將土匪頭子抓到手裡，然後還說服吳三桂不殺他；不但不殺他，還把他放走，而後還使他心悅誠服的聽吳三桂的命令，可見陳圓圓的本事有多大，這個女人實在不簡單。後來她又想到吳三桂的作法一定不會成功，也就出家當尼姑了。陳圓圓未出家前，吳三桂太太死了，又討了一位正太太；這個女人極不講理，又妒忌又霸道，吳三桂姬妾都受不了她的虐待與折磨，只有陳圓圓不但能與她相處，而且相處得十分融洽、十分親切，並以姊妹相稱。就憑這幾點就可知道陳圓圓的能力了；以一個弱女子，能影響明朝以後三百年的歷史，這是大家所沒有體會到的。

這個道理說明吳三桂呀、唐明皇呀、乃至於吳王夫差呀！他們的壞，這個責任並不一定是要陳圓圓、楊貴妃、西施等幾個女人來承擔的，這是不公平的，應負責任的是他們自己。不過最可憐的還是唐明皇，郭子儀平了安祿山之亂，復國之後，唐明皇便當了太上皇，一當了太上皇就慘了！一切權位都交給了兒子，自己便鬱鬱而終了。

大家要知道人的心理，一個資本家，不敢把財富交給後代，權位也是這樣。我經常跟幾位在位的老朋友們講：你們要注意呀！權位就是魔鬼，沒有到手以前，這個人很好，一旦到手了以後，便會著魔的。有一位朋友聽了以後，一拍桌子就跳了起來說，你這話真對，一點也不錯！他引經據典的指出

易經繫傳別講

亢龍有悔的人

我們看歷史上的皇帝，所謂亢龍有悔，就是當太上皇的境界，清朝的乾隆皇帝也是一個。乾隆活到八十幾歲，最後把皇位交給他兒子嘉慶，結果也很慘。唐明皇用錯了人，用李林輔當宰相；乾隆用了一個最得意的人，叫和珅（不是和坤，一般人都把他弄錯了，當成乾坤的坤）。和珅很壞，他貪贓枉法是歷史上有名的。乾隆一死，嘉慶先把和珅抄家，抄出他家的財富，比皇帝宮裡的財富還要大、還要多，可見他貪污多厲害。乾隆知道不知道呢？乾隆知道不知道呢？和珅那麼壞，為什麼還要用他？乾隆說：你知絕對知道。有人就對乾隆講，和珅那麼壞，為什麼還要用他？乾隆說：你知不知道，你們總要留個人陪我玩玩嘛！這句話講絕啦！將來各位作了大臣，

，有些人權位沒有到手以前，還滿好，還很可愛，一到了手便像著魔了一樣，六親不認了。這種地方大家要多作檢省和修養。

此外，權位很難交下來的另一個原因，就是有權位的人，尤其到了年齡大的時候，總認為年輕人的經驗不夠、能力不夠、思想不成熟，所以不敢放手、不敢把權位交下來。但是不敢交下來的後果也是很慘的，造成了歷史上多少的悲劇。

一定要在皇帝身邊弄一個小人；因為皇帝也有些上不了檯面的私生活，祇有這種人才能去替他辦。他如果找包公，那還了得！如果皇帝聽說西門町有部黃色的影片上演，想弄來看看，包公一定跪下諫諍「臣期期不敢奉詔」，那多沒趣；如果告訴和珅來，那他會作得比皇帝想像的還要週到，包君滿意！你說皇帝怎麼會不喜歡他？因為在位的人有時候會很苦，所以乾隆才說，你們總要留個人陪我玩玩嘛！意思是說：你們不要都講他，我知道他壞，可是你們都太好了，那怎麼陪我玩呢？和珅這種人，在歷史上叫做弄臣。

唐明皇逃難到四川的路上，騎在馬上，在濛濛細雨中，聽到馬鈴鐺的聲音，那種淒涼味道，不是一般人所能想像的。慈禧太后逃難，虛雲老和尚跟在後邊，看到慈禧太后餓得那個樣子，內侍去民間弄些紅薯給她吃，慈禧太后見到紅薯便口水直流，真是一毛錢也不值，什麼皇太后不皇太后！人都是一樣。當年唐明皇幸蜀，騎在馬上自己在嘆氣，怎麼會弄成這麼個樣子！當時高力士跟在旁邊（高力士是個忠臣，是一個很好的宦官；大家不要被小說家騙了，高力士為李白脫靴，這是小事。）聽到了，說：皇上，這還不是怨你自己！唐明皇問怎麼說？高力士說：誰叫你用李林輔作宰相呢？唐明皇在馬上一嘆說：李林輔這個小子，我曉得他會搞成這個樣子的。高力士說：皇上，你也知道他壞？唐明皇說：怎麼不知道呢！高力士說：他壞，為什麼還

要用他？唐明皇說：噯呀！這你就不懂了；；現在再找一個像李林輔那樣的還找不到呢！一句話說明了人才難求呀！我們看歷史不懂，很多人看歷史都不懂，人才最難，天下就是合意的人才難找。等於一個人喝好茶一樣，個個都會泡茶，泡得呷著舒服的很少。所以我不是不知道他壞，但是現在再找一個像李林輔那樣的人才還沒有呢！說到這裡我們想到清朝有一位名士叫鄭板橋，也是一位才子、一位高人；；有一首詩寫得很好，他說：

「南內淒清西內荒，淡雲秋樹滿宮牆，由來百代明天子，不肯將身作上皇。」

鄭板橋為什麼要寫這首詩呢？因為他看到乾隆當了太上皇，他有所感慨。

第一，他感慨乾隆很了不起，能夠在自己老的時候，把皇位交下來給兒子。

第二，他又為乾隆擔心，當了太上皇那種味道；雖然皇帝還是自己的兒子，但是權位交了以後，想喝口台灣的凍頂烏龍，幾個月都喝不到。當皇帝的時候，要什麼不到二十分鐘就來了，為什麼？情況不同了。是皇帝兒子不對嗎？不是，中間搗亂的都是左右的人！所以說「南內淒清西內荒」，淡雲秋樹滿宮牆」。這裡可以看到鄭板橋的文學境界，「淡雲秋樹」，淡雲是一個人失勢後那種冷漠淒涼的情況；秋樹是秋天的樹，葉子落光了，連一個葉子都沒有，唯有淡淡的枝影，那種冷漠、無助……你們沒有看過皇宮大內，至少

到日本京都可以走走看看；那麼大一堵宮牆，一個人坐在那裡，那比當和尚還可憐，真的是比和尚還要和尚，一個鬼影子都看不見；「淡雲秋樹滿宮牆」，就是講權位交了以後那種淒涼。這種境界對修道人來說倒是很好，因為修道就是享受淒涼，如果是修禪的人，正好打坐閉關，剛好得其所哉！可是普通人做不到。下面一轉：「由來百代明天子」——自古以來高明的皇帝，「不肯將身作上皇」——寧可死在位子上。歷史上有些當皇帝的，不肯把權位交出來，到死了以後，屍體臭了，蛆蟲亂爬，屍腐水流，抬不出去的也很多。因為兒子們在爭權奪位，搶當皇帝，常常把皇帝的屍體，任由蛆蟲囓食。可見權位搶奪的可怕，不但皇帝如此，當董事長、大老闆的也是一樣。

在台灣有一位華僑很有錢，年紀也大了，一個朋友跟他說：先生，你的年齡那麼大了，錢也那麼多了，也應該休息休息了，還那麼辛苦作甚麼？他說：就是因為我年齡大了，所以更要努力賺錢，不然我死了便不能再賺了。我那朋友祇有苦笑。這也算是一種哲學，但他死後也是落得老婆兒子爭財產、打官司，老人的後事卻無人管。這種情形，我們就看到很多；老子死了，兒子不管，兄弟們祇顧爭財產、打官司；那些大老闆們，很多不能放手的理由，這也是其中最重要的原因。但是等到眼睛一閉，你放不放呢？不放也得放！但也有到那個時候再說！我眼睛沒有閉以前，就是不放。所以「由來百

代明天子，不肯將身作上皇」，就是這個道理。他不願意亢龍有悔，因爲作了太上皇，貴而无位，沒得位置可坐！高而无民，下面沒有人跟你跑龍套，那種情形也是很慘的。

不過中國從前的皇帝，也眞有些是全心全意爲人民辦事，而不顧自己的一切幸福。所以皇帝自稱孤家寡人，那眞是孤家寡人。我常常說，就有機會我也絕不當皇帝！不要說當皇帝，連平常人年紀大了，也是孤家寡人一個。你想，兩個老朋友正在那裡說笑話，紅色的、黃色的、綠色的……都可以說，但是你的後生晚輩年輕人一過來，你什麼也不敢說了，不得不傲岸端莊，裝出一副非常道貌的樣子；這樣年輕人自然也不敢靠攏來了，結果沒有人跟你講話，那眞是孤家寡人了。尤其是讀儒家書方方正正的老朋友們，奉勸各位以後要常跟年輕人跑跑，說說笑；不要將來變成孤家寡人的時候，大家看到了，祇向你敬禮，大家都敬而遠之；永遠不跟你親近，那種味道才是……貴而无位，高而无民，賢人在下位而无輔，是以動而有悔也！這是補充亢龍有悔的道理。

梅花易數

下面孔子引用節卦初九爻的爻義。

節卦的綜卦和錯卦是這樣的：

水澤節 ䷻　　　錯　火山旅 ䷷

　　　　　　　　綜　風水渙 ䷺

節 ䷻ 卦的錯卦是火山旅，綜卦是風水渙，還有一個綜卦的方法是把上下卦移位，這樣節卦的綜卦又變成澤水困了。所以一個卦到手，它的錯卦、綜卦要看清楚。如果說卜卦，也用不著什麼方法；一個卦下來，反面的後果，內部的變化，從它的錯卦、綜卦、互卦中就可以看得很清楚了。這一種卜卦的方法，就是後來江湖上所流傳的梅花易數。

梅花易數這種卜卦的方法，大家多認爲是邵康節先生流傳下來的。不要銅錢搖，也不要抽籤；一個人一進來，先生請你卜個卦，這樣卦已經卜好了。梅花易數卜卦的方法，通常是用年支、月、日、時的數字來決定體卦與用卦，再用互卦看卦的發展而論吉凶得失。假設現在是壬子年陰曆九月十二日申時來卜卦，壬子年，子數一、九月數九、十二日數十二、一加九加十二等於二十二。二十二除八、餘數是六；六是坎，上卦是坎。申時、申是九，加二十二（年月日時）等於三十一，三十一除以八餘七，七爲艮，所以下卦是艮，這樣就得出來水山蹇卦⋯⋯所以梅花易數卜卦的方法是從年月日時，或

保密的最高原則

不出戶庭，无咎。這是節卦初九爻的爻辭。

水澤節䷻，我們知道水到了池塘裡頭，或者海洋裡頭，被範圍住了、被節制住了，節卦就是這個道理。假使卜卦的人卜到這個卦，如果你問做生意好不好？或者追一個女朋友結婚，有沒有希望？不好！後果很壞；不要出門就沒有問題，動就有咎，一動就有問題。所以節卦初九爻解釋謂不出戶庭，无咎。戶就是內門，戶與門有差別；庭就是大廳、客廳。所以卜卦卜到這一爻是不出戶庭，无咎，沒有問題，沒有毛病；如果出了戶庭，便不一定了。孔子解釋這一爻的道理說：

亂之所生也，則言語以為階，君不密則失臣，臣不密則失身，幾事不密則害成，是以君子慎密而不出也。

易經繫傳別講

者你進來坐的位置，或者左腳先踏進來，或右腳先踏進來，是站是坐？面對的方向⋯⋯隨便一樣，一個卦象就已經出來了。不要等他問，你已經知道了，這就是梅花易數。看似容易，實際上當然很難，必須要有高度的智慧，高度的配搭才可以，不是隨便亂拼亂蓋的。

孔子對這個爻辭的解釋，是講人生哲學的道理，並不是卜卦用的。我們平時所謂的保密、機密，就是從易經這個地方來的。他說依據這個道理，當禍亂開始要來的時候，是言語以為階，是你自己先講出來的。我們中國的一句老話是「病從口入，禍從口出」。愛吃東西容易生病，如果是修道的人，一個禮拜一定要有一天完全不吃東西，清理一下腸胃，讓腸胃休息休息，這是長壽之道。孔子說：很多事情的失敗，都是你不懂保密而失敗的；歷史上很多大事都是如此。孔子的意思是說，我們講話要特別注意。

不出戶庭，易經上表面的意思是說，我們的腳不踏出大門；實際上是說我們的思想，不要去到階台外面，以免出毛病。所謂禍從口出，愛講話的人是非就多，因此孔子這幾句話，便成了我們的名言。

君不密則失臣，所以好多的領導人，現在的人也一樣，政府一件任命案，還沒有發佈，外界便胡亂猜測，什麼人要作部長了，什麼人要作什麼了。假使我當老闆，我就偏不用這個人，本來我是想用這個人的，經你們大家一關，我偏不用他。還有大臣的奏議，皇帝隨便洩露出去，那你的大臣便再也不會對你有向心力了。君不密則失臣，就是這個道理。比如你要發明一種新的產品，市場很有前途，你還沒有註冊生產，便先宣揚出去，結果被別人所利用、仿冒。

臣不密則失身，我們看到歷史上的經驗，漢唐時代有幾位大臣，向皇帝上奏摺，那很嚴重啊！回到家裡，穿上朝服，門關了在書房裡起稿，太太小姐都不能看，不曉得他寫的是什麼。寫好了稿，第二天叫家人把棺材準備好，抬著上朝；諫諍不好，便要死在朝堂。所以皇帝既不能做，連大臣也不能做，一個大臣是很難做的，你們讀了唐詩三百首：「無端嫁得金龜婿，辜負香衾事早朝。」剛剛結婚，嫁給一個新科狀元，晚上被窩才暖熱，三四點鐘就要起床上朝了，所以說「辜負香衾事早朝」。不像現在的官，八九點鐘才上班那麼好做。

苦命的皇帝

當大臣不易，當皇帝更為可憐；各位想想：一個皇帝天剛亮，就爬起來坐在大廳裡等著大臣朝謁了，那多辛苦！大家一定惑疑：老師又沒當過皇帝，是怎麼曉得的？是清朝的一位侍候皇帝的王爺，親口說的真實經驗。他說：老實講，當年若不是你們把滿清推翻，我也非要推翻他不可。他說那真苦，當皇帝的是人，我們也是人，誰不想玩？晚上想玩，又那麼多公事，夜裡都要看，不是論幾件公事，太監拿公文來是上秤秤的，每天有多少斤。除了

雍正那個精力，畫夜以批公文為樂，其他的皇帝都吃不消呀！當皇帝的每天除了上朝，還要向皇太后請安、聽大臣講經、再加上和宮女們玩玩、晚上還要批奏摺，批完了奏摺已經深夜了，還沒睡多久，三四點鐘便又要起床上早朝了。尤其年輕的皇帝貪睡，怎麼能醒得了呢？老太監有個叫司禮太監的，每天早上三四點鐘，便到皇帝寢宮門外大聲高喊，奉皇太后命「請聖上起床……」

中國的倫理，在朝中皇帝最大，回到宮中，見了媽媽要跪下請安的，這是中國的倫理。太監奉皇太后命，因為在宮中媽媽最大，所以皇太后命，皇帝不能違犯。小皇帝睡得正甜的時候，司禮太監喊三聲，皇帝還不起床的話，大太監就捧著面盆，盛滿熱水，熱手巾便搗在皇帝的臉上，皇帝一掙扎，後邊小太監一推，便把皇帝扶了起來；擦臉的擦臉，梳頭的梳頭，換龍袍的換龍袍，這樣七手八腳，便把皇帝推出來了。可見當皇帝真可憐，皇帝睡覺是一個人睡的，妃子們跟皇帝在一起，到了半夜，太監用被子把妃子一裹，就揹走了；不像一般人，可以跟自己的太太長夜溫柔。萬一皇帝要跟妃子多親熱一下，那太監便喊了「請聖上保重龍體」，你說煞不煞風景！而且要幸那個妃子，還要先在皇后那裡掛號登記，如果那個妃子被幸的次數多了，皇后還要提出警告。

易經繫傳別講

再說皇帝吃的菜，有一百道之多，事實上祇有前面的幾樣能吃，後面放的都是不能吃的；皇帝要吃盤豆腐，也要向內府報帳，比我們在國賓飯店吃的還要貴。皇后吃飯也是一樣，要九十多道菜，能吃的就那幾樣。在宮內皇后是不能跟皇帝同桌吃飯的，倒是妃子還可以，祇要皇帝喜歡。但是妃子也不能侍候的次數太多，多了老太監會講話，皇后也會講話。如果皇太后要跟皇帝吃一餐飯呢？也很可憐！皇后跟妃子都要站在旁邊侍候，不能同桌吃飯。皇太后要皇后坐下來吃，皇后還要叩頭謝恩後才能坐下，拿了筷子抿抿嘴，飯也吃不飽。總而言之，天下什麼事情都可以做，就是不能當皇帝。

對千秋萬世負責的人

剛才說到大臣上奏摺，抬著棺材上朝，因為奏摺上去以後，皇帝發了脾氣，連命都沒有了。那他為什麼還要上奏摺呢？一個大臣就是要向老百姓負責、要向國家負責、要向歷史負責，大臣上奏摺，就是準備著死。所以我們要讀奏摺，才能瞭解那一代的歷史。古時大臣的奏摺，除了皇帝知道外，他決不對外面講；不像現在立法院、省議會一樣，無論講什麼話都可以不負責任似的亂說。古人說話，不但要對自己負責，也要對歷史負責，要對千秋萬

世的後代子孫負責，這種精神祇有中國文化裡邊有。現在的人亂鬧一氣，不要說管你子孫不子孫，連父母祖先都不管了，還說什麼中國文化！

這裡談到大臣對奏摺的重視，就是孔子所說的**君不密則失臣，臣不密則失身，幾事不密則害成，所以君子慎密而不出也**的道理。節卦的道理就是慎密，不要出門，任何事情在沒有成功之前，都要慎密。我們平常說某人喜怒不形於色，也就是深藏不露，很有涵養，像劉備一樣。喜怒不形於色，才真是厲害的腳色，這是節卦的第一爻。

萬物之盜

下面所講的是解卦的六三爻。

雷水解☲☵，它的錯卦是風火家人☲☴，綜卦是水山蹇☵☶。雷水解的卦象，是打雷下雨；或者是像台灣刮颱風下大雨一樣。但要一打雷，颱風便解了。所謂一雷破九颱，風雨碰到打雷，就要停掉了；因為雷水解了、破了。這是物理的道理，陰陽的沖激，把這個氣流分散了，所以不會起風了，也不會下雨了。就現象來講，就是這樣。

孔子在這裡，又改變了一個說法：

子曰：作易者其知盜乎？易曰：負且乘，致寇至。負也者，小人之事也；乘也者，君子之器也。小人而乘君子之器，盜思奪之矣。上慢下暴，盜思伐之矣。慢藏誨盜，冶容誨淫。易曰：負且乘，致寇至。盜之招也。

負且乘，致寇至，這是解卦六三爻的爻辭。孔子研究到這一節，他提出來一個意見：他說周文王，註解易經的人知道盜心了，為什麼呢？聖人就是大盜，大盜也等於聖人。他說作易經的人，他們知道大盜嗎？知道盜心嗎？本來道家的說法是：道者盜也，是把天地之精神吸收到自己身上來，所以說「道者盜也」。因此陰符經就說：「天地萬物之盜，萬物人之盜，人萬物之盜」。彼此都在偷，都在搶，作生意更是如此，作官也是如此，所以釋迦牟尼佛把「王賊並稱」。莊子也是這個道理：成功了就叫王，叫帝王；不成功就叫偷。其實大家都是一樣，都在搶。一個是明搶，一個是暗搶。所以修道人常說：「道者盜也」，盜就是盜機。

易經解卦六三爻的爻辭負且乘，致寇至，構成了一幅畫面。這幅畫面怎麼畫？一個人背了一袋黃金，或者是美鈔、鑽石，然後騎一匹高頭大馬，在郊外走，或者像是開了一部汽車，裝了一車珠寶鑽石，在市區裡招搖過市；也沒有人保護，好像向壞人招手一樣。「負」，就是在背上揹；乘是坐轎騎馬，意思是說騎著馬到處炫耀。等於你自己在宣傳，叫強盜、叫土匪趕快來

搶吧！孔子解釋說：負也者，小人之事也，揹東西、挑擔子，是勞動工人的事，是出勞力人的事。乘也者，君子之器也，君子是一種人，轎就叫乘，小人是代表這種現象，像機場車站搬行李，那是行李夫的事。好像我們在前面走，僱個人替我們挑行李，跟在後邊走，自己則高頭大馬，優哉遊哉，或是自己開著汽車載著珠寶去兜風。

你帶著那麼貴重的東西，一點安全的保護措施都沒有，還故意炫耀，唯恐人家不知道一樣，那不等於向盜賊招手嗎？小人而乘君子之器，沒有這個能力保護自己，而卻喜歡誇張炫耀；等於說：你的才能沒有資格做大老闆，而自己偏偏想做大老闆的樣子，到處去跟人家投資，還要跟人家有錢人來比一比財富，這就是小人而乘君子之器。這樣子不但你不會成功，旁邊的人看到有機可乘，就會借機會算計你。都想拿到最高的權位，自己沒有這個本事，也沒有這個能力，偏要作大事；恐怕當你還沒有坐好的時候，旁的人便把你搶走了！所以孔子說：上慢下暴，盜思伐之矣！

同樣的道理，當上邊的人，沒有這個真學問、真本事，卻佔了那個位子。而又上慢下暴，上面的傲慢，下面的暴戾，能不引起野心份子的覬覦嗎？孔子說：你把寶貴的東西，因此孔子講了兩句名言：慢藏誨盜，冶容誨淫。「誨」是教育，你那麼值錢的東西，不好好把它藏起來，就叫做慢藏。「誨」是教育，你那麼值錢的東西，不好

好藏起來，故意擺在那裡，不是明白的告訴強盜來搶嗎？等於一個女孩子打扮得妖妖艷艷、漂漂亮亮的，那不是教人家看的嗎？你打扮得那麼漂亮，人家看到了，喜歡你，不是教人家來打你的主意嗎？所以說慢藏誨盜，冶容誨淫，不能怨人家，這些都是自己招來的。易經上說：*負且乘，致寇至，盜之招也*。是你自己招來的、請來的，怨不得人家哪！

第九章

天一地二　天三地四

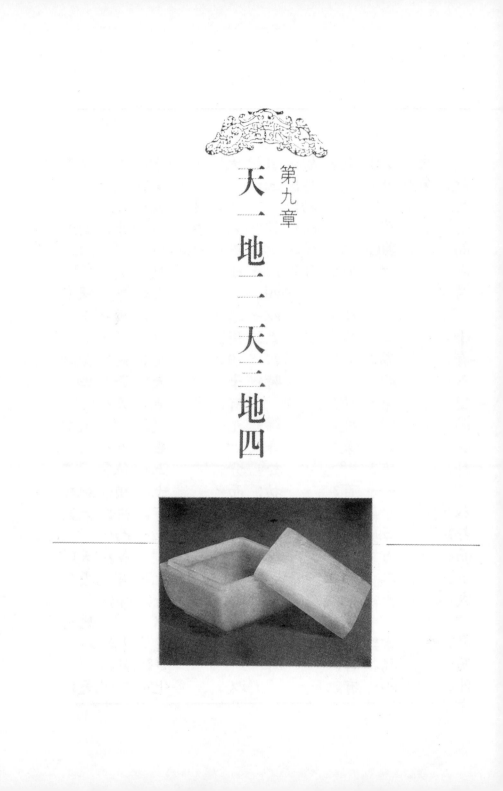

天一。地二。天三。地四。天五。地六。天七。地八。天

九。地十。天數五。地數五。五位相得而各有合。天數二

十有五。地數三十。凡天地之數五十有五。此所以成變化

而行鬼神也。

大衍之數五十。其用四十有九。分而為二以象兩。掛一以

象三。揲之以四以象四時。歸奇於扐以象閏。五歲再閏。

故再扐而後卦。

乾之策。二百一十有六。坤之策。百四十有四。凡三百有

六十。當期之日。二篇之策。萬有一千五百二十。當萬物

之數也。

是故四營而成易。十有八變而成卦。八卦而小成。引而伸

之。觸類而長之。天下之能事畢矣。顯道神德行。是故可與酬酢。可與祐神矣。子曰。知變化之道者。其知神之所為乎。

今天我們研究繫傳第九章，這一章主要是談數的問題，也是談卜筮的方法。現在我們把文字給大家介紹如下：

天一、地二、天三、地四、天五、地六、天七、地八、天九、地十。天數五、地數五、五位相得而各有合；天數二十有五，地數三十，凡天地之數五十有五，此所以成變化而行鬼神也。

易經的數

易經有三套數字，這一章是卜卦用的。所謂「卜用蓍」，就是蓍草，台灣沒有，出在西北。據說蓍草生得好的那一年，天下就安定；蓍草生得不好，天下就不太平了。

易經的另外一套數字是伏羲八卦的先天圖；這個圖應該作立體圖來看，不可以作平面圖看。現在我們姑且把它作平面看，它的數字是乾一、兌二、離三、震四，以上叫左旋。從這裡可以看到東西文化的不同，東方是由右邊轉過左邊去，西方是由左邊轉過右邊來，這是地球物理自然之理。右邊開始是巽五、坎六、艮七、坤八，兩條綫對攏來就是一個圓圈。實際上這兩條綫都是畫了一半，這就是所謂的天道左旋，地道右旋；太陽系統跟地球的轉動

是相反的,所以叫天道左旋,地道右旋。現在研究天文的太空學,當然知道宇宙的旋轉不同,但是我們要想想五千年以前,我們的老祖宗們怎麼會知道的?這就不簡單了。這個問題現在無從考查,我們老祖宗早就懂得天道是左旋,地道是右旋;因此太陽系統,地球與月亮轉動,至少這三個球轉來轉去不會相碰;實際上各大行星彼此的轉動都不同。下面是伏羲先天卦的卦位,大家要記住,每一卦的位置是這樣擺的:

▲伏羲八卦方位圖

上面為什麼擺乾?也有人主張把這位置改了;像太極拳協會,就有一位先生拿一篇文章要我看,說要學西方的規矩,跟指北針一樣,把乾卦擺在北方,坤卦放在南方。我說不可以。他說指南針本來指南還是指北?我說伏羲八卦現在就圖的平面上看,好像是在南方;實際上這個圖是立體的。乾卦是在上面,坤卦是在下面,離卦是在左邊,坎卦在右邊;其他四個卦分兩條綫

圓周的轉動，等於一個皮球一樣。但是現在平擺著看起來，乾卦當然就在南方，南方光明，北方寒冷，乾卦是陽，所以在南；坤卦是陰，所以在北。這是先天圖在平面上看起來的樣子。

地心裡的奧祕

下面我們談一談說卦傳中的部分，說卦傳也是孔子作的；是解釋卦理卦象。他在第三章裡對伏羲先天八卦，作了非常明白的解說：

天地定位，山澤通氣，雷風相薄，水火不相射，八卦相錯，數往者順，知來者逆，是故易、逆數也。

天地定位，凡是在上面的，都叫做天，腳踩著的，都叫做地。上天是人為的、假定的，可是人為的假定中心，就分了上下，所以稱為**天地定位**，山澤通氣。現在科學正在研究地球，像美國人在西海岸就化很多錢，向地下面打洞來研究地球；我們古人是否也向地下打過洞？不知道！但是幾千年前我們老祖宗們就知道，山跟海洋上下是通的。**山澤通氣**，等於人一樣，鼻子通下面、身體內部及毛細孔，都是通的，就是山澤通氣的道理。因此，學中醫要特別知道氣化的原理。**雷風相薄**，震卦是雷，巽卦是風；風就是大氣層，

大氣層摩擦就變成雷電；雷電消散，又變成大氣層，就是雷風相薄的意思。薄並不是厚薄的薄，是互相在矛盾、在融化，這種情形就叫薄。水火不相射，太陽跟月亮永遠不會在一起，永遠是太陽上來，月亮下去，月亮上來，太陽下去。也可以說：水多了把火息了，火多了把水燒乾了；這就是水火不相射。

至於八卦，它是相錯的、互相錯；平面擺起來就可以相錯。坤卦就錯乾卦，巽卦錯震卦，兌卦錯艮卦，陽錯陰，陰錯陽等，這些以前已經講過了，我們不再多說。

古代的祭祀

數往者順，知來者逆。我們剛才講過，乾一、兌二、離三、震四，天道左旋，這是順的；巽五、坎六、艮七、坤八，是逆的。在這裡我們可以看到很多宗教的儀式，也都是易經的道理。譬如佛教裡頭，和尚在念經，假設神位設在北面，和尚的位置應在西面。我們中國過去禮貌也是一樣，就像祭祖；現在很多人都不知道。我個人很小就代表出來祭祖，那個場面真把人嚇死了！那個時候才十二三歲，穿著長袍馬褂，好多人，好痛苦呀！一個枇子、

又一個枱子，再走兩三步，中間又一個枱子，再兩三步路邊又一個枱子；上邊都擺著祭品，人山人海站的很多。詳細的情形時間久了，有些細節也記不清了；不過，就是現在祭孔，也沒有真正懂得的。那個主祭者很難當，一邊四個人，現在叫司儀，過去叫讚禮；共八個。開始時不是喊典禮開始、主席就位，而是喊主事者各執其事，主祭者就位，像唱歌一樣，拉著嗓子。我還記得第一次上台，聽讚禮的一叫，我頭都昏了！像上了法場一樣，步子都不敢走錯。穿著長袍，一步一步走，然後跪在地上，而且還要用手把長袍攔一下，接著讚禮叫上——香。人家把香交給我，我就拜揖；再彎跪——我就跪下；拜——就要叩頭，三跪九叩，這是初祭。然後再獻這樣、獻那樣，就位以前，還要盥洗；旁邊一個盆子盛了水，要擦手擦臉，像回教一樣，現在還保持這一種規矩。

　　每一個宗教都保持上古人類的禮貌，但是我感到中華民族保持了全部；因為我參與過這種事，然後一陣子搞下來，汗流浹背、又緊張、又惶恐，生怕做錯了被人家笑。禮獻的時候先是初獻，然後是正獻，第一步一定要從右邊出來，先站到右前方，再走到中間。像現在在電視上看到祭孔的那些人，連長袍馬褂都沒穿好，不但禮服不曉得穿，那些衣服也做的不對，祇好閉上眼睛裝著看不見了。這種禮節，我認為很值得保留，至少要有這麼個形象。

佛教裡主要的大法師，走到一個佛像前面，便是走右邊，好像也還是走右邊，天主教也是；基督教，他還是要右旋走；地道右旋，學了易經，你便知道它與世界文化的關係了。

合十與合適

數往者順，知來者逆。

如果要推求過去、將來怎麼樣，數字是向前推，一二三四五六七八九十……一路下去。數往是向前面推去的意思；如果想知道一從那裡來，二從那裡來，知來者逆，就要倒轉過來：三從二來，二從一來。知來者逆是減數，數往者順是增加數；增加與減少不同，這個裡頭有很多科學的道理，是孔子研究的心得。

宋朝的易學大師邵康節，對這一段的道理作這樣的解釋，邵子曰：「天地定位一節，明伏羲八卦也。八卦者，明交相錯，而成六十四卦也。數往者順，若順天而行，則是左旋也，皆已生之卦也，故云數往也。知來者逆，若逆天而行是右旋也，皆未生之卦也，故曰知來也。夫易之數由逆而成矣，此一節直解圖意。若逆知四時之謂也。」朱子也說：「邵子曰：此伏羲八卦之

易經繫傳別講

位，乾南（按：拿平面圖來講）、坤北、離東、坎西、兌居東南、震居東北、巽居西南、艮居西北。於是八卦相交而成六十四卦，所謂先天之學也」。邵康節對這一段的解釋又是一個說法，他拿平面圖來說乾南、坤北、離東、坎西、兌東南、震東北、巽西南、艮西北，自震至乾為順。自巽而坎而艮以至於坤為逆，這個說法不同了，不過這也是很權威的論法。換句話說，乾一、兌二、離三、震四，他說倒著講這個數法為順；由巽卦起巽五、坎六、艮七、坤八為逆。這是邵康節推算這個數的一種法則，實際上是一樣，用法上是兩樣，用法各有各的後果，這是一套數字，基本上大家要記得。

我們現在曉得了先天八卦是乾一、兌二、離三、震四、巽五、坎六、艮七、坤八。

上面孔子所講的天一、地二、天三、地四、天五、地六、天七、地八、天九、地十；單數屬陽，稱天，雙數屬陰，稱地。乾一、兌二、離三、震四，所以一三五七九是陽性的，為陽數，二四六八十是陰性的，為陰數，雙方都是五個。等於我們人的雙手，每隻手都是五個指頭，兩個五合起來叫做合十，所以後人把兩掌合攏來便叫合十，也叫合適。合不合適？這個合適的道理就是從這裡來。

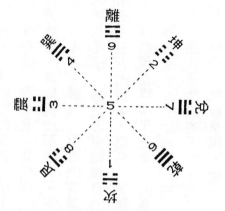

▲文王八卦方位圖

後天八卦與洛書

為了以後進行的方便，現在請大家再看看文王八卦的方位：

文王八卦也叫後天八卦，大家都要記熟，以後研究的時候才方便，文王後天八卦的方位是：

離南、坎北、震東、兌西、巽東南、坤西南、艮東北、乾西北。

假使用平面看，後天八卦的數是從洛書來。我們一般的口訣是一坎、二坤、三震、四巽、五是中間，也叫中宮、六是乾卦、七是兌卦、八是艮卦、九是離卦。為了便於記憶，古人把它編成歌訣；像一首詩一樣，很好記憶，我們過去已經講過，現在再重複一下：

一數坎兮二數坤，三震四巽數中分，五寄中宮六乾是，七兌八艮九離門。

先天　後天　體　用與九　十

我們過去已經說過，後天八卦的方位和數與伏羲先天八卦的不同，學易經、玩龍板，那個地方用那一套都不一樣，都有規定。這裡有一個練習，我們先來作作看，你把先後天兩個數字對面來加一加，現在大家先把文王後天八卦圖擺開來看看：

▲文王後天八卦圖

離九

巽四　　坤二

震三　　兌七

艮八　　乾一

坎一　　（圖中方位）

易經繫傳別講

從離到坎畫一條直綫，再從震到兌畫一條橫綫，艮與坤畫一條，巽與乾

再畫一條，共四條綫；然後再把兩頭的數字加攏起來都是十，這叫合十。

伏羲八卦的方位呢？又不同了。

▲伏羲八卦方位圖

從乾到坤畫一條線，從離到坎畫一條綫，從兌到艮畫一條綫，從巽到震

畫一條綫，也是四條綫；然後兩頭的數字加起來都是九，這叫用九。先天卦

是九，後天卦是十；先天講體（本體），後天講用；先天卦是根本，後天卦是起用。真正要講用法，要用後天文王卦的數，非常靈，這是個祕訣。這個道理你要搞不清楚，你去學算命呀、看風水呀、搞什麼呀，有時候你會越看越糊塗。漢朝以後，醫藥書也套上了易經，這些我很不贊成。可是漢朝的古人已經開始套了，死拉鬼扯叫做配卦，按照醫藥的法則，歸納到易經的法則裡。如果易經沒有學好，醫學便成了問題了；而且交代不清楚，什麼地方該用先天，什麼地方該用後天，用那個數字，都交代不清楚。後來我加以研究，才知道不是交代不清楚，是他們根本就不懂；不要說古人很聰明，他們還真的不懂。

易學在蜀

明朝一部很有名的來易，是四川萬縣人來知德所著。他是明朝有名的易學大家，一輩子不出來做官，也不考功名，在四川巫山十二峯裡頭隱居，專門研究易經，長達二三十年，著了一部「易經來註解圖」，非常有名。我們年輕時候聽到來易，簡直要昏倒；非常欽佩！所以我在四川的時候，碰到一位講易經的老先生，我要跟他學易經，他不教。我問他為什麼不教？他說因

為你是下江人，尤其是你是浙江人，我說我們浙江人有那麼大壞處嗎？他說不是，因為易學在蜀（易經的學問在四川），四川人沒有會以前，不傳給外省人。我聽了一笑說：從現在開始，你求我來學我也不學了；將來我非教你不可！一來是說笑，二來是真的。

因為來知德的關係，易學在蜀，宋程明道也到過四川學到易理；但是等我到中年以後，把來易加以研究，非常讚嘆來易了不起，但還是有問題。因為他所見不廣，不過，這在古人來說也很難得了！易經的著作那麼多，怎麼看得完？再說來氏又遠處西南，蟄居深山，自然難能博覽羣籍了。所以來氏有些自己認為是發明的，其實沒有發明，古人已經說過了，自己白白浪費了很多的時間去思考研究。所以讀古書自己可以省掉很多力氣，來氏有些見解，則又剛剛與古人相反，這就是知識的不淵博了。

現在的時代又不同啦！全世界所有的藏書，我們都可以看到。譬如說有些易經從我們中國掉啦、絕版啦，我一查，知道哈佛大學圖書館有、法國大學圖書館有，或者美國國會圖書館有，一封信去就可以把它的照片寄來了。雖然國內沒有，但是外國還替我們保存著，方便很多，資料也比較多得多了！

五的哲學

前面我們講了兩套數字，現在又是一套數字：天一地二、天三地四、天五地六、天七地八、天九地十，共有三套。

孔子說**天數五，地數五**，金木水火土五行之數也是五；乃至佛學所講的五大「地、水、火、風、空」，及五蘊「色、受、想、行、識」……都是五；是同一個數理哲學來的。天數五位，地數五位，各位相加減後就又不同了。**五位相得而各有合**──單數歸到單數裡邊，雙數歸到雙數裡邊，另外又是一個結論。總和的數字不同，天數是二十五，「一、三、五、七、九」相加為二十五，所以孔子說，天數廿有五，構成了我們農業社會二十四個氣節。譬如今天是陰曆三月二十七，再過幾天就是清明，但是台灣的清明不作數；既不清也不明，這是閑話。

「二、四、六、八、十」相加為三十，這就是**地數三十**，講地球與月亮的關係。古人為什麼三十天叫一個月，就是這個道理，五天叫一候，三候就是一氣，兩氣就是一節。一年有七十二個候，叫氣候；二十四個節氣：清明呀、小滿呀、白露呀、冬至呀……這二十四節氣在我們農村很有用處。每一

個節氣，各地區都有一些歌訣，很準的！我很想把它收集起來。譬如「驚蟄聞雷米如泥」，這是北方的話，就是在驚蟄這天打雷的話，一定豐收；米像泥巴那麼賤。「春分有雨病人稀」，春分有雨，便少疾病；但是各地不同。那個時候漲潮，那個時候退潮，都準的很，這是我們中華民族幾千年來，祖宗們一個一個留下來的經驗，台灣也有台灣的說法。大家如果能夠把它收集起來很有用處，不要等到老年人死光了，以後便沒有人知道了。古人留下來的經驗，甚至比氣象台還要準確。易經幾千年前，便說出這些數字，天地之數相加五十有五，這個五十有五很嚴重，**此所以成鬼神而行變化也**，連鬼神都逃不出這五十五個數的範圍。所以眞能夠懂了數理哲學，鬼神都逃不出你的手了。**凡天地之數五十有五**，眞正厲害的數字是五，這是講數理的基礎。

大衍之數五十

中國過去卜卦不是迷信，是依據數理哲學來的。古代用著草來卜卦。天**地之數五十有五**，眞正用的是五十根。爲什麼祇用五十根來卜呢？因爲那五根基本數是不能動的。等於天體上的太陽、月亮，這五星是不須動的。**大衍之數五十**。衍就是衍繹。所以卜卦用五十根著草，當你拿五十根著

草一搖，默禱完了，便從五十根中抽出來一根放在一邊不用，所謂大衍之數五十，其用四十有九（不用五十）。如果我們懂得這個哲學的道理，不管你打仗、做生意，便可永遠立於不敗之地。為什麼祇用四十九而不用五十呢？就是基本數不動，擺在那裡不用。

嚴格的說，真正要做生意，你要有三倍的本錢，如果開一個工廠要一千萬的話，你便要準備三千萬才能開工廠。為什麼？因為你必須要有安全儲備的原料、資金回收週轉的時間、還要有意外風險的準備金等等……所以一千萬的生意，便得要有三千萬的本錢，甚至四千萬；另外一千萬備而不用，應付意外狀況。所以說大衍之數五十，其用四十有九，那個「一」是備而不用！同樣，你的那個一千萬也是備而不能動用，萬一到了十分危險的生死關頭，就不會走投無路，也不會上吊了。所以在一開始，你便要把那一帖不死之藥準備好，拿在手中，這就是易經只用四十有九，留一不用的道理。這個「一」不能用，也是天地自然的法則。

著筮的程序

現在我們談用著草筮卦的方法。孔子在繫傳中說：

事情。

大衍之數五十，其用四十有九，分而為二以象兩，掛一以象三，揲之以四以象四時，歸奇於扐以象閏，五歲再閏，故再扐而後卦。

在我們開始筮卦以前，必須要心念專一，然後默默的禱唸一下你要問的事情。

禱唸完畢後，從五十根蓍草中取出一根，放在一邊，這就是大衍之數五十，其用四十有九。衍的意思與演、演繹差不多；意思是很寬廣，所以稱為大衍。

分而為二以象兩，筮的時候，雙手把四十九根蓍草，隨意分而為二，把右手的一份放在一邊，這就是分而為二以象兩。為什麼要象兩？意思是把陰陽分開，效法天地的道理。這樣的筮方法，不是迷信，是物理自然的效果，也就是太極生兩儀的意思，這是第一營。

掛一以象三，然後再從原來右手的那一份中取出一根，掛在左手小指與無名指之間，即所謂的掛一以象三。三就是三才；象徵天、地、人三才的意思，這是第二營。

揲之以四以象四時，揲就是數，把左手的蓍草每四根一組，分到最後，所剩的或一或二或三或四，以象春、夏、秋、冬四時，即所謂的揲之以四以象四時，這是第三營的半營。

歸奇於扐以象閏，左手的蓍草，分到最後（每組四根），把剩餘的蓍草或一根、或兩根、或三根，不論多少，扐於左手無名指與中指之間。扐音勒，就是剩餘的蓍草，這是第四營的一半。

然後再把原來右手所分的一半，用同樣的方法四揲（第三營的又一半），歸扐於左手的中指之間，這是第四營的又一半，歸奇於扐以象閏。奇就是四揲以後所剩餘的策。五歲而再閏，故再扐而後卦，五年有兩個閏月，這樣兩扐以象徵五歲再閏。

這時右手把揲過的蓍草放在一起，再把左手一掛（最初掛的一根）與二扐和小指、無名指間的蓍草合在一起，這樣便完成了第一變。

再扐而後卦，然後把左右四揲的蓍草合在一起，再經過前邊分二掛一、左右四揲與歸扐的程序，三變之後才能成為一爻。這就是再扐而後卦，四營而成易；十有八變才能成為一卦。

這種手續非常繁瑣，要經過十八次的手續，才能求出一個卦象，知道是什麼卦。現在卜卦祇用三個銅板，嘩啦嘩啦一搖，陽啦陰啦，也可以，這是後世的簡化。

孫悟空七十二變

乾之策二百一十有六，坤之策百四十有四，凡三百有六十，當期之日。

乾之策二百一十有六，經過前面分、掛、揲、扐十八變的程序，得老陽乾爻的正策爲三十六，坤爻老陰的正策爲二十四；每卦有六爻，故六之三十六爲二百一十六，所以說乾之策二百一十有六。策就是竹籤子；坤之策是六之二十四，一共有一百四十四（詳請參閱上圖附註。）坤就代表地，陰數；乾卦就代表天，陽數，陰陽合起來一共三百六十，當期之日，一年有三百六十天，事實上一年不止三百六十天，是三百六十天多一點點。所以五年把那個剩下的數加上去，就多一個閏月，不然太陽、月亮的軌道，我們就算不準了；五年兩頭都有閏月。

二篇之策，萬有一千五百二十，當萬物之數也。我們中國人所謂「天地萬物」，這個觀念，綜合起來，都是從易經來的。六十四卦中陰陽卦各三十二，以三十二乘乾之二百一十有六則爲六千九百一十二；乘坤之百四十有四，爲四千六百零八，兩者相加即萬有一千五百二十。以當「萬物之數」。

是故四營而成易。經過四次的分二掛一程序，卜出一個爻象。

十有八變而成卦。要經十八次的手續才能成卦。

陽數到極點爲九，所以我們中國人看到人家女孩子長大了，說你的女孩子好漂亮呀，眞是女大「十八變」；十八變就是從這裡來的。十八變是易經的數學，陽數到九，二九一十八，所以大變十八。西遊記說三十六天變，七十二地變，三十六天罡，七十二地煞，孫悟空學了七十二地變，但是三十六天變他不懂，大概只有人才能變得出來！這就是十有八變而成卦。

數理的最高境界

八卦而小成，引而伸之，觸類而長之，天下之能事畢矣。

顯道神德行，是故可與酬酢，可與祐神矣。

子曰：知變化之道者，其知神之所爲乎？

八卦而小成，這個大的現象有八個，叫做八卦；把它縮小範圍使我們容易記憶。引而伸之，把它擴張起來，用演繹的方法，引而伸之，觸類而長之。每個卦裡頭又有爻，爻裡頭又有卦，天下之能事畢矣。眞把易經的數理弄通了，天下萬事的道理沒有不知道的；未

卜先知，不要用卜卦就知道了。

懂了這個數理才能顯道神德行，顯出來形而上的道，神明──看不見的這個神，神而不可知的這一面，它的作用，都可以知道。是故可以酬酢，可以應付天下之士，也可以協助完成神化的功能，乃至中國人的祭祖宗，都叫酬酢；可與佑神矣！就可以向天地拜拜了。換句話說，就是可以上教堂、拜菩薩，這才懂得了祭祀的道理。

宗教的儀式為什麼可以祐神？幫助神？神沒有人來幫助怎麼行呀！我們不給神修個廟子，神一點用都沒有。我不給你修個教堂，上帝有個什麼用？所以「魔從心造，妖由人興。」你說靈不靈？還不是你們心裡造的！你說它不靈，便一點也不靈了！拿易經的哲學術語一講，無所謂妖魔，也無所謂神明了。所以孔子說：知變化之道者，其知神之所為乎！這就懂得了數理變化的法則。所以我們中國文化的易經是科學的，決不是迷信的，把宗教的外衣統統拿掉了。宇宙間上帝也好、聖母也好、媽祖也好、菩薩也好，不過是數理變化之道，所以說知道變化之道者，其知神之所為乎！鬼神的動作是什麼？你坐在這裡就知道了。

我們小的時候，拚命學易經是為什麼？是因為怕鬼。老師說，把易經學通，你只要在那裡一坐，鬼神到了你前邊都要向你行禮。這樣一說，我膽子

易經繫傳別講

大了，我就找了本易經，不敢隨便亂拿，是兩手捧著讀的；晚上睡覺時，還要把易經壓在枕頭下面，因為怕鬼呀！學了易經就可以神護鬼祐了。因為孔子宣傳得那麼厲害，說學了易經就可以知變化之道，而且知道鬼神的行為，一切天人你也都知道了！就連今天玉皇大帝開的是什麼會！下的是什麼命令！你都知道，你的數理當然已達到最高的境界了。

道與神通

上一次我們講繫傳九章有關卜卦的問題，以及卜卦的方法，因為大家對於卦還不能熟背，我們不能詳細的講。不過大家要注意的是，一般人對卜卦都叫占卜，其實占是占，卜是卜，方法不同。考古學家在牛骨上發現的文字便叫卜，這是人對世界宇宙奧祕探索的方法。許多宇宙間不可知的事，從古到今，從中到外，大家都想知道它，所以，世界上追求先知的方法也很多。如果站在佛學和中國正統文化的立場去探索，人類智慧的本能，確實能知道過去未來，但是我們現在卻作不到，原因是這個能力被後天的染污遮掩住了。這一種能知過去未來的這個「能」，叫做神通。

所謂神，就是自己的思想精神能夠通達一切，達到了人類智慧的最高處

。神通的產生有五種，就是報通、修通、鬼通、妖通及依通。報通就是與生俱來的一種天生的特殊本能。就佛學的立場看，我們人類整個的生命，是無窮盡的、是不生不滅的、是永恆的。我們現在的生命，是所有人類生命中的一個段落，也叫做分段生死；分段生死這個現象中能生能死的那個功能，卻不屬於現在生死的變化，那個就是「道」。宗教家對它有很多的名稱，什麼上帝呀、主呀、佛呀等等……

第一種報通，就是有些人生下來就有的神通，那是由前生的果報帶來的，這種人多半前生都有很高智慧與很好的修持；這種神通也是比較難得的。

第二種是修通，是此生修道而得來的神通。當一個人修持到靜極了，得定以後，自己生命的本能智慧就會爆發，因而獲得某種神通，就是修通。

第三種及第四種就是妖通與鬼通兩種，也就是我們現在所謂的精神分裂症的狀態。在佛家認為這是由於自己本身健康不良，而由外來力量依附所發的功能，所謂妖魔鬼神附身等等。宇宙中這類的生命，佛經叫作非人，不屬於人類的一種；有些甚至還有形象跟行動產生。另有些能力超過一般非人的；善的謂之天神，不善的就是妖，再差一點的叫做鬼。當然這種現象在精神上都是不正常的，這就是所謂的妖通、鬼通，我們鄉下到處可以看到這一類的事。

有些情形還有地區性，離開了那個範圍及地區就不靈了。譬如台灣有一個摸骨的，離開他的地方就不行啦！這一類都是所謂的妖通、鬼通。他是靠另外一個東西的靈感所顯示出的一種能力。

第五種便是依通，是依靠物質的工具來達到先知的情形，如卜卦啦、算命啦……這些都是依通；依靠一種方法而獲得先知的。看相算命等，全世界各個民族都有他的一套，如埃及有埃及的一套，印度有印度的一套，中國有中國的一套，西洋有西洋的一套；西洋的一套接近埃及及希臘這一類，這些都屬於依通的範圍。我們東方的卜卦也是依通，是靠一種方法。

這就說明了宇宙之間有奧祕。其實也不是奧祕，祇能說是人類所不能發現的。每一個生命都有他的顯著功能，但都不是全部的；所有的功能中以人類的功能比較完備，不過有些功能人類還是不能達到。譬如人的眼睛隔一道牆壁，或者被紙一遮就看不見了，但是真有神通的人，牆壁也擋不住，隔著牆壁也看得很清楚。又如蝙蝠沒有眼睛可以飛翔，我們人類做不到；還有螞蟻在牆壁上可以倒著來爬，人也做不到。其實人也能做得到，因為後天的思想啦、情感啦、障礙住了，把他原有的功能喪失了，因此靠依通來彌補那些缺陷。可是人類求知的慾望特別強，尤其對人類自己生命過去未來情形，尋求知道的那種慾望更加強烈，也就是追求先知。世界上各種追求先知的方法

，大部分都靠依通.；所謂的妖通、鬼通乃至依通等，都是我們中國過去所謂的巫筮。

中國歷史上的巫筮

中國上古時代所謂的巫、筮，包括了醫藥、卜筮、看相、算命，乃至包括了天文地理等等。換句話說，相當於現在的科學家。可是我們中國古代很看不起工商業，當然更看不起巫筮了。在過去巫跟醫是並稱的，孔子在論語中也說：「人而無恆，不可以作巫醫」。巫醫是個小道，是最起碼的謀生技能；一個人沒有恆心、沒有決心、沒有堅定的意志，連學巫醫都作不好；這是孔子的名言。

在春秋戰國的時候，巫醫的地位已經提高了很多，但是在社會上的行業中，還是比較低。但在我們過去的歷史上，卻非常注重卜筮，因為人沒有辦法先知，尤其對國家大事。春秋戰國時代，特別是春秋時，決定一件國家大事，或者是決定一次嚴重的戰爭，都要經過卜筮。皇帝齋戒沐浴，一個人在宮殿裡邊三天或者五天七天，什麼人都不見，當然皇后妃子也包括在內，靜靜的祈禱，然後請太史公——管天文的來決策卜筮。換句話說，不可知的一

易經繫傳別講

面則以卜筮知之，這在古代是很重要的。所以你們研究春秋，到處可以看到卜筮卜卦的紀錄；有些很靈，有些也不一定靈，這個中間也有很多的道理。

不過，由此我們可以看出，上古時候大家對卜筮的重視。

卜與占的方法不同，在上古時候是用卜、骨卜，骨卜的史料現在還有形跡可尋，考古學家可以找出來。骨卜進步到了周代，就是孔子這個時代，便有筮了。卜比較早用，那個時候恐怕還是沒有統一的方法，但是政界已經用筮了，所以卜筮並稱。我們這本書上有宋代的大儒朱熹先生留下來的筮法。

前面已經講過，這種筮是用一種蓍草，就像我們台灣的颱風草一樣；曾有一位日本人送我一束。這種草生長在甘肅一帶，我們這易經文化，是屬於西北高原黃河上流所謂的大夏文化；我們稱華夏文化，就是筮草的產地。南方地勢低，是卑溼之地，沒有這個東西。用筮草來筮，屬於數；筮的裡面也有象。

我們講到易經有象與數，一種是看象，一種是看數。筮的時候要有一個神枱子，可是絲毫沒有偶像的成份，很恭敬的，也不是迷信；一定要很誠懇。

燒香還是後來才有，我們燒香是印度來的，點蠟燭是我們中國的。西方的天主教也是點蠟燭的，我們小時常說「天主馬利亞，祇點蠟燭不帶香。」天主教的點蠟燭還是從東方過去的。

古時筮的時候，把這五十根蓍草放在一個筒子裡，很恭敬的行禮，然後

兩手把蓍草一分，把其中一隻手的草放在一邊，很恭敬的，要連續十八次才能得出一個卦，相當麻煩，我們前面的附表已經介紹的很清楚了。

殘酷的龜卜

上次我們大概談過，大衍之數五十，其用四十有九。五十根蓍草拿出來之後，抽出一根，放在最高處，代表一，這就是筮儀的道理。宇宙萬物最高的數是沒有數，就是零——一個圓圈。我們現在看到零就說沒有，在數理上零不是沒有，零是代表空，空零代表無窮數，無限數，非常充實，不可知數。這個零，也可以說沒有數；零一動，天地間就有了「二」數。二是兩個一，三是三個一，永遠是一。所以卜卦的時候，因為宇宙開始是一動而來的，形而上沒有數，是個零；形而下一動是個一，一以下二三四五到百千萬億，其數不可知，這是卜筮的道理。以後又發展下來，有卜骨的龜卜，春秋戰國時候就有用龜卜的。那時要知國家大事，要用千年老龜的龜殼去卜。

殺這種龜很麻煩，叫脫殼烏龜，也很殘忍。先把龜用東西壓起來，壓得緊緊的，然後用火燒它的尾巴，當它忍受不了時，一下子竄出來，只有龜殼留下來。當然它是憤怒到極點、痛苦到極點，那種肉是不能吃的，因為它已

經有毒了。我們講生物的道理，當一個人或生物，痛苦到了極點，他的生理會有某種變化。像人發了很大的脾氣，馬上抽血檢查，血液會有毒的，而且血液也變藍了，不是紅的。所以佛家講戒殺，不准吃肉，也是因爲肉中有毒的關係。任何一種有生命的動物，當你要殺死它的時候，他都會有一種抗拒、仇恨的心理，血液裡就會產生毒素，很可怕！人也一樣。所以這種烏龜的肉，就不能吃了。

龜殼留下來用銅錢在裡邊搖，有字的一面叫陽面，沒有字的一面叫陰面，六次下來構成一卦。如果三個銅錢下去出現兩個陰面，一個陽面，就打一點，表示陽爻；如果兩個陽面，一個陰面，就打兩點，表示陰爻；如果是三個陽面，就畫一圓圈，這叫重爻，也叫動爻。動就要變，陽極就會變陰。如果三個都是陰面，就打一×；×就表示交，表示陰極要變陽。如果六次下來祇有一爻變，假設陽或變陰，那叫六爻大變，那就很難辦了。如果第三爻是三個陽，陽極陰生，那麼我們投了六次都得陽爻，便是乾卦，如果第三爻是三個陽，陽極陰生，那麼這個卦由乾卦變爲履，這第三爻便非變不可了！這樣一來便成了天澤履卦。這個卦由乾卦變爲履，古文叫他乾之履卦，這就叫變卦。我們平常說人不守諾言叫變卦，就是從這裡來的。如果要判斷一件事情的時候，便要與它的本卦參酌研究。

文王課與火珠林

一般跑江湖所用的方法，例如在中華路、新公園裡，我們所看到的，就叫六爻卦，也叫文王課，這是根據周易來卜的，實際上就是漢代的火珠林法。有一次錢賓四先生卜國運，就是用火珠林法。很多人問我：錢先生用火珠林，究竟火珠林是什麼？把大家考倒了。我說錢先生故作驚人之舉！一般人以為火珠林失傳了，事實上火珠林就是現在的六爻卦。漢代有本火珠卜卦的書，以後失傳了，現在書店裡賣的卜筮正宗，就是從火珠林裡頭變出來的；這本書就叫六爻卦，也叫金錢卜，就是現在市面上所流行的，不過已經有了很多改進與發展。

講到卜卦，中國歷代都有很多方法，前面我們講到過梅花易數，方法很簡單，是不必卜卦的。一個人一進門，從他站的方位、看當時的時間、看穿的是什麼衣服，一個卦的卦象就構成了；有時候也很靈。如聽到鳥叫等等，你說不相信嗎？有時候也滿怪的。

譬如過年，家裡供菩薩、供祖宗，燒個香，香燒完了，香煙或香灰會構成某些奇怪的圖案；這些圖案都代表著某種意義，有時候也非常靈，或者像香灰

不倒……都是很常見、很普通的。

隱身術與祝由科

小時候遇到這些稀奇古怪的學問，東方的、西方的都要去學，而且好奇心重，總想要把它弄清楚。有一次在四川，有位老先生已經七十多歲了，那時候我們看他已經很老了。他修道的功夫很高，頭光光的，戴個小帽，摸到他的頂門是軟軟的，跟剛生下來的嬰兒一樣，會跳動；據說陽神可以出竅了。會不會出？不知道，但可證明他打坐修道很用功了。還有一位老先生乳房一擠，跟女人一樣，會有奶水，可見他的身體已經修到返老還童了。根據原理，功夫作到這裡，假使你把他殺了頭，他流的不是血，是白漿，可知他們的功夫都很高。

當時我是個軍官，我要拜他爲師，人家告訴我，這位先生有很多法術，槍打不進去，又會隱身術，而當時最有誘惑力的就是隱身術。我說老師你能不能教我隱身術？他說那很難，當然你可以，不過我也作不了主，要稟告玉皇大帝，批准了才可以。我說玉皇大帝怎麼批？他說要舉行一個儀式，半夜子時十二點整，擺上祭品，很隆重的跪下來拜，你要親自到東門外去買一塊

布。那時候在成都，到東門外就是從信義路走到三重市那麼遠，去買一塊土

布回來。我說那是做什麼的？他說你拿回來後，我在布上畫一道符，燒了來

報告玉皇大帝，請他批准，燒了的布上會顯出文字來；那就是天書。我說

好！馬上派勤務兵去。他說那不行，一定要親自去。我說好，就親自去。

半夜三更，非常神祕的，祭台不准別人參觀，道士們要畫符的，唸

咒的唸咒；碗裡邊的水中都是灰，還要喝下去。我學這些是很勇敢的，充其

量半碗水經過火燒了不會有毒，我不怕，幾口就喝完了。然後用兩個鐵鉗子

夾住一尺見方的白布，在火上燒。布燒完了，灰還是方方整整的一塊，沒有

掉下來，上邊有很多字，不曉得是梵文還是古籀文，反正不是中文，很好看

，還會發亮。我跪在下面，四川人講了…高頭（最高的頭上，天上的上帝）已

經批准了，可以傳你。我說老師，那是什麼字呢？我很想看看上面的文字，

到底是准呢？還是不准？話雖如此，可是我已經曉得了。

說到畫符唸咒，我親眼看到的，這叫祝由科！現在我還有這個法本，很

想找個人傳傳。可是你們都不行，這一定要找一個最聰明的笨蛋，才可以傳

他；或者是最笨蛋的聰明人，也可以傳。像這裡講的祝由科，一個人如果刀

傷啦、手斷啦，拿一碗靜水，也不用醫藥。哇啦啦的唸唸有詞……哼！呸！

一聲，病就好啦。但是畫符唸咒，我來用就不靈啦！因為我不信。什麼東方

易經繫傳別講

來個紅孩兒呀，頭戴紅纓帽呀，身穿大紅袍呀；去你的鬼！可是真的要學這個本事，一定先要信仰，要絕對的迷信，才會產生精神力量。譬如我們有骨刺鯁到喉嚨裡，畫一道符，水一喝，骨刺就下去了，這是小事，鄉下很多。可是到我手裡便一定不靈，因為我不信，像這一類千奇百怪的事很多很多。

話說回來，當時我行禮如儀，起來以後，我說老師，什麼時候傳我功夫？他說還要過三天，我說開始練後要幾時才能練得好？老師說，這次是教槍打不進的（就是紅燈罩那一套一樣），他說要三百天，二百九十天都不行。當時我還帶著部隊，每天忙得不得了，隨時都有事，我說一個禮拜還可以，練一百天我不行。其實不是一百天不行，假使真能練到槍打不進，一年的時間我也幹，不要說三百天了。老師說不行，少了三百天不行！當時我便抽出手槍說：這樣吧！老師，你先讓我打一槍，如果真打不進去，我再跟你學。老師說：這樣不可以，你要這麼說，我不教了。當時我很客氣很有禮貌的跟老師說：我現在實在很忙，今天先回去，以後有空再來學，反正玉皇大帝已經批准了，下次再上報告也有案可查了；這樣我便走了。回去後，便叫我的傳令兵，馬上到成都東門外那個布店裡，又買了兩塊布，用火一燒，也是一樣，有發光的文字，這是什麼原因呢？因為棉布用米漿漿過，燒了以後，棉花變成了灰，米漿卻發生了物理的作用，含有一種發光體，看起來像似梵文

易經繫傳別講

一樣的天書，說穿了就是這麼回事。

當時一看到這個東西我就懂了，這是我們學科學、學物理的人的一種常識，一看就明白了，哪裡是玉皇大帝不玉皇大帝！但各位要注意，很多事情，你說沒有道理，它卻有道理。以上這些固然是物理的作用，但是你不要說宇宙間沒有奧祕，那又不同了，透過物理科學的後面，還有一個東西，像米漿燒了為什麼會有那樣的變化？煤燃燒了以後又是一種功能，它的背後是誰在作主？是什麼在支使它？宇宙間這一類的問題，仔細討論起來，要作專題演講才可以，不是三言兩語可以說完的，這就是中華文化，一直到現在還有很多解不開的謎。

台灣廟宇的杯筊

現在廟子裡求籤有叫辦杯的，這叫「杯筊」，也作桮筊；這在我國古代是非常重視、非常講究的。古時的杯筊，最早是用玉作的，後來為了簡便，也有用兩隻蚌殼或竹根的。有一本書叫百林燕語，上邊記載著：「高辛廟有桮筊，以一俯一仰為聖筊」，可見這在我國是很久的事了。現在我們台灣普通的廟宇裡邊，都有這種桮筊，這是從古時的「卜」演變來的。至於求籤，

那是梅花易數演變過來的。但是你說靈不靈呢？不要迷信，小事非常靈，靈得很，大事包你不靈。有人說廟裡求籤毫無道理，那也不盡然！我可以作很多籤數，作出來一定靈。籤數有籤數的作法，從小到現在，始終祇有兩支籤數，決定了我這一生，那非常奇怪，到現在還感到很奇怪、很不可思議。假使將來我年齡大了，要寫回憶錄，我會把它寫出來供大家研究，現在還不能寫，這是個祕密。事情的大概是這樣的：

從小我們都在廟子上讀書，讀完了一個階段，我要到杭州求學，那時候從一個小縣裡，到杭州省會去讀書，等於現在到美國一樣，是很嚴重的問題！甚至比現在出國還要嚴重。明天同學們都要回家了，我卻要出遠門；大家也不免有點離情別緒，於是我們三三兩兩的在附近廟裡逛，也不管廟裡有菩薩沒有菩薩。我們走到一個道士廟裡，因為我要到杭州去，抽支籤吧！當時的心裡很恭敬，也很不恭敬；因為這些廟子天天看到，在意識上知道它祇是一個廟子。這時也不管菩薩靈不靈，不過求籤的時候，心裡倒是很恭敬的。先求了一支籤，我不相信；又求了一支籤，還是一樣的內容。十年後回家到另一廟裡去玩，順手一拿又是那兩支籤，與過去的完全一樣，那就很碰巧了！真是像四川人講的：斫竹子遇節，碰巧了一斧頭砍到節巴上。就那麼巧！現在想想還是感到很奇怪，似乎在冥冥中有一個力量主宰著這一切。這

兩支籤，差不多決定了我這一生的歷程；如果說巧，也真是碰得巧。但是這中間，各位也不要迷信，不過話又說回來了，這個不迷信的本身，就已經是個很深的迷信了。究竟宇宙間這個道理在什麼地方？這是一個很大的祕密。

後來到了日本，又發現日本人用這個方法，把六爻變成活動的；隨便來裝、來配，不需要畫卦的麻煩。回來後，同學們把它作成壓克力的，可以隨便用來擺卦，減少畫卦的麻煩，也算是玩易的一種方便。

天圓地方

要瞭解宇宙的奧祕，不但要把八八六十四卦記得很熟，圖也非常重要，現在再把伏羲六十四卦方圓圖向各位作一介紹：

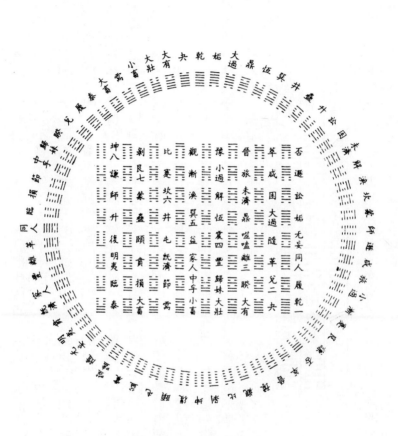

▲伏羲六十四卦方圓圖

伏羲六十四卦方圓圖，是根據我們中國古代所謂「天圓地方」來的。不過這一句話，大家不要搞錯了，幾十年前大家自己研究中華文化，認爲不科學，認爲過去天是圓的，地是方的，這個說法是錯誤的。地球怎麼是方的？地分明是圓的嘛！其實不是那個意思。譬如孔子的學生曾子，從他書裡的記載，就曉得地是圓的，沒有講地球是方的。爲什麼講「天圓地方」呢？因爲天體是個圓球，地面要用平方來計算，因此這個六十四卦，就擺出了天圓地方這個圖。這個圖大家要注意，對我們研究易經象數是很重要的。

前頭我們講到卜卦的原理，還沒有完全講完，今天繼續跟大家補充一下。大家要研究卜卦，必須要把六十四卦都能熟背來，如果這一點作不到，便根本沒有辦法學易經。其實大家祇要用心，知道了竅門也不是一件難事。譬如乾宮的八卦，是這樣變來的：

乾爲天 ☰☰	天風姤 ☰☴	天山遯 ☰☶
天地否 ☰☷	風地觀 ☴☷	山地剝 ☶☷
火地晉 ☲☷	火天大有 ☲☰	

這是屬於乾卦，每本書開頭都有，你這樣去看，不要兩天便會背了。六十四卦能會背了以後，便可以運用無窮了。

假設現在大家六十四卦都背得來啦，我們再看先天數，先天卦數是：

乾一　兌二　離三　震四

巽五　坎六　艮七　坤八

指南與指北

現在大家再看中間這個方圖，看它六十四卦如何排列；中國的麻將，就是效法這個來的，所以變化無窮。方圖的右手邊、右下角，拿方位來講，代表了西北，是乾卦的位置。方圖的左上角，代表了東南方，是坤卦的位置。方圖的右下角，是乾卦在南，坤卦在北；乾爲天在上，坤爲地在下。南北是個磁場，先把它定位了，研究起來才不會弄錯方向。

說到方位，西方人是以北極爲準，所以他們用指北針；東方人則是以太陽爲準。我們看太陽是在南方，所以黃帝就發明了指南車。其實西方人指北，東方人指南，都有道理！不過我還是同意指南的道理。在圓圖上，上方是南，是乾位；下方是北，是坤位。這是從平面來看，如果用立體來看，那又不同了，乾是天在上，坤是地在下；這又是一番道理，以後再講。

我們現在重回到方圖上，方圖的右下角是乾，乾的下面有個數字「一」

，這個一，就是代表先天數的一，也可以用阿拉伯字寫，是一樣的——實際上我們平常說阿拉伯字是錯誤的，阿拉伯字是從印度來的，印度用這個數字的時間很早。不曉得為什麼西方人也都說是阿拉伯字，後人便以訛傳訛，也就把印度字說成阿拉伯字了，這一點大家要知道。

我們中國數字的寫法很多，有用橫寫「一二三四」的，有用阿拉伯字寫的，也有一種豎寫的「一⼁⼁⼁Ｘ８⼁⼁⼁夊十」；過去老式的記帳都是用這種字體，所以叫帳房字。還有音樂的符號用工、刀、尺來代表１２３４５６７的，這是幾千年來中國文化的演變，仔細去研究，也很有意思。

科學的排列

剛才我們說過，最下一排的最右手是乾卦，上面寫的是乾一，第二排是兌卦兌二，第三排是離卦離三，第四排是震卦震四，第五排是巽卦巽五，第六排是坎卦坎六，第七排是艮卦艮七，第八排是坤卦坤八。我們分析方圖，他這裡的乾「一」，兌「二」，離「三」，震「四」，也就是我們剛才所說的先天數，他的排列狀況是這樣的：

天地　天山　天水　天風　天雷　天火　天澤

否　遯　訟　姤　无妄　同人　履　乾為天

乾一

兌二

離三

震四

巽五

坎六

艮七

坤八

為什麼在這個方圖上乾兌離震巽坎艮坤會形成一條斜綫？為什麼要這樣由西北偏斜向東南呢？因為我們這個地球的磁場，也是向東南偏斜的，所以南北極在指南針上是向東南偏的。我們台灣就處在東南這個位置上，所以這幾十年來運氣特別好，特別走運。可是從今年開始，又要變一個運了，這個運慢慢的轉向了。這個裡頭問題很多，暫且不作討論，現在還回到我們這個方圖上來。

我們如果用數字來代表八卦，乾卦是「☰☰」，也就是11。乾卦左上

第二是天澤履，它的數字代表是12，第三層是天火同人，數字代表是13

易經繫傳別講

，第四層是天雷无妄14，第五層是天風姤15，第六層是天水訟16，第七層是天山遯17，第八層是天地否18。列圖表示如下：

否18 遯17 訟16 姤15 无妄14 同人13 履12 乾11

坤88
艮77
坎66
巽55
震44
離33
兌22

夬21 大有31 大壯41 小畜51 需61 大畜71 泰81

再從乾卦開始，由右向左橫列看，依次是：

乾11　夬21　大有31　大壯41　小畜51　需61

大畜71　泰81

如果我們用阿拉伯數字來表示它，就更清楚了：

坤88	78	68	58	48	38	28	否18
87	艮77						17
86		坎66					16
85			巽55				15
84				震44			14
83					離33		13
82						兌22	12
泰81	71	61	51	41	31	21	乾11

演繹與歸納

在前圖上，我們可以看到乾卦是11，乾卦最上的否卦是18，左上角的坤卦是88，坤卦的最下面，也就是左下角的泰卦是81。我們看到這個圖案，每一卦都有兩個數字，這個方塊把九八八十一個數字都掛滿了，八八六十四卦數字也都表示出來了。易經的文化是歸納法，同西洋的數理文化不同。西方的數理是演繹法，永遠向前發展，所以天文的數字越來越大。學易經則剛好相反，天文的數字不可知，不可量，不可說，不可數，用佛經來講是無量無邊的向前邊發展；由一變成二，由二變成三，由三變爲無量數。易經的法則數字是看得到、摸得著的歸納法，無量無邊的把它向內收，收到了十個數字以內。；而且數字方法也很簡單，沒有那麼複雜，只有加減乘除就夠了。實際上只是加減，乘除都不必要了，因爲乘除也是加減，一加一減，就把宇宙的數字都歸納起來了。

也可以說一個卦的本身就是一個宇宙，譬如乾卦，也可以說是一，也可以說是一加一，1＋1。譬如兌卦，也可以說是兩個二，也可以說是二加二或2＋2。假設方格裡邊，一個卦代表一個宇宙，也算是一個說法算法。譬如

易經繫傳別講

如乾卦是一，乾卦又代表天；這個天就是這個宇宙，但是它有兩層宇宙。它是「一加一」，一層是外卦，一層是內卦；所以有兩層天。一個是我們觀念上的精神世界、思想上的天；一個是物理世界的太空，是代表太空的天。像這個乾卦，我們可以拿一卦作宇宙來研究，也可以兩個卦作宇宙來研究。再如履卦，是一、二，是一與二加起來，這個數字又構成另外一個東西；這個另外的東西就很多了。

我們先講一個簡單的原理，再慢慢的去研究，你能這樣去研究、去思想、去追究，隨時會產生新的原則和新的方法出來。一般的是把四個卦變成一組，如乾卦、夬卦、履卦、兌卦，這四個卦一組。把每四個分配一組，乃至宇宙中每個地方都四個一組或六個一組、八個一組。你把它劃分開，或者是用一條線把它分開也好，每個數字之中，離開本卦構成的現象統統不同。這是第二個學易經的基本觀念，介紹給大家知道。所以學易經不要祇是聽課懂了就可以，這沒有用，要回去研究，要多思想。不過，以我的經驗，還是勸大家不要學易經的好，有時候想到一個問題，你洗澡泡到水裡邊，水冷了還不知道，把自己都忘記了。甚至涷感冒了還不知道呢！好像這個宇宙的奧祕就要被你摸到了，就差一點點，所以你不肯停止；等到你把這個東西摸到了……噯呀！前面還有一個……那真是美不勝言。這樣就很麻煩了，摸來摸去，

永遠摸不完，易經真是一個探求宇宙奧祕的學問；水涼了、天亮了也都無所謂了。

向南與向北

第三個觀念，也就是學易經的基本法則，你聽到了也很稀鬆平常，但真正研究起來，裡邊就複雜得很了。大家看這個方圖是分兩層的，各位還記得，先天圖的數字是乾一兌二、離三震四，左旋；另一邊是巽五坎六、艮七坤八，右旋。兩方面這樣一兜，成了一個西瓜，我們這個地球，天體就是這樣。

現在這個方圖是立體的，乾一兌二、離三震四，是下面一層；巽五坎六、艮七坤八，是上面一層。換句話說，假設用我們地球來講，這個方圖等於地球的南北極。說到這裡，大家要知道，南半球、北半球，對天體的看法是不同的。當年有個外交官的朋友，說起來已經是二、三十年前了；當時我在講易經，他要外放到澳洲，他來找我，拿個羅盤來跟我研究。通常一般的外交官都十分迷信，喜歡看相、算命、看風水等等……他來問我：到澳洲去看羅盤，是不是跟台灣一樣的看法？我說不一樣，你要把它倒過來看，把南方稱作北方，北方稱作南方來看就可以了。我們北半球的人看太陽是在南方，南

易經繫傳別講

半球則相反，他們的太陽在北方，北半球蓋房子是坐北向南，所以當皇帝便是南面而王。到了澳洲的冬天是我們這裡夏天，他們那裡冬天氣候也不同了，所以他們以向北方為吉利。過去我們蓋房子，方向都很講究；像大工廠的房子，方向一定向北。那時候工人上班多數在白天，上午有東晒、下午有西晒、南晒，都影響工人的情緒，祇有向北比較蔭涼，所以一般工廠都向北方。當然現在不同了，人類可以巧奪天工，可以用空調、用科技改變大自然的一些狀況，所以是否還講究這些，我就不知道了。這是我們由方圖說到另外的一個問題。

二十八宿的分野

過去我們把這個六十四卦方圖，擺在中國的土地面上，再配合著天文，也像二十八宿的分野一樣。二十八宿與地面的關係，天文的名稱叫做「分野」，這意思就是說：天上的星宿所照到中國某個地面，就把它那個星座與地面配合起來，這個配合叫做納甲。納甲就是從天上星宿的變異狀況，所反應分野地區的人事；它也很靈驗啊！你不要以為它是迷信、是亂搞的。譬如過去人人夜觀天象，今天是三月×日，某一個分野的星座照到某一個地區，這個

星座忽然一變，這個地區便會有大事發生；這就是二十八宿分野納甲的情形。

以前的人讀古文，一定要讀滕王閣序，現在就不一定了；恐怕大家都沒讀過。寫這篇文章的是王勃，他十三歲便作出這麼一篇有名的文章。一開始便說：「南昌故郡，洪都新府」。那是很不容易的，才十三歲的孩子，天文地理都那麼熟了，這就是中國文化。古人讀書的範圍也是很廣博的，南昌就在江西，滕王閣在江西。像我們年輕時出門，一定要特別經過江西，為的就是要看滕王閣；到了南京特別要看秦淮河，看了以後等於到高雄去看愛河一樣，一點也不感到可愛。秦淮河也是一個臭水溝，唐代的時候，南昌叫洪都，下面一句是「星分翼軫，地接衡廬」。每句話不但押韻，文字也都對得很工整。南昌故郡，故就是舊，舊對新，所以說洪都新府。「星分翼軫」，分就是分野，怎麼叫翼軫呢？翼是翼星，軫是軫星，在二十八宿裡邊，就分野說，翼星、軫星，是屬於江西地區。它在中國的地理位置是「地接衡廬」；南面是湖南的衡山，北面是江西九江的廬山。

大家看一個十三歲的孩子，天文地理一切都熟得很，這就是中國文化舊式的教育，並不是不懂科學。現在大家一開口就說現在學得很多，過去祇讀古文。；你不要開玩笑啦！過去讀書要學的東西也多得很呢！過去一篇古文，

它把天文地理、物理人事，一切都包括了。譬如滕王閣序一篇，現在請你來解釋看看，這篇文章裡幾乎把大學各科所有的東西，都包括進去了。開頭兩句話，地理天文都有，我們現在不是講滕王閣序，祇是從六十四卦方圖，講到了分野；同時，也讓大家瞭解一下古人讀書的層面，給大家一個參考。

無往不復　無平不陂

我們大家既學易經，關於易經的方圖圓圖，是很有用的，回去一定要用心去研究，才能有所收穫；不要像聽老爺爺說故事一樣。小孫子纏著爺爺說故事，爺爺很煩，說我告訴你，你聽著啊！曹操八十三萬人馬下江南，八十三萬大軍還有騎著馬的啊！對不對？孫子說對。然後瞪著小眼聽下文，等了半天，爺爺祇顧自己抽煙，一句話也不說，孫子急得沒辦法，便要爺爺快點說嘛！以後怎麼樣了？爺爺說不要急，曹操八十三萬大軍，人呀、馬呀，要慢慢過長江，等過完了才能講呀！小孫子無奈，祇好等著曹操八十三萬人馬慢慢的過長江。各位聽易經，可不能這樣，如果沒有研究，便像八十三萬大軍下江南一樣，聽了也是白聽。

現在我們看外面這個圓圖，圓圖代表天，方圖代表地，這就是天圓地方

；平常大家都想知道國家未來的前途，那要先把圓圖方圖弄清楚。方圖講空間，圓圖講時間，看了你就曉得什麼時代是到那一個卦運，你就可以知道那個時代是如何了。譬如就台灣的地理卦氣來看，現在台灣最走運了，但是要轉的，不可能讓好運永遠屬於你的。每一個方位要配合天體轉動，所以明年甲子年開始，就要轉變了。明年是下元甲子，外邊的這個圈圈，說明時間在不停的輪轉，佛學上就叫做輪迴，不停在旋轉，永無止境的。輪迴的道理，在中國文化而言就是復卦。易經有個道理，「無往不復，無平不陂，」去了以後定要回來，因為地球是個圓的。無平不陂，平地也不會永遠是個平地，一定有高一點、低一點波浪式的。這就告訴你人生的原則，你不要認為運氣好永遠是好，倒楣也不會永遠的倒楣；祇看你能不能平安的過了這一段霉運，能不能把握這一段霉運。如果你能渡過，這就是輪迴的旋轉了。「無往不復，無平不陂，」人生境界也是這樣，任何人都沒有永遠的好運或者壞運，人生的道理與天體的道理都是一樣的。

上了老師的當

現在我們看這個圓圖，從乾卦開始，方圖代表南北兩半球，圓圖代表東

西兩半球。一個是代表太陽系統，一個是代表月亮系統。天道左旋，地道右旋；一正一反。地球跟太陽轉的圈圈不一樣，如果一樣兩個便會碰撞，那就不得了啦！伏羲六十四卦圓圖圖的排列，大家也要了然於心中，我今天給大家講易經，不是老師教我的，是我自己研究出來的。老師教的是要我默背，這個圓周八八六十四卦的次序，很不容易記啊！什麼理由？等到我自己摸清楚以後，發現原來是這樣的。今天你們大家不費吹灰之力，就知道了這個原則與訣竅，如果是要大家去摸，我相信不是那麼容易的，說不定要摸十年二十年也不一定。但是經我這麼一說，一下你就可以發現了這個道理，它就像是那張麻將牌，假設你懂了這個方式，圓圖也很好記，方圖也很好記，八八六十四卦也很好背了。

現在各位先從方圖的乾卦橫向左看：依次是乾、夬、大有、大壯、小畜、需、大畜、泰共八個卦，是一組。乾上邊緊接著的第一卦是履，依次向左橫看是兌、睽、歸妹（結婚卜得歸妹，是很好的。）中孚、節、損、臨。這是怎麼排列法呢？我告訴各位，有一天我到高雄去，一夜沒有睡覺，是高興得睡不著。高興什麼？高興我上了古人的當、上了老師的當；其實也不是老師騙我們，是老師自己也沒有弄懂。什麼道理呢？現在我們把第一卦像打麻將一樣，一推，第一排上面是乾一兌二離三震四，巽五坎六艮七坤八，每排都是

一樣，下面都是乾一。第二排下面都是兌二，第三排下面是離三，第四排下面是震四，依次五排是巽五，六排是坎六，七排是艮七，八排是坤八，這就是方圖的排列方法。圓圖呢？則是依伏羲八卦的方位把下面第一、第二、第三、第四排依次左旋排列；再從第五排姤卦開始，五、六、七、八排，依次右旋排列，這便是圓圖排列的方法。八八六十四卦。

說易簡而天下之理得矣！這麼複雜的宇宙，他要用最簡化的方法，使你略讀過書的人也可以瞭解了。這是孔子的偉大，將來人文科學發展到最高的時候，也將是最簡化的時候。但是我恐怕到那個時候，人類就要毀滅了。天道是很公平的，人不能太聰明了，太聰明了便會把它毀滅再來一個。

六十花甲 有好有壞

這個六十四卦方圓圖，我們曉得了如何排列，但是數字就不同了。有些古書上圓圖旁邊打的都是數字，最外面打的數字管時間和氣運，所以我們常說算命運氣好不好，那是看那個數字走到那一卦。像我們現在從黃帝甲子年一月一日開始計算的，假設我們從宇宙開始或從黃帝時候數到現在，那太麻煩了，中國人不用這一套。它只用天干地支六十個數字來歸納，一個花甲一個

花甲、一個單元一個單元。所以從我們現在開始，到一九八四年交下元甲子，六十年一個甲子，明年是甲子年，後年是乙丑年……六十個數字中，又分二十年一個運；二十年中間又要分，五年一個次運，一年一個小運，分得很細。一個人你說他運氣好不好？上午好，下午就不好；今天好了，明天就壞；白天好了，晚上就壞……有好有壞，永遠不動入定啦，永遠在靜態中，否則一動便有好壞，吉凶悔吝便出來了。除非你永遠不動入定

吉凶悔吝者，生乎動者也。我們懂了這個道理，便會卜卦、會算命啦。不過古人講過，善易者不卜。易經讀通了還有什麼要問的？吃多了怎麼樣？肚子發脹、腸胃發炎；不怕發炎你就吃，這很簡單嘛！還卜什麼？吉凶悔吝者，

生乎動者也。

前面我們談到易經卜卦的方法，這個方法就是依數，這個依通依什麼？依數。諸葛亮為什麼會招指一算？因為他懂數；懂數就已經不要再卜卦了，祇要有一個數字，便已經知道一切了。梅花易數的方法，就是報數的，祇要報個數字，便有了卦。你要把這個原則方法記住，用這個方法，不祇卜卦算命！不過，拿易經去算命卜卦，我常說很可惜！現在沒有一個真正學物理科學，或者學最新科學的，能在這方面下功夫努力。假設真能由這兩方面來配合，對這個宇宙的奧祕，科學上一定有新的貢獻；東西文化配合了一定有

新的發展。不要把易經祇拿來用之於算命呀！看地呀！那我們文化的用也未免太小道了；那就不叫中華文化，叫小道文化了。當然我們的文化是大道文化，不管你用到心理學、物理學、化學等等……可用的地方太多啦。現在照這種古老的方法來用，不行！所以大家要想出新的境界，先要把這些最基本的方圖、圓圖、卦名、卦位弄清楚，才能推陳出新。

「閒坐小窗讀周易，不知春去已多時。」

奉了西方的正朔

上次我們講到方圖的圖案，大家都瞭解了它排列的方法，方圖中間有很多的變化，這要大家自己去研究才行。還有這個圓圖，把六十四卦分兩排左右的排列出來，一陰一陽。像左邊這半個圈子，從地雷復開始，即所謂的一陽來復，在一年之中就是從冬至開始。現在本省還保留著一些易經文化，有關冬至的習俗，像二十四節氣所謂的補冬等。每一年新的開始就是一陽來復，冬至有時候又叫歲首，歲首就是一年的開始，是個專門的名稱。譬如周朝便是以冬至為歲首，夏朝是以我們現在習慣的陰曆正月作歲首，殷商時代是以每年十二月作歲首。歲首就是我們研究中國歷史上所謂的正朔，初一十五

這個朔法。我們歷史上遇到改換朝代的時候，許多作忠臣不肯投降，寧可被殺頭也要來保持國家民族的氣節，這便叫做不奉正朔；不跟著新的朝代變服飾，不稱用新的朝代年號。說起來也真可悲，自民國元年起，無論我們的學術機構、政府部門或大陸的中共政權，大家都一樣，都已經奉了西方文化的正朔，向西方文化投降了。依中國文化的歷史觀念，我們早就做了西方文化的子民了；這一點講起來很有趣，也很痛心的。

提到中國文化，民國元年我們推翻滿清以後，決定了改用陽曆，照我們現在看，實在說也可以改為洋曆，洋人的曆法。其實我們中國過去就是陰陽合用的，譬如我們民間一般算命所用的二十四節氣、七十二氣候、普通的算命卜卦，用的都是陽曆——太陽曆。所以拿氣候節氣來講，這個陽曆是很準確的；現在的陰曆就是以太陰曆——每月十五月圓來訂定的。這兩個用法叫陰陽合曆，我們中國早已存在。但是自己中國人往往不知道，反而為了配合西方世界，而用西方的曆法，變成了習慣。

譬如我們說公元，到底是不是大家的「公」元？這很難講，不過大家都承認它，所以它就是公元啦！其實公元只有一千多年，是依耶穌出生為標準的，我們願意把自己幾千年的歷史拉回來縮短，去配合人家？這事沒有辦

法！這一代將來的歷史怎樣演變，怎麼寫法，我們還不知道，我想以後也許會有歷史學家，寫到我們醜陋的這一代，他們會感到我們是很可笑的一代！所以民國元年，我們用陽曆的時候，湖南有個名士叫葉德輝，他的故事很多，後來共產黨把他殺了。這個人因為提倡了幾個學說，被人家罵得很厲害。實際上葉德輝、王湘綺、曾國藩都是湖南這一帶的學者名流。葉德輝很不同意用陽曆這件事，民國開始用陽曆，葉德輝就在門口寫了一副對子說：「男女平權，公說公有理，婆說婆有理」，下聯是「陰陽合曆，你過你的年，我過我的年」。當時雖然政府機關用陽曆，但是老百姓家家戶戶還是用舊曆；直到現在，不管北洋軍閥時代、國民政府時代、乃至大陸上的共黨時代，中國的老百姓還是這個樣子。換句話拿易經的思想來講，如果我們看兆頭的話，老百姓這八十年來，始終沒有承認過任何一個政權。還是你過你的年，我過我的年，不同意西方的正朔，這是無形的反抗。當然從實際來講，用兩個曆法很不方便，不過我感到奇怪的是，過去我們說西曆是「西」元，有人卻偏偏要說「公」元，「西」元與「公」元一字之差，關係很大，這是大家要留意的。

參同契與一陽來復

現在談到復卦，復卦就一年來講，是從每年冬至的陽曆歲首開始；就一天來講，是從半夜子時開始。一天一夜十二個時辰，就是子丑寅卯、辰巳午未、申酉戌亥。白天六個時辰，晚上六個時辰。子時是從晚上十一點零分開始，到一點整。一點零分到三點是丑時，兩個鐘點一個時辰。復卦呢？就一天而言，就是從夜半子時開始，由復卦開始一直向左面往上走，走到這個陽氣上來，就是我們過去講的一年十二辟卦（參考易經雜說一○三頁，一年十二月六陰六陽之象圖），復就是十二辟卦的頭，這個要配合起來研究。陽氣一點一點開始，一陽為復 ䷗，二陽為臨 ䷒，三陽為泰 ䷊，四陽為大壯 ䷡，五陽為夬 ䷪，六陽為乾 ䷀，一陰為姤 ䷫，二陰為遯 ䷠，三陰為否 ䷋，四陰為觀 ䷓，五陰為剝 ䷖，六陰為坤 ䷁。每月一卦為君卦，從陰曆十一月開始為復。這就是十二辟卦的大概。

後漢有一本寶典參同契，就是將易經、老莊、丹道，三樣合起來歸而為一。所以講打坐、講修煉，如果不懂易經，便不會有透徹的瞭解。參同契這一派研究象數，外面圓圖六十四卦，除了四正——上下左右，就是乾坤坎離

四季無寒暑 一雨便成秋

邵康節就是這樣推演他的皇極經世的。台灣在後天的卦位是巽卦的位置，在先天八卦裡則是兌卦的位置。西北高原是屬於乾卦的位置，西北多高山，我們中國的地理是以西北為頭，東南就是海洋，就是先天兌卦。巽為風為西南，西南是雲南緬甸那一帶；當年學易經，對巽為風、為西南的說法也無所謂，但當我親自到了雲南昆明，尤其雲南的下關（中國的省份也跟國家一樣，都切開四塊來分。雲南的東部叫滇東，西部叫滇西（滇，就是拖開很長的意思），南部靠越南這邊叫滇南，北邊靠四川叫滇北。到滇西，經過下關，那個風景、氣候也不同了。我是非常喜歡雲南的，尤其是昆明，那真是「四季無寒暑，一雨便成秋」。那比台灣好，一年到頭都是暖和的，四季無寒暑，沒有大冷大熱，一下雨就是秋天。所以我們在昆明穿衣服，一天就有一年四季，早晨起來很涼，也可以勉強穿皮襖，到了八九點，一件一

四卦以外，把圓圖六十卦分配一年三百六十天的時間計算；又有一個六十花甲成一個單元的道理，由這個道理、這個圓圖，加以配合、放大，再配合了氣運（一般大陸上叫運氣的），把六十卦擴大變為六十年的氣運。

件脫掉了，到了中午要穿汗衫，到了下午兩三點鐘，慢慢加衣服，到了晚上又要蓋棉被了。

雲南四季也不分明，生活過得實在太舒服了！尤其到了迤西，同緬甸不同，同印度也不同；天天看到天朗氣爽，天是藍的，天上的雲是白的，花是紅的，水是清的；永遠是很好看，氣候爽朗。雲南的茶花開起來是十幾層，有洗臉盆那麼大，尤其到迤西一帶，特別的美。滇緬公路開了以後，有一段叫橫貫山脈；有從台北到桃園那麼遠的一片雪壁，下面是瀾滄江。我們曉得中國的水都是東流到海，四川雲南一帶，水是流向南邊的；瀾滄江的水，是「天下無水不流南」。從瀾滄江上看橫貫山脈，真是萬仞雪壁，都是茶花！像天外擺了一張錦屏一樣，都是花，花像洗臉盆那麼大，非常漂亮。當然我們也沒辦法採回來拿到衡陽路、中山北路來賣。中國美的地方很多，到了那裡才知道。怪不得我們中國古人很奇怪，使人又想到了山海經的記載，那麼神祕。現在外國人很多研究山海經，說我們老祖宗大禹到過美洲、到過非洲，很多爭論。

我們怎麼知道巽卦擺在西南方？因為西南多風，所以東南是海洋，西南則多風。到了雲南下關的風真是大，如果在那裡開貨櫃車，在微斜的山坡上，司機把油門一關，把方向盤把穩，不要加油，祇要風吹就可以開車了。我

們到了那裡，都要兩隻手扶著帽子，不然就被風吹跑了！那風之大可想而知，但又不像颱風那樣可怕，吹得別有風味。

復與姤

現在回頭講復卦，我們看圓圖下面坤卦的左邊，由復卦開始向上邊走，這是一年的氣候。一天是由夜裡子時開始，到達明天的午時（中午十一時到下午一時）；再從圓圖上乾卦的右邊開始是天風姤卦☰☴，一陰始生，便是下午了，也是一年的下半年開始。姤卦是什麼？是夏至一陰生，復卦是冬至一陽生；陰生開始了下半年，氣候也下降了。現在圓圖是這樣排列，也代表我們這個地球本身生命的功能，與太陽月亮的關係。到了明年的冬天，陽氣慢慢上升，到了夏天升到了極點就是乾卦的上九，便又要下降。

我們在十二辟卦上看，陽衰陰生，並不是一定在六月。從冬至一陽生，一直到乾卦的上九爻，陰氣已經弱到了極點。夏至開始一陰生，陽氣開始弱退，天氣也開始涼啦。到了九月陽氣已經弱到極點，十月陽氣已經完全沒有了，到了十一月冬至，才一陽來復。冬至是這一天，在中國易經文化上看，是極短日，是白天最短的一天。夏至是極長日，是白天最長的一天；過了夏至

那一天，白天慢慢縮短，春秋兩季時間是平均的，氣候也是平均的。

晝夜的長短，代表了地球的變化，也就是節氣的變化，一年如此，一天也是如此。道家修長生不老之術，就是根據這個原理。我們人體同這個天體是一樣的，過去我們講到十二辟卦，拿乾坤兩卦代表人體，尤其拿女性代表坤卦來看，表示得最為清楚。女性用七，二七一十四，第一次經期來了，到了七七四十九，就是現在所說更年期的時候，經期就停止了，這就是生命的氣化作用。男性用八來計算，二八一十六，更年期是七八五十六歲。男性也有更年期，現在醫學已經證明。

從前有位老朋友蔣先生，對國家很有貢獻，官至上將，學問也很好，他到了七十歲以後，有一天看到我，很高興的抓住我大笑；說他近來身體好多啦。問他怎麼回事？他說最近病得很難過，去看醫生，醫生說他更年期到啦，勸他打一針更年期的荷爾蒙針。他很不高興，怎麼七十歲還有什麼更年期？因為那個醫官也是軍中的名醫，又是老部下；醫官就勸他，老長官你就聽我的話打一針看看，也沒有關係呀！他說好。誰知道更年期的針打了以後，什麼病都沒有了，身體非常舒服。我說恭喜恭喜，那你可以返老還童了！於是我們坐下來談。我說你這個醫生很高明，雖然學西醫，但還懂中醫的道理，不錯，男性是有更年期的。就女性來說，一般的七七四十九歲，卦氣完

了，便到了更年期。不過，有少數人或者提前，或者延後；也有老先生八十歲，太太六十歲還能夠生孩子的。但是這種身體，是生命力比較強的一種特殊情形。

生命的圓與七日來復

這是講我們的生命是跟圓圖、方圖一樣的法則。大家把每一個人的生命配合圓圖看看：頭上面是乾卦，下面在密宗就叫海底，在中國的醫學叫會陰；男女都一樣，不過女性的用法不同。這是我們人類生命的開始，會陰也就是復卦。所以中國的道家又產生了一套方法，除了醫學上十二經脈以外，又有奇經八脈。所謂打通任督二脈之說，其實任督二脈不是做功夫去打通的，做功夫去通還是多餘的；任督二脈每個人都通，假使不通就死了。可是呢，問題是這個卦氣，卦氣也可以比喻爲我們人身的電能；電能有沒有，就關係著我們人的生命與健康。譬如女性就很明顯，月經的週期是二十八天，四七二十八，月經不會超過一個月的。這個法則是很呆板的，同易經都是相同的，黃帝內經就是用的這個法則。經期來了以後，真正的經期回轉是五天一候，七天是一陽來復前兩天是有的。經期來了以後，真正的經期回轉是五天一候，七天是一陽來復

，當然也有女性身體狀況不同，三天兩天月經就乾淨了，卦氣還沒有回轉，回轉要五天一候，七天是一陽來復才回轉，每個月都是一樣。

但是這個裡邊有問題，譬如說女人的生理，表現得非常明顯；而男人就不十分明顯。為什麼一個經期要四個七天？月經也叫潮候，同海潮一樣，同月亮有關係。假設說女人是陽（因為女性在生理上表現得明顯，屬於陽性，男性則反，屬於陰性。）可是陽中陰與自然的配合，就跟月亮與潮水的關係一模一樣。潮漲潮落，所以古代稱月經叫潮訊；依據海潮漲落而定。排卵期等於平潮的時候，海水漲到了一個高度，有很短時間的停留，這就是平潮，但一剎那之間就退潮了。

就女性來講，在四個禮拜的中間，就有一次潮訊；上半月下半月也是同樣的道理。普通我們稍加觀察，一看氣色就知道月經快要來啦，她的臉色會變，情緒也會變；有時候情緒變得很厲害，影響生理的情緒，有時候思想又很開朗。尤其女性在平潮的時候，半個月或兩個禮拜，月經快來的時候，精神最旺時最標準，要發神經也是在這個時候，要很爽朗也是在這個階段。男性其實也是一樣，他會結結巴巴的。我們中國人常說，你這個人怎麼七七八八的！說亂七八糟、七七八八，就叫反常；這是從易經的象數來的。譬如說

：你這個人不三不四的！也是易經的話。所以三三四四是很正常的，又不三又不四，就不是東西啦！這個人就反常啦！

要知道自己情緒的變化，祇要看自己本身經期的正常與否，就可知道一個大概了。

男性也有經期，祇是男性自己不覺得；男性要觀察自己，也要從這方面觀察，與女性是一樣的。所以我常常問很多年輕男生們，他們青年時候在生長的過程中，有沒有忽然身體上有些地方有異樣的感覺？他們都說不知道。我說我很明顯記得十五歲的時候，身體就起了變化，尤其這兩個乳房痛得不得了！媽媽看我痛苦的情形，問是怎麼回事？便跟媽媽講，我打拳打傷啦！媽媽聽了很緊張，講給祖母聽，祖母聽了就笑，罵我的媽媽，你當媽媽的，這個道理還不懂？告訴你，那是孩子長大啦。我問祖母長大啦，這裡怎麼會這麼痛呢？祖母說：你將來會知道，沒有關係，過一陣子就好啦。其實這種情形每個人都有，因為年輕人意馬心猿，心情很亂，自己不注意自身生理的變化，所以自己不知道。這個就是身上的氣候——一陽來復。打坐也是一樣，就是要在靜中產生一陽來復，這就是氣脈的功夫。其實你每一秒鐘都有一陽來復的時候，或者今天事情多了，精神很累，馬上睡一覺，這一覺睡得很好，醒過來就是一陽來復；心理狀態同身體狀態都是一樣的。

道家的長生不老術

道家要學神仙長生不老的修法，如果不懂明心見性，是無法談修神仙長生不老的。明心見性是心靈的，如果我們說人們修長生不老之道是個圓，明心見性是屬於一個圓的一半，身體方面是長生不老的另一半；兩半合起來才能成功一個圓，才完整。所以道家稱做性命雙修，就是根據易經來的。明心見性走的是禪宗的路線，偏向於所謂見性成佛這一面；而道家、密宗走的路子是偏重生理的一面，就是先把生理修好、修到返老還童，再走明心見性以成佛；這就是性命雙修。所以道家由易經這個法則，產生了兩句話：「祇修命，不修性，此是修行第一病；但修祖性不修丹，萬劫英靈難入聖。」中國文化關於修煉生命的方法有兩派，一派反對雙修的（不是指男女的性，而是指性命雙修而言。）譬如道家、密宗偏向修命，禪宗偏向修性。另一派注重雙修，所以後來道家修煉長生不老的才有「祇修命，不修性，此是修行第一病。」的警語，祇曉得煉功夫，煉精氣神、練氣脈，把身體搞好，就是修命。下面一句是「但修祖性不修丹」，講佛家的人光唸佛呀，參禪打坐呀，身體方面不管，那就「萬劫英靈難入聖」了。不修命就不能煉成純陽之體，

不能成佛、不能成仙；永遠也不會成功的，這也是真話。所以中國正統的道家，注重性命雙修。

性命雙修的法則，要身體與心靈同時並重，氣脈的道理。記得一位女同學問我說，照老師你說的，我就沒希望啦？我的卵巢已經拿掉了，還能修命嗎？我說，這個同我說的沒有關係。另外一位女同學說，她的子宮也拿掉了，是不是也沒有希望了？我說這我就不知道了！我還沒有變過女人，不曉得女性的情形，祇好跟她打太極拳，把它推過去了。就道理講，既然把子宮拿掉，就不要去修性功了，祇好去修性功吧！人體生理上的機能，最好不要輕易割去或拿掉一種。現在醫學上隨便拿掉人家子宮是很不妥的，被拿的人也很寃枉。譬如有位婦科名醫，最喜歡給人家拿子宮了！我們稱他爲拿子宮的高手，今天開了多少個，昨天開了多少個……有時候把人家肚子打開，沒有病，便把人家子宮割掉了。所以有些人實在被割得寃枉，有時絕對的相信科學、相信醫生是錯的啊！不相信科學、不相信醫生，也是錯的啊！我常常想有些人很奇怪、很可憐；如果要我把自己的生命捏在醫生的手裡，我是不幹的。我的生命爲什麼要交到別人的手裡？你是醫生，你不一定比我高明呀！把生命交到醫生手裡，一般人就是這樣，吃了藥也不曉得是怎麼回事，該不該吃、會不會醫好病，都不知道，真教人替他感到無奈。人

有時候真是笨得不得了。

修命功這件事，要懂得這個運，什麼運呢？這意思就是道家採取活子時的說法。子時就是復卦，一陽來復，其實女性過了四十九歲，不一定說經期完了就沒有希望了。拿女性作標準的原因，是因為女性的生命顯得明顯。假定女性在月經還沒有斷以前，修命功返老還童就快了。如果過了七七四十九或在五十幾歲，沒有月經了，要加一倍的力量，才能修持到氣脈通，月經重來。這是有可能的，我們同學裡邊有幾位就是這樣。記得一天夜裡，一位同學打電話給我說：老師，嚇死我啦！我問她什麼事這麼驚慌？她說：我以為是我血崩啦！我說你那麼大年紀，不會吧！她說：現在證明完全是月經來了。我說那就恭喜你啦！她問還有幾天？我說我沒有見過老太太修行，不過根據原理，我可以告訴你，或者一禮拜或者半個月，再等三五天你就知道了。因為我要瞭解女性修持一陽來復的情形，叫她再回轉時要告訴我，每一點都要告訴我。因為我是個男的，女的情形我不懂，道理、原理、方法我可以告訴你，經驗我沒有，要請你告訴我。她後來告訴我說：是不同，這個月經過了以後，平常感覺到病痛的地方，骨節呀、老化地方統統都變啦，心情也感到很年輕。她說以前感覺到看一切都很悲觀，年紀大啦，孩子們也出去了，什麼都感覺索然。自這個來了以後，這一階段什麼都不一樣了，心情也變了

，反而感到生死都無所謂了。但也並不是因為自己衰老了，覺得應該死，不是的，反而覺得更有生命、更有精力、更覺得年輕，甚至可以做到掌握生命——假設我現在要病死了，我對生命有把握了！

我說是這個樣子，在生命上這就是復卦的道理。

女性修道的祕訣

上一節講了我們本身生命的法則，與地球上自然界法則——天地、氣候法則是一樣的，所以道家把人身當做小天地；這個人身肉體的小天地，也有一年四季變化的不同。所以我們自己的情緒，有時候好一點、有時候壞一點、有時候心理上煩一點、或者心情平靜一些，普通一般人不大注意到這一點。至於生命上氣化的作用，平常各位同學提到煉氣功呀做什麼的，大家要注意，所謂氣化不是呼吸的氣啊！也不是煉氣功那個氣啊！那是炁化的炁，是我們身體的一種生命能。剛才我們講的是女性，這有兩個法則，但不要一定看成圓圈，由復卦到乾卦，陽能是這樣上升的。拿身體來講，是由下到上，尤其女性經身體精神是很健旺的。假設你懂了這個法則，你可以體會一下，期到了最高潮的時候（每個月的排卵期的前後），接著便要下降。循右邊這個

易經繫傳別講

法則下降，情緒身體都會有變化。有些人說不定上半個月精神好一點，大部份這個法則是歐定的，不過，也有些人特殊；由於她自己的感受與觀點不同，認為自己下半個月——就是月經要來以前，精神會特別好。一般來說，這個法則是呆板的。

有些女性修道，尤其是出家的女性，常常覺得經期延後了，便心裡不安，其實一點關係都沒有。假使還沒有到更年期以前，你三個月、四個月月經不來，就非恭喜你不可。不過有時候是病啊，這種病在中醫叫停經，或者叫滯，那是病態。如果身體狀況是好的，氣脈是對的，那你一個月兩個月三個月不來經，在一二十歲、二三十歲、因為學打坐功夫使經絕不來；這個在道家而言，叫做斬赤龍。女性修道，拚命修這種功夫，年輕的時候就把赤龍斬斷，便有了初步的成就了。所謂「斬赤龍」是道家的術語，密宗沒有。

我在西陲時，常跟密宗的大師們談論這個問題，彼此交換意見。一般人對密宗大師都很恭敬，有時候我們單獨相處在一起，大家都很隨便，我說你們密宗主要的方法，是道家過來的啊！我的看法如此。道家修行的方法，可能在秦始皇以前從印度來，便和中國文化混合了；也就是說，中國早就有這一套了！因為秦始皇的時候，印度已經有一批修道的人來中國，從歷史上我們知道，印度過來的這一批人中，有兩三位會神通的。秦始皇知道以後，便

把他們關了起來，但是秦始皇關不住他們，他們自然就出來了。從這個地方可以知道，當時印度有關生命修煉的方法，已經與中華文化交流了；密宗對女性斬赤龍的修法并不知道。

有一位活佛告訴我，有一本古代佛教的經典上有這項記載，但是方法不懂。我說我知道。活佛說：那請你教我。我說不行，我們要交換！你們最寶貝、最祕密的方法是什麼？拿來我們彼此交換談談……女性修道月經停止時，不要搞錯了，有時候是停經的現象。究竟是停經或者修持的功夫到了，要你從臉的氣色、身體精神的狀況，去區別哪是病態，哪是功夫。如果真的功夫達到了，她便變得年輕，經期停止了，那是必然的！換句話說，這個女性一定返老還童，回復自己青春時期。這個身體生命的作用，已經回到十三歲，月經還沒有來以前的狀況，一樣的作用。這個時候一定是乳房收縮，恢復到十二三歲，男女無分別那個境界。那決不是說乳房生了癌症、乾癟啦；有些人自己卻也冤枉就心了。

我也發現一些女性，並不是她功夫好，或修道修得好，而是瞎貓碰到死老鼠，撞上啦，月經停了。結果她幾乎被嚇死，趕緊找醫生看、吃通經的藥，她以為打兩針就通經啦，因為不懂這個原理，所以受冤枉，也沒有辦法。

一般男性修道更糊塗！因為男人身體一般的徵候不顯著，你更難拿捏得住。

其實都是一樣，如眞作到任督二脈通了，跟女性斬赤龍的功夫也差不多了。任督二脈這個道理，就是這個圓圖的道理。從復卦到起來到姤卦到坤卦，一升一降，這個中間氣的升降，就很困難了；它有一定的方法與次第。

掌握自己生命的方法

我常常告訴大家，你們要知道修道是個科學的，不是宗教的迷信，同宗教沒有關係。你信你的上帝也可以，你信你的菩薩也可以，你信你的太上老君也可以，甚至你信你的哈不楞登也無所謂；反正上帝、菩薩……是個代號，而我們生命的法則是個科學。如果你懂得了這個法則，自己會非常明顯的覺察到自己生理的狀況，及生理上起的變化；有時很沈悶、有時很鬆快，在修持上也是一步一步、一個一個的徵候，會很明顯的。有時候有進步，有時候像是病態，覺得五臟六腑那部份像有病了一樣的痛苦。其實是卦位上的一個變化，也就是易經所謂的爻變；一爻、一爻的變化。因為爻變是必然的，你懂了這個法則，先把生命的法則把握清楚了以後，再觀察宇宙的法則、地球物理的法則，一概都是一樣，很清楚！這是講圓圖方面。

剛才我們提到了一個問題，沒有解釋清楚，復卦這個地方道家又叫活子

時，所以修道的人打坐，要想修到氣脈通了，必須懂得復卦的作用。復就是生命的恢復，不過我們普通人，因爲有了夫婦的關係、有了家庭子女的關係，等到那個生理的能力恢復了以後，生理的慾望就來了；來了以後，你要用「善守」的要訣，在那個中間能夠把握得住，所以每一秒鐘、每一個時辰，都有自己生命恢復的時候。這個時候拿準了，人的生命就可以自己把握了；至少在學理上是如此，這也祇有在中國易經文化中是特別有的。

這種把握生命的法則，甚至生死也可以自己控制的，全世界文化都沒有，只有我們中國文化懂。因爲我們知道我們自身都有這個工具，這個法則是我們身體上的變化；十二經脈的變化，同十二辟卦的變化，五臟六腑的變化，及裡邊方圖的變化，理論都是一樣。這個法則等於一個公式，科學、化學、物理的公式，像國家法令的規定一樣，是沒有辦法違反的。同樣的，這個太陽的行度──春夏秋冬，也是沒有辦法違反，沒有辦法脫離這個大法則的。等到身心兩方面修成功了，就可以跳出這個法則了！跳出宇宙這個法則，便成了超人，就是有超宇宙的力量了。

所以道家修長生不老的敢說這個話，就是因爲掌握了這個法則之故。

活子時的奧祕

前面我們一再提到活子時這個名辭，先說子時，就是每天夜裡十一點鐘開始，是一陽來復了。大家過夜生活都過得很糊塗，現在的生活，差不多把子時都浪費掉了。我每天夜裡，差不多到十一點鐘，把每天的書稿等工作準備好了，便開始上班，事繁的時候，差不多快到一點鐘才開始我自己的事。像昨天夜裏，有一篇文章還沒寫完，心裡很煩不想再寫了，明天再說吧！街上出版的好書壞書，都是一位同事他找來給我看，一找來就是一大堆，隨時有好幾本書在那裡擺著。我隨便抽出來一本，蠻好看的，看一會兒已經聽到樓上出家人敲板子了，曉得已經五點半啦！

五點半還睡不睡呢？這個時候的精神反正不要睡了，因為把這子時已經浪費了；這個陽能，這一天的生命能，這一夜已經把它浪費了。當然我看書的時候，這個陽能我一邊還在把握它；不把握它受不了，明天上午做起事來一定頭痛的。當然我也可以不睡覺，但總是不大好。而且你要注意！這個清晨五六點鐘躺下一睡，可以睡到下午兩三點鐘，要過了午時才夠用，生命力才能恢復。

一陽生固然重要，一陰生也很重要；陰陽兩個起頭都很重要。可是我們一般人這個時候把它都浪費掉了，不曉得把握它。

其實把握這個活子時，並不一定要打坐、不一定要作功夫；問題是你知道了以後，大概有一刻鐘（古人一個時辰分四刻，現在兩個鐘頭是古人一個時辰。）你如何把它把握住？這是非常非常難的。把握住了，就是活子時。

活子時還有個人生的奧祕：病剛好的時候，或大病之後，就是活子時；尤其是傷寒病或癌症，不管你中醫西醫，一定要七天以內的休息；第一個七天最嚴重，傷寒說不定要拖到七七四十九天才能夠好，才能把它病菌完全殺死。

就是普通的感冒，你覺得不要緊，我看到很可怕的！感冒的細菌在體內潛伏十八天，事實上不止十八天，有三七二十一天的。這個力量在你身體裡邊，你吃藥不吃藥，都是差不多；吃藥是把你的痛苦減輕一點，真正感冒一進來，你要把它排除清楚了，等於女性的月經一樣，要經過兩三個禮拜以上。但是這個中間，如果病沒有好，你又感冒了，你的生命便要退化下去了。

所以我們生命衰老死去，都是平常覺得沒有病，依我的眼睛看，沒有一個人沒有病的，絕對有病，隨時都有病。所以我今天還跟劉壽公講笑話，我說我養生的道理，跟別人不一樣，我決不讓身體內有一點不舒服停留在那裡。祇要身體有一點不舒服，立刻吃藥，非要把它排乾淨不可；不把它排除了

，等於讓一個小偷到你家裡住下來一樣，你不把它清理出去，它會慢慢作怪的。可是一般人不這麼想，只要稍微好一點，他便不管了，其實裡邊還有很多問題。很多人覺得自己精神好得很，實際上他已經快到民權東路殯儀館訂位置那個樣子了，他自己還不曉得。生命是非常可怕的，不要看你年輕，實在大意不得。

病了以後回轉便是活子時，一回轉來以後，普通人就糟啦，一般都會轉到愛慾上，生命功能一回轉到愛慾上來，他那個生命能就又要消耗掉了。如果生命能回轉得過來，你能把握住它，你就可以掌握自己的生命了。生命能它本身是沒有慾望的，沒有男女兩性相愛的慾望；但是這個生命能，這個陽能活子時回轉了以後，由於我們習慣裡邊有男女愛慾的緣故；所以就把它引導到這個方向去了。這個生命能就是這樣。

一陽來復與迴光返照

我們人死的時候，快死以前，精神會特別旺一下。尤其正常老年人要死的時候，忽然精神好過來了，把兒子老婆都找來，叮囑些事情大概就很快了，一二十分鐘就過去了。這種情況中國人的老話叫做迴光返照，其實這就是

一陽來復；一陽來復又是個生命的開始，但是人平常不做功夫是把握不住它的。假使能把握得住，便會突破了這個死關，這一關如果平安過去了，還可以活得下來，身體還會很好。

所以我們說迴光返照就是活子時，這個復卦隨時都有。這也就是剛才所講潮水漲落一樣，那個高潮——就是平潮，所謂的平潮時間很短，潮水的漲是慢慢的漲。像我們小時候到海邊看潮水漲，看到遠遠的潮水，一波一波的漲上來，漲到一個高度的時候，它水不流了。不過我們小的時候沒有注意，祇是在海邊玩，祇曉得在海邊看潮水平啦，這就是古人講的「人平不語、水平不流」的道理。

潮水漲到平潮不流的時間非常短暫，我現在回想，在海邊玩的時候，大概有十幾分鐘，最多不到半個鐘頭，就看到平潮那個潮水不動了。再一下子就看到潮水慢慢的退了，漸漸地矮下去，矮下去……而海邊的漁民都曉得今天是初一呀、十五呀的，什麼時候退潮，他們會馬上知道，早把魚船準備好了。我們那邊魚船很少，你們到台南安平港，看到漁民們把魚船背上一拖就出來了。很大一條船，他們把船放下去，一隻腳跪上去，一隻腳一蹬，那真是一洩千里，比滑水好看得多了。一個小個子在船上，一隻腳一蹬，我們站在那裡看，一下就看不到影子了。潮水退得很遠，海邊魚蝦順手揀來就是，

易經繫傳別講

不到一個鐘頭船就回來啦，我們還在海邊玩。漁民滿載而歸，帶回來的都是活蹦亂跳的魚蝦，黃魚還咕咕咕叫的，海邊的漁民們拿黃魚用水一沖，連肚子都不剖，帶著魚鱗就下鍋了，那眞是別有味道。現在已吃不到了，現在吃的都是冰凍過的、死的，已經不叫海鮮了。

我們知道了這種漲潮的現象，就可以知道我們身體同這個法則也是一樣。邵康節在子頭午尾、一陰一陽，都要注意。所以我們每天不但夜子時要注意，中午的午時也要注意。你看吧！一個人到了午時，有修養與沒有修養感覺就不同了。有修養的人他知道午時來了，要做功夫了，有時候想睡覺了。一般人則昏沈了，因為陰氣來了。但大家不要認為祇有陽氣可貴，陰氣也一樣可貴，兩個平等的，因為陰極陽生；男人可貴，女人也一樣可貴。所以，不要光是站在男性的立場講話，一切都是平等的，易經的道理絕對是陰陽平等的。不過邵康節提到活子時，祇提這一面，你就要想到對面的這一方也有活午時。人做事覺得疲勞啦、腦子都不想啦、那就是活午時姤卦來啦，特別需要休息，必須要睡眠。睡眠休息會恢復精神，這就是陰極陽生；復卦與姤卦的道理，也就是所謂的陰陽交媾，所以人需要休息。

一般人靜坐後精神會好，因為平常隨時在姤卦中，靜坐開始了復卦，當然精神越來越好，達到陰陽交媾，這個媾就是男女交媾那個媾啊！不過古人

覺得不大好意思用它，祇好把這個媾字寫成構了，就是女字邊男女交媾那個媾字。這個陰陽交媾的法則，是自然的道理、生命重生的道理。可是後世加上理學家，加上宗教家道德的、戒律的觀念，反而變成一件壞事情了。因此我們中國後代講易經，祇好把這個媾換一個字來講了。意思是給你難懂一點，免得給你搞清楚了，反而不好。

冬至子之半　天心無改移

我們知道了邵康節這個復卦的道理，就是活子時的道理；邵康節是宋代有名的大儒，也是易學大家，他說：「冬至子之半，天心無改移，一陽初動處，萬物未生時」。冬至夜正十二點鐘，就是冬至子之半，天心沒有改變、沒有移動，就是平潮的時候。這時陽氣──生命的功能，剛剛恢復，就是一陽初動處。一陽剛開始動，將動未動之際，就是萬物未生時。所以禪宗講修定打坐到一念不生，一念不生沒有什麼了不起，其實人到疲勞已極，什麼話都懶得講了，那也是一念不生啊！不過那個是陰境界。可是一般人不懂得這個學理，認爲陰境界一來就害怕了，陰境界就讓它陰境界，陰也不錯，陰極就陽生嘛！它是必然的。

一般修道的人很寃枉，不懂這個學理，我們知道陽極也陰生，你今天絕望到極點，慢慢慢慢進入到什麼都不知道，那就是陽極陰生。

「冬至子之半」，一半一半，平潮時候一半一半，所以我剛才講我們小時候在海邊玩耍，看海潮在平，冬至子之半看到潮水平的時候，同我們心情身體一樣，平靜異常，非常寧靜。「天心無改移」，天心是我們中國易經道家的話，就代表生命的本相。無改移就是沒有動過，這個時候要把握住，這個時候就是「一陽初動處」，是生命的根源。「萬物未生時」，就是禪宗所謂的「本來無一物」，很清靜的境界。

但是我們懂了易經的道理後，就了解這個清靜不是永遠可以保存的，那是不行的，永遠保存不變的話，陽也變成陰了，變成了死東西啦。陽能是個生長的東西，「能」是個生長的旡化。至於陰呢？陰是個收藏的東西，陰極就陽生，必定會收藏進來。所謂陽施，陽性是放射的；陰藏，陰是代表女性。陽施陰藏，是兩種功能。那麼修道要到什麼程度呢？最後還是要到達邵康節「一陽初動處，萬物未生時」。這個時候就是平潮的時候——不陰不陽、半陰半陽、無陰無陽。這個境界是個最高的境界，假設一動，不是陰就是陽，這是復卦的道理。生命的道理，也就在這裡邊。

人的這個生命，每天活著，如果沒有用修養功夫，每天在生理上補充些

、賺些什麼回來，那就很吃虧了；不要認為過一年是長大了一歲，那是又死亡了一歲，又損失了一歲。所以老子說：「物壯則老」，一個東西壯盛了，就要變老；「謂之不道」，老了就要死亡。死亡是另一種生命的開始，不過是一種變化而已。這個卦變了，本是乾卦變成坤卦了，就是這麼個道理。所以我要大家把方圓圖──就是象數最重要的這一環弄清楚，大原則我都告訴大家了，你們自己去研究十二辟卦、方圖圓圖、六十四卦就可以了。這個東西搞不清楚、不背來，你沒有辦法研究易經；可是你要講講文字，那倒很容易了，那不需要我來講了。

我們要知道，易經重點在象數裡頭，把方圓圖及六十四卦弄清楚，這是必須的事情，否則我勸你們也不要去搞這個東西了，也不要管它有沒有道理，不要再浪費自己的精神；尤其是修道的，不把這個搞清楚了，你修道會走很多冤枉路的。弄清楚了，你就曉得我們人乃至於每一天、每一個時間，思想、身體都有它的變化。而且它的變化都是這一個法則，隨時你都曉得自己到了什麼卦象，回轉頭來檢查自己的身體，會很清楚。有時候不是病，卻有病的現象；有時候覺得精神特別旺盛，你注意！現在已經在病態中啦，很嚴重的病態。往往在這個時候人會死亡，死亡都是在精神最旺的時候產生的；相反的，一個人隨時也會感到身體很衰弱。有些同學常問我：老師，我今天

身體很不好。我說你放心，你的命長得很啊！因為他知道身體不好，便什麼都不幹了嘛！又是吃藥、又是休養，當然不會有問題；如果你認為身體好得很，不注意、不小心，那你隨時都會完蛋。這個法則，在方圓圖、大運、小運、都是一樣的。我們今天介紹這幾張表，大家要仔細研究，當然也要參考很多的資料、很多的書；尤其是道家的東西。這個問題，我們介紹到這裡為止。

第十章

易有聖人之道四焉

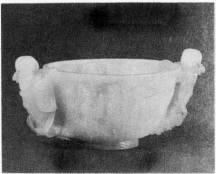

易有聖人之道四焉。以言者尚其辭。以動者尚其變。以制器者尚其象。以卜筮者尚其占。

是以君子將有為也。將有行也。問焉而以言。其受命也如嚮。无有遠近幽深。遂知來物。非天下之至精。其孰能與於此。參伍以變。錯綜其數。通其變。遂成天地之文。極其數。遂定天下之象。非天下之至變。其孰能與於此。

易无思也。无為也。寂然不動。感而遂通天下之故。非天下之至神。其孰能與於此。

夫易。聖人之所以極深而研幾也。唯深也。故能通天下之志。唯幾也。故能成天下之務。唯神也。故不疾而速。不行而至。

子曰。易有聖人之道四焉者。此之謂也。

聖人之道

易有聖人之道四焉：以言者尚其辭，以動者尚其變，以制器者尚其象，以卜筮者尚其占。

孔子認為，易經這一門學問的法則，有聖人之道四點，就是言、動、制器、卜筮。聖人是個代號，代表得道的人。尚就是注重、偏重的意思。言語包括了文字、圖畫。

以言者尚其辭，是說我們注重言語及文字，就是因為它是一種思想；要理解這個言語思想的重點，就要看周易的卦辭、象辭、爻辭……以言者尚其辭，要特別注意這個辭。

以動者尚其變，天地宇宙萬物一動就有變。前面我們講到了陰陽交媾的時候，知道祇有在平潮、在陰陽中和的時候才不動。所以我們打坐，一念不動的時候，正是陰陽交媾的時候。但是只要一動，不管是陰動或是陽動，都是動，宇宙萬物都在動中。以動者尚其變，一動就有變化。像做生意一樣，

準備做這個生意，一投資就有好有壞；或賺錢、或賠本。

以制器者尚其象，器就是一種物質，像一個茶杯啦、或者一部工廠的機

器啦……，你要曉得它那個物理的現象。物理的現象對構成一個東西有啓示的作用，這個法則很重要。

以卜筮者尚其占，那麼我們要知道宇宙的奧祕，就要借助於依通——祇好用卜卦、卜筮、算命、來占未來的事情了。

這個中間孔子講了四點，這四點孔子自己有一個解釋，他說：易經的重點，要注重它的內涵，以言者尚其辭，講內涵。以動者尚其變，萬事萬物注重它的變動現象，這些是內在的。然後外在的兩點：以制器者尚其象，看一個東西的現象，就已經反過來知道它的內容。但是內容究竟怎麼變化？非常細密，這個細密中間祇好靠卜卦、卜筮，就是以卜筮者尚其占。因爲人的智慧沒有達到神通的境界，故而不能自己知道，祇好靠依通、靠卜卦來知道。卜卦就是依通；如果眞到達有道的境界、神通的境界，就不需要靠依通了。

孔子提出來這四點，自己又加以解釋說：

有感斯應

是以君子將有爲也，將有行也，問焉而以言，其受命也如嚮；无有遠近幽深，遂知來物，非天下之至精，其孰能與於此？

孔子認爲研究易經的學問，智慧成就達到了極高的境界，便不需要靠卜卦。而一般人將有所作爲時、將有所行動時，因爲自己智慧不到，就只好問卦，問焉而以言。如果自己修道有成就，到達易經最高的境界時，一旦要問事，只要反問自己就知道了。**其受命也如嚮**，祇要您思想念頭一動，就已經知道了。這就是所謂的神通，神而通之，神通的道理是**其受命也如嚮**。他們感應快得很，一個動作一來，它的現象就出來了。一個現象，一定有它的作用，**其受命也如嚮**，像音響一樣，只要手一拍，音響就出來了，反應就有那麼快。

卜卦是什麼？就是感應。這兩天流行以前在上海玩過的那個碟仙，現在大家又來玩啦！一個人伸出一個指頭放在碟子上，它自己就轉動起來，便可以問事情的吉凶。一個同學來問我，那究竟是不是精神作用？我說你不要那麼粗下決斷，你的精神爲什麼要靠它呢？不靠它你就做不到？如果說不是，那他又問：……不是精神作用？那是眞的碟仙囉！我說那也錯了！當然我沒有給他作答案；答案你要自己去找啊！

有時候同學們問我，到底扶乩準不準？有沒有鬼神駕臨？我常常告訴同學們，你要小心啊，小事情很準，大事情包你不準。有時候鬼還請不出來呢！有時候問完了你送他走，他還不走呢！扶乩的筆停都不停，轉得很厲害

。有位同學告訴我，有一次就是這樣，問完了，他就是不走！通常是兩個人扶著他轉，那一次我一個指頭扶著他，轉得比過去還快，就是不肯走，沒有辦法，祇好請他喝茶啦，告訴他謝啦！你請回吧！我問完了……

有關這一類事情，其實你說有這個東西嗎？幽冥難見。鬼神之事都是一體的，這個道理就在這裡，**其受命也如嚮**。瑜伽術就叫瑜珈，「瑜珈」的意思我們翻譯就叫相應，相應就是感應，互相的感應而成。所以他說你懂了這個道理後，**无有遠近幽深**；不管幾千萬年的事情，高遠的，或者是在地球以外的事，或者就在目前，或者看不見的，鬼也好、神也好、菩薩也好，那些看不見的就叫幽深。到了易經這個法則以內，沒有逃出來這個範圍的，

遂知來物，都會知道。

所以平常提到中國文化，自己要吹起老祖宗的東西，拿這個來吹就很偉大了，可惜你不會。平常外國人來到我們這裡，問到那裡參觀我們中華文化？大家都說到士林故宮博物院，可惜那不是我們的，那是我們祖宗的；這一代老是把我們祖宗拿出來炫耀，這一代除了破壞之外什麼都不會！那今後又怎麼叫做中華文化呢？那不是很丟人嗎？我們祖宗無論怎麼好，祖宗們已經死掉了。而我們的呢？我們這一代什麼都沒有，那是很糟糕的啊！所以不可以如此。我們如果真懂了易經的道理，真到了有感斯應那個時候，便可以

无有遠近幽深，遂知來物了。

孔子說易經這一門學問，要修養到「精微」才能夠遂知來物。禮記上孔子爲易學下了定義，說易經是「絜淨精微」。「絜淨」是宗教性的，宗教是非常聖潔恭敬的。這一門學問，我們小時候讀易經，一定要很恭敬的捧著來讀，不敢隨便拿的。；尤其講易經的時候，更要潔淨恭敬，不敢有一點隨便的樣子。「精微」是很科學的，要很精、很微、很細密的思想。這是宗教性、哲學性的科學，你沒有精密的頭腦，搞易經是沒有用的，所以說：非天下之至精，其孰能與於此？

學易的基本原則

參伍以變，錯綜其數，通其變，遂成天地之文；極其數，遂定天下之象。非天下之至變，其孰能與於此？

參伍以變，參謀的參也是它，一二三的三也是它。我們後人寫參的時候，把參字下邊的三撇寫作三橫，變成「叁」的樣子，實際上這個字有唸參、有唸三，在這裡是唸三，不過也可以把它當成參。我們中國文字上有講「參差」不齊，「差」唸「ㄘ」，「參」唸「ㄘㄣ」，現在又叫破音字，所以這

個字可以唸參（ㄘㄢ），也可以唸三，也可以唸ㄘㄣ。參五以變，錯綜其數，這裡告訴你，參五以變，就是三爻的變化、五爻的變化。一個卦祇有六爻，到了五爻一變以後，後面不能再變了；第六爻一變就變成了另外一個場面了。假設這是我們現在的卦，那麼第五爻變，我們已經老了，第六爻一變，我們就已經死掉了。也就是說，這個卦成為另外一面，陰卦來啦。

參五以變，錯綜其數，錯綜就是卦「變」、錯綜複雜。我們看一個卦，看了這一面，就要反過來再看另外一面。學了易經的人，一件事情處理之後，作為一個老闆的，立刻要想到它的下一步，把你老闆的立場想完以後，便要想到對方、或者你的買主、或者你的職員、你的部下……他們的觀念怎麼樣？跟老闆剛好相反。所以我們作戰判斷軍情，瞭解了自己，立刻要替敵人想一想，我這樣攻擊它，敵人懂不懂？一樣懂。他也曉得我們會這樣攻擊他們；這你就要瞭解錯綜的道理了！這就叫錯綜複雜。

所以錯綜，就是要你學了易經以後，看一件事物要絕對的客觀，絕對不能作主觀的看法。我經常說一般學邏輯的講哲學，動不動說「我很客觀」，「噯！我告訴你啊，我是絕對客觀」。這一句話，本身就很主觀了；他說「我的客觀」看法，實際上就是他的主觀看法。

參伍以變，錯綜其數，這兩句話是法則，將來你用這個卦，要知道**參伍**

以變，錯綜其數，就是正面反面都看清楚了，才能通其變，遂成天地之文。

學易經要學到「通」，讀書也要讀到「通」。我曾說專家不能領導政治，但是很遺憾的，我敢預言，將來社會走向會有專家領導政治的一天。到了專家領導政治的時候，比無學問人領導政治還要糟糕。政治是通才之學，所以政治家要能通其變，通其變，遂成天地之文。大政治家都是通變之才，惟有通變才能成天地之文。極其數，遂定天下之象，不但把現象通變了，也懂得了數。

我們中國人唱戲，總是學諸葛亮招指一算，招指一算就是拿數來推算的。我們小說上寫諸葛亮要想挽回他的天命，說他在五丈原之時就知道自己要死了，祇好用道家的方法「拜斗」來增延壽命（拜斗之術，密宗與道家都有）；那時候諸葛亮明知道他的生命不可挽回，但還是想辦法來試試看。那個小說寫的有趣極了！但是等魏延一撞進來，把那七星燈一腳踢倒，諸葛亮就知道不可挽回了！極其數，知道氣數已盡，沒有辦法了。極其數，遂定天下之象，於是確定天下各種的現象，這就是學易經的兩個原則——通其變、極其數。

通其變，任何的事都沒有一定，你懂了易經，便知道人生境界不是一定的。今天還有一位同學談到婚姻問題，我說你不要那麼認真了，婚姻就是賭

，成家立業就是賭啊！賭贏、賭輸，誰知道呢？有氣魄自己就去賭賭看！如果說結了婚，就非要婚姻怎麼好不可，那你是昏了頭了。每一個人都是賭徒，在媽媽肚子裡十個月，然後出來就注定是做賭徒的，輸贏不知道！人生就是這樣。為什麼？因為人生就是兩個東西：通其變、極其數。要絕對的賭而不輸，或者輸而不賭，你非通達易經的這兩個法則不可。非天下之至變，其孰能與於此？學問不到這個程度的話，如何能夠創造出來易經這個法則呢？所以孔子極力讚嘆易經的學問，孔子提出研究報告，告訴我們：老祖宗伏羲、黃帝創造這個易經文化真偉大。世界上衹有這麼一個易經的學問，把天地間一切學問的準則都包括進去了，它也是一切邏輯的根本。

形而上道體與無為

易无思也，无為也，寂然不動，感而遂通天下之故；非天下之至神，其孰能與於此？

繫傳過去講的是用，到了這一段是講形而上道——易的體。形而上這個東西，就是易无思也，就是說易經這一門學問，它的體就是形而上的道。形而上這個東西，就是全世界一切宗教家、哲學家們所追求的。宗教家們總希望從這萬物的根源，找

出它的那個本來、那個最初的東西。這個最初的東西，賦於它一個名號，或者叫做神、或者叫菩薩、或者是什麼東西……但是在這裡，我們中國文化——易經的學問裡頭，你要叫它心物一元也可以，叫它神也可以。如果推算這個思想的年代，應當在孔子之前；假設有人說繫傳不是孔子作的，是後人增加的，那麼這個人也不會是秦漢以後的人。而且不管繫傳是不是後人增加的，我們可看出來，他雖然不用那個「神」、或者「心」、或者「物」來代表宇宙的本體，但是在易經文化中，它最高的境界已到達了不可思議，沒得東西的境界。佛經上講不可思議，就是不可用思想去討論；你說有個上帝、有個佛，已經牽涉到人的思想了，最後心物都是空的。我們講的這個空字是來自佛學，中國過去沒有這個說法，只稱它是無為；無為不一定是空啊！這兩個觀念要搞清楚。

嚴格的講，空與無是兩個名辭；不過，「空」「空」容易使人覺得是完全沒有的境界，容易誤解成唯物哲學的那個「沒有」。「空」這個名稱，就有這個討厭的地方，易被人誤解。現在東南亞一帶的小乘佛教也講空，很容易被人誤解！被唯物哲學所利用；認為佛學講的這個是空，就是唯物哲學講的空；認為一個東西沒有了就沒有了，人死了，死了就沒有了，後面不要談了。唯物哲學這樣講法，小乘佛學什麼靈魂啊、生命輪迴啊、再來啊，都是鬼話。

的空就抵不住了。

中國古代沒有空這個觀念，祇有「無爲」。「無爲」不能解釋爲空，也不能解釋成「虛空」；如果把虛空一樣也叫「無爲」，那是一個畫蛇添足的解釋。「無爲」就是「無爲」，「無爲」是沒有動，也可以說沒有東西；一切充滿而不存在。所以易這個東西，它是无思也，无為也，等於我們睡眠一樣。當我們沒有醒來以前，一切都是靜止的狀態，但它不叫做「靜」，就叫做「無爲」。易經簡單的兩句話，就把一切宗教哲學的問題都解答了．；它的境界實在太高了，所以我們確認它應該是孔子講的話。

寂然不動

當這個體沒有動以前是寂然不動的，這個寂然不動，也不能比喻是「清靜」；寂然不動等於靜到極點，完全的靜止。這個寂然不動，是在萬物沒有發生以前的這個體，一點都沒有動。它是什麼境界呢？「無爲」的境界。但是在靜止「無爲」的境界時，萬物的一切作用、能量卻都包含在其中了。等於我們眼睛看到這個虛空，看似空無一物，但我們要進一步來探討這個虛空，就可以發現這裡邊還有很多東西。譬如這個電、風、雷、雲、雨……都在

這個虛空之中；還有很多看不見的事物，也都在這裡頭。可是這個虛空呢？

却是寂然不動的。但它如固一感——陰陽交感、動靜交感、是非交感、善惡

交感，就會起作用。所以易經是交感的學問。易經的爻，就是交的意思，一

爻一爻都是寂然不動的。感而遂通天下之故，一感，一切作用都起來了。

應。等於我們玩的那個碟仙一樣，指頭划上去碟子就會動；你問它什麼？它

一切宗教，禱告上帝也好、拜菩薩也好，有沒有作用呢？感應道交，有感就

大家看廟裡邊常有「感應」、「有求必應」的匾額；那就是感應道交。

都會告訴你，這就是感而遂通。

你說這裡邊有個鬼神嗎？那全在於你，都是在於你的運用。无思也，无

為也，寂然不動，感而遂通，這幾句話非常重要。如果拿易經的道理來看，

東方西方的宗教哲學都完啦！易經學說並不承認有神，也並不承認无神。所

謂有無，易經把它分為陰陽兩個現象；一陰一陽，不能夠單獨靠在那一面，

所以易經叫它爲形而上本體。它是個无思的，不可思議的；也沒有起心動念

。如果易思想一動，念頭一動，已經不是道的那個境界了。

修到无思、无為就是道之體，同天地自然萬物之體一樣。這個體是寂然

不動，但並不是個死東西。「感而遂通」，有所感，馬上通，通萬感，通天

下之故；感而遂通天下之故，才是宇宙萬法。以修道而言，孤陰就不生，孤

陽就不長，彼此要交感而通。

孔子在這裡的報告，說易經講到了道體這個學問；而平時易經都是講用——也就是象數。現在講到體，它是无思也，无為也，感而遂通天下之故。所以他說我們老祖宗這一門學問，是中國文化之根，是根之根。非天下之至神，這個「神」是形容詞，神妙到不可思議，這個神包括了佛教講的佛、道教講的神、天主教基督教講的上帝；至神不是普通的神。其孰能與於此？孰就是誰；假設不是天下最高最妙的神明，誰的境界能有如此高超絕倫呢？

這一節都是講易經的體。它把形而上的體與形而下萬物的用，其間關係講解得簡單明瞭。研究東西文化宗教哲學，照我的觀察及我平常的經驗來看，還沒有能超過易經的，它幾句話就把所有的問題都解決了，這就是中國文化。

如果是西洋的文化研究，這可以寫好幾部論文了，无思、无為、寂然不動……幾乎每一句話都可以寫百把萬字的一部書。感而遂通，一般人修道，想修到有神通成就的話，如果以為去拚命打坐、修道，就可以知過去未來，就能得到神通，那他永遠是妄想；他已經著魔了！做不到的。如果你能修到无思也，无為也，寂然不動，便樣樣都知道了，所謂感而遂通天下之故。但你要去求知過去未來，反而就什麼也不知道了。古人所謂「心包太虛」，你

能如此，便「萬事皆知」了。如果你心地上沒有這個境界，而用個人的修為去求未知、求神通，那永遠是緣木求魚。

生命真諦的根

這一章裡，是易經整個的綱要和精華。易經的學問及其形而上道，孔子在這裡為我們作了答覆：

夫易，聖人之所以極深而研幾也，唯深也，故能通天下之志；唯幾也，故能成天下之務；唯神也，故不疾而速，不行而至。

子曰。易有聖人之道四焉者，此之謂也。

孔子說，易經這一門學問，是我們老祖宗，得道的聖人們，追究生命真諦、宇宙萬物到最根源、最深、最深的那個根而產生的。也可以說，它是我們老祖宗，對人類宇宙萬物、生命真諦挖根的學問。然後研幾也，研的什麼幾呢？研究那個要動的幾。好像我們兩隻手舉起來要拍掌；是要拍？還是不要拍？在還沒有拍以前，兩隻手將動未動那一刹那間，就是幾。人站在門的中間，你說他要進來？還是出去？你說他要進來，他卻偏要出去；你說他要出去，他卻偏要進來；或者站在那裡不動，不進也不出。這時你要說他是

進是出？最難，這就是幾。幾的動很難捉摸，幾這一門學問，能探知宇宙萬物的根本，所謂極深而研幾也。因為這一門學問是科學的、哲學的、宗教的，科學的根、哲學的根、宗教的根，都在這裡。唯深也，故能通天下之志，深到極點，宇宙萬有一切人類的思想等等，你都搞通了。唯幾也，最高的那個幾，將動的幾，你也能把握到了，故能成天下之務。

到了能通天下之志，一切人類文明的思想都搞通了，等於佛經上的悟道。到了成佛的境界，天上下雨，下幾滴雨，佛都知道；但我們不知道。後來我學了易經以後，我也知道了。人家問我下了幾滴雨，我說永遠只有一滴雨，沒有第二滴雨；千滴、萬滴，就是這一滴雨，這就是研幾也的「幾」。不過你們現在是聽了我講以後才知道的，所以你現在知道的這個知道，不是你知道的「知道」，是我知道的「知道」，這個知道就是幾。

因為它「精」，故能通天下之志；瞭解天地間一切思想、一切文化，唯「幾」也。因為它洞察了這個動的幾，故能成天下之務，所以成功天地間一切事務。唯神也，易經最高、最終的目標是通神，這個神不一定是鬼神的神，神就是那個不可知、不可說的。故不疾而速，不行而至，這就是所謂神而通之的意思。疾就是快，像走路一樣，練武功練到這個程度，便可不疾而速，看起來好像沒有在走一樣，一步一步，從從容容慢慢的走，但一下就到了。

美國啦！沒有看他走兩步就到了；這就是所謂的不疾而速，快得很，不行而至。到這個境界，就是神的境界，這是形容的，不過也有人能達到神而通之的境界。佛學所講的神通，就是達到這個境界，那也就是神通了！

所以孔子結論說：易有聖人之道四焉者，此之謂也。聖人之道是无思、无為、極深，研幾這四點。无思、无為特別要注意，大家搞宗教的人，天天想成道，你如果能做到无思、无為、寂然不動，便差不多啦。但是各位不要以為光是无思、无為、寂然不動就行了！那是不對的，不能致用的，如何才能致用呢？要感而遂通天下之故。

要能做到无思、无為、極深、研幾，才能真正體會出以言者尚其辭，以動者尚其變，以制器者尚其象，以卜筮者尚其占，因為這些都是聖人的致用之道。

這是繫辭上傳第十章的大概內容。

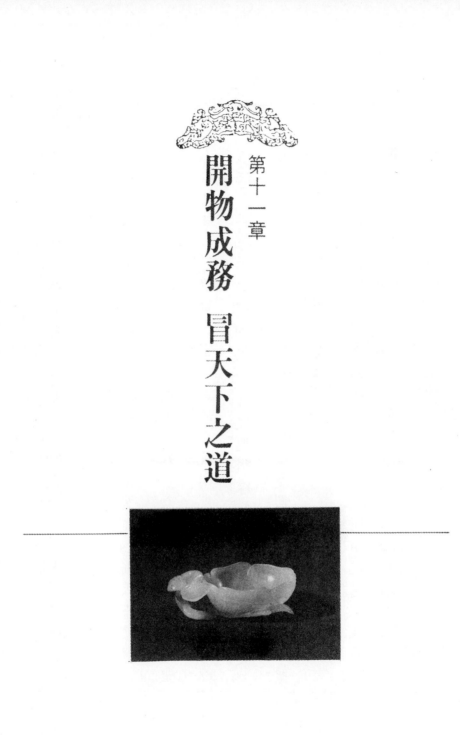

第十一章

開物成務　冒天下之道

易經繫傳別講

子曰。夫易何為者也。夫易。開物成務。冒天下之道。如

斯而已者也。

是故聖人以通天下之志。以定天下之業。以斷天下之疑。

是故蓍之德圓而神。卦之德方以知。六爻之義易以貢。聖

人以此洗心。退藏於密。吉凶與民同患。神以知來。知以

藏往。其孰能與於此哉。古之聰明睿知神武而不殺者夫。

是以明於天之道。而察於民之故。是興神物以前民用。聖

人以此齊戒以神明其德夫。

是故闔戶謂之坤。闢戶謂之乾。一闔一闢謂之變。往來不

窮謂之通。見乃謂之象。形乃謂之器。制而用之謂之法。

利用出入。民咸用之謂之神。

是故易有太極。是生兩儀。兩儀生四象。四象生八卦。八

卦定吉凶。吉凶生大業。

是故法象莫大乎天地。變通莫大乎四時。縣象著明莫大乎日月。崇高莫大乎富貴。備物致用。立成器以為天下利。

莫大乎聖人。探賾索隱。鉤深致遠。以定天下之吉凶。成

天下之亹亹者。莫大乎蓍龜。

是故天生神物。聖人則之。天地變化。聖人效之。天垂象。

見吉凶聖人象之。河出圖。洛出書。聖人則之。

易有四象。所以示也。繫辭焉。所以告也。定之以吉凶

所以斷也。

開物成務

現在讓我們看繫傳第十一章：

子曰：夫易何為者也？夫易，開物成務，冒天下之道，如斯而已者也！

易經究竟是一部什麼樣的書呢？在繫傳第四章裡，孔子已經作過了答案，說到易與天地準，故能彌綸天地之道，就是包括天地萬物一切哲學的哲學、科學的科學、宗教的根本……換句話說，宇宙萬物都在其中，易與天地準，故能彌綸天地之道，這就是一個答案。再詳細一點說，就是仰以觀於天文，俯以察於地理，是故知幽明之故；原始反終，故知死生之說；精氣為物，游魂為變，是故知鬼神之情狀。這是申論的答案。

可是在本章裡，對於易經這門學問，又有另外的答案：開物成務，冒天下之道，如斯而已者也！這就是答案。他說易經的學問是開物，開發宇宙萬物——天文、地理、人事、看得見的光明面、看不見的陰暗面、看得見的陽世間、一切的一切等等，這就是開物；成務，成就一切人世間的事情，你要想辦事，非要真正通了易經，才能辦事。換句話說，開物用現代的術語講，就是要把物理世界的根本找出來；成務，把人生的根本法則找到。冒天下

之道，冒，就是我們現在年輕人所謂的「蓋」，把天下的一切統統都蓋下去了，宇宙萬物一切最高的道理、的原則，都在它的範圍之內。**冒天下之道**，大原則都在這裡邊；**如斯而已！**不過如此而已！很輕鬆的，不過是這樣的一個學問罷了。可是連這一步我們都過去不了，我們就是過不去；連八八六十四卦都擺不出來，要想過去，那是很難辦到的。如果六十四卦你還擺不來，想冒天下之道，也冒不來呀！

千秋大業

是故聖人以通天下之志，以定天下之業，以斷天下之疑。

孔子說，學了易經以後，你就可以**通天下之志**；也等於佛家講的神通，別人心裡想的什麼事情，你都知道。**通天下之志**，是易經的境界，所有一切人的心態、動念、萬物的動態等，通了易經便都知道了。**以定天下之業**，要想成大功、立大業，非懂易經不可！不然沒有辦法成功。**以定天下之業**，這個業可分為兩種；我經常講，我們中國人往往把這句話錯用了，大家常常把做生意稱為事業，常聽到「你作什麼事業？」這句話錯了！做生意不能算是事業。

事業的定義，在繫傳裡很明白的告訴了我們，是什麼呢？舉而措諸天下之民，謂之事業。我們這一個人，在活著的一生裡，作一件事情，對世界人類永遠有功勞，永遠有利益給人家，這個才叫事業；就是人生的價值。最普通的說，上面最高到皇帝，下面最倒楣到討飯的，當皇帝和作乞丐都不是事業，那是職業。其他你當宰相也好、部長也好、大學教授也好、補習班的小老師也好……那都是職業，不是事業。大家要弄清楚，找個工作賺錢吃飯，或打個知名度……那不叫事業，真正稱得上事業的，古往今來沒有幾個人。

所以孔子讚嘆大業，就是指堯舜、禹湯、文武等的事業。在我們歷史上功業最大的是大禹王，我們這個老祖宗，把中華民族變成農業國家，奠定了我們立國的基礎；他的付出，他的努力，他的成就，就是事業。因此他為萬世所崇拜，其功永不可沒，這種才叫事業。我們台灣嘉義的吳鳳，那個樣子也算事業。其他的人，生意作得再好、賺錢再多，你要講事業，那還很遠。

我經常對大家講：事業是永遠的；不要說外國史上的明君賢相，就是我們中國的歷史，你能報得出二十個皇帝的名字嗎？報報看！幾千年來那麼多名宰相，你能報得出幾個？我們在這裡都是高級知識份子啊！唐朝以後到現在多少狀元？你曉得嗎？官的大小沒有用的，多少財富的人家，過不了幾年，人家早把他的影子忘掉啦！在當時是很風光的，但是因為他沒有事業，所

以他不能長久、不能不朽。所以有志氣的人，要想建大功、立大業，就要講事業；這個事業一定要對天下國家有所貢獻。因此人生有兩種事業：一種是當世現身的事業，那很有限，活著時人家知道名字，一死了以後，也就人死燈滅，不要多久，人家已經淡忘啦！像我們老朋友在一起談話，經常會想到當年那些紅了半邊天的人，現在黑得已經烏啦！名字都被人忘掉啦！連我們當時的人都已經把他們忘掉，想不起來；一般人更不用說了。不過孫悟空和關公，大家都還是知道的，因為他們的作為好像事業，這叫做千秋大業。像釋迦牟尼、耶穌、孔子，在地球沒有毀滅以前，他們的大名就永遠存在，永遠活在人們的心中；因為他們對人類有了貢獻，這樣才叫千秋大業，是另一種事業，絕不是你作官的權力所能比擬的。

一個人當了皇帝，就算統治全世界，最多也不會超過幾十年就過去了。歷史的經驗告訴我們，這個世界上永遠不會有超過三十年沒有戰亂的；當然並不是說全面的世界戰爭，反正不到五六年或七八年，不是這邊打仗，便是那邊衝突。現在世界各地還是有戰爭的，不過我們台灣沒有而已。大家不要以為這樣就可太平了！以人類世界來講，很不太平；中東打得一塌糊塗，他們不是人嗎？叫我們怎麼能夠安定呢？祇有胸懷千秋大業的人，他在戰火中、變亂中、任何時候，都永遠跟人們同在的。這個人的事業與菩薩、上帝的

慈悲心懷一樣，在人類極為苦難的時候，他永遠值得人們的信賴。所以易經的道理，教我們成就的就是這種事業——通天下的大志，成天下的大業的事業。

以斷天下之疑，過去、現在、未來……人類有很多的惑疑，我們將來怎麼樣？我們的前途如何？誰也不知道。我們個人的前途，明天過得去過不去？都不知道。學了易經以後，我們都可以知道，甚至哪一天、哪個時辰我們要去啦，也都曉得，這就是所謂的斷天下之疑。斷就是判斷，如果要問易經這一門學問是幹什麼的？就是下面這答案——以通天下之志，以定天下之業，以斷天下之疑。但是我們必須能夠到達無思、無為的境界，要能寂然不動才可；如果沒有到達這個境界，那祇好靠依通啦！因為自己不可能會有神通的，依通就是靠卜卦了。

退藏於密

是故蓍之德圓而神，卦之德方以知，六爻之義易以貢，聖人以此洗心，退藏於密，吉凶與民同患；神以知來，知以藏往，其孰能與於此哉？古之聰明睿知，神武而不殺者夫。

著之德圓而神，拿蓍草來講，蓍草長得很怪，它整個的心是圓的，很圓、很硬、中間有孔。空靈代表了无思、无為，這種草跟竹子差不多，竹子是空心的，蓍草也是。我們民間有兩句話：「人要實心，竹要空心」，就是這個意思。蓍草中間也是空的，所以說圓而神。

卦之德方以知。德是講性能，方以知。

我們畫的卦具有最高的智慧。六爻之義易以貢，六爻就是我們卜卦用的爻，每一卦有六爻，六個步驟。六爻的意義是「易」；容易的易，你懂了易經根據程序來判斷，是很容易的，這就是易經卜卦依通的解釋。但是學易經不要走到邪路去了，光是卜卦、能夠知道過去未來，充其量不過變成一個碟仙而已。光現神通就錯了，大家要注意啊！易經這門學問，你修到最高能夠神通了，那還不算到家啊！

那麼要修到什麼程度呢？聖人以此洗心，要回轉來！這是道心，自己心裡什麼都沒有，空啦，洗練自己的內心，歸到最高的聖潔的境界。退藏於密，我們宗教家——佛家、道家功夫到了極點，能夠成佛、成仙，就是做到這點，洗心、退藏於密。所以你們學佛、修道的要注意啊！還要修到能夠洗心、退藏於密；反轉來一點一點的減，減到了最後，什麼都沒有了，達到了寂然不動的境界。可知修到有了神通還不算數，要再進步到無神通那就是道了。

有神通就是用，是用之於神通；如果只要想卜卦知道過去未來，那你就邪門了，已經錯了。這裡告訴你：聖人以此洗心、退藏於密。洗心就是學佛修道的空「念頭」、空「思想」，真正得了道的人，一定能吉凶與民同患。在真正得道的人，不但不用神通，而且災難來時能夠躲得開也決不躲。

佛學的名辭這叫做「應劫」，劫數一來，該殺頭的時候，便伸出頭來讓人殺，痛快的殺，這就是得道的人。真正得道的人，跟普通人一樣；為什麼呢？

吉凶與民同患。民，不是光指老百姓，而是一切眾生；用現在的話講，就是好的、壞的，大家共同平等，不因為自己有神通、有本事，而享有特殊的遭遇。所以耶穌肯釘上十字架，無論如何，總算是真的聖人。因為他流出來的血是紅的，同我們一樣，那是痛苦的；如果功夫到了，流出來的血便是白漿，這在道家很多。不過沒有關係，我還是很恭敬他，因為他真正做到了吉凶與民同患。耶穌最後不但沒有怨恨，他還要說：「我為世人贖罪」。真了不起！就憑這一句話，他就有資格作聖人，這也就是易經的道理，吉凶與民同患。所以真得道的人，不會現神通的。

最高的智慧

神以知來，知以藏往，其孰能與於此哉？得道的人都很平凡，他們有道也不會表示出來，一切能夠前知，但他不用前知；所以古人說「先知者不祥」。一個人有神通、有先知，是最不吉祥的。我們中國文化也有一句話「察見淵魚者不祥」，眼睛清明到水裡頭有幾條魚，都看得很清楚，這個人就糟糕啦！先知者不祥，所以萬事先知的人多數都是不得善終的。有神通的人，佛家的戒律是「戒不用」。假使要用，那他就差不多啦，大概準備死啦，因為他已變得不是人了。

一個真得道的人最平凡、最普通，就是吉凶與民同患。但是他能不能知道過去未來？他全知道，這就可以叫聖人。等於我們一個人有錢有地位，肯到貧民窟裡頭，過跟貧民一樣的生活，去幫助他們，同他們完全一樣，這才是有道之士。可不是因為你窮慣啦，覺得跟窮人住在一起很舒服；那是你命苦，沒有命來享受富貴。一個人在絕對的富貴中，作到與民同患，便等於地藏王菩薩所說「地獄未空，誓不成佛」的道理。實際上他早成了佛了！因此，他有資格坐在地獄裡頭；所以地藏王菩薩是很偉大的。不過偉大得小了一點點，如果他還不是地藏王菩薩，他還沒有菩薩的境界，而能夠真正坐在地獄裡頭：「好啦，你一定要下地獄，我來跟你一起受苦」，那就更偉大，那雖不是菩薩而更菩薩了。

所以說，這個道理要搞通，才知道易經*神以知來*的道理。換句話說，未來的雖然都已知道了，但更重要的是*知以藏往*，從內心到腦子裡，卻是什麼都不知道，這才是最高的智慧。什麼智慧呢？知道一切，最後到了一張白紙一樣，什麼都不知道，這就是聖人境界；就是*神以知來，知以藏往*。一切都歸於沒有，一切都藏了起來，跟一般人一樣，那才是最高的智慧。

但是一般世俗的聰明人，沒有不喜歡表現的，尤其是喜歡知道別人不知道的；卻不知道「察見淵魚者不祥」的老話。假設我們全世界到處都是特務工作的世界，處處都隱藏著機密，像做生意一樣，調查、蒐集、輸入電腦……在這種情形下，大家更是想要知道你所不知道的。知道未來是很危險的，歷史上因前知而喪命毀家的大有人在；真正能夠一切都前知了，卻要能夠*知以藏往*，變成什麼都不知道，才是最高明穩安的。

所以他說易經這樣一種學問，*孰能與於此哉*？誰能洞徹這種學問？誰能夠達到這種境界呢？誰能知過去未來，而又等於完全不知不用？做到該倒楣的時候，就去倒楣，自己決不逃避呢！如果因為自己有前知便躲開了，那不行！那不是聖人。

神武不殺的聖人境界

所以什麼叫聖人？大家都問：我們中國為什麼標榜孔子？因為他絕不逃避困難。儘管也有很多人罵他，尤其是他碰到的那些道家人物；像楚狂接輿等，大家都在挖苦他，挖苦得很厲害。有一次小學生跟孔老師失散了，學生找老師找不到，碰到一個叫蓬萌的——就是現在公寓大廈的管理員，問他見到老師沒有？他說什麼老師呀？「就是我老師孔子。」他說：「啊！那個傢伙！」學生說「就是那個鼻子大大的，頭上平平的那位老生生。」他說「啊！那個就是孔丘啊！」學生說「是呀，就是他。」蓬萌說：「我看到他啦，悽悽惶惶，如喪家之犬。」那個「喪家之犬」罵人罵得很苦呀，變成野狗啦，沒得人家收留的狗。有收留的狗雖然沒有牛肉吃，但也還有點冷飯吃；沒有人收留、在外邊到處亂跑的狗，就是喪家之犬。道家就拿「如喪家之犬」來罵孔子。因為那時天下大亂，大家都勸孔子算了吧，一個人是救不了的；但是孔子不變初衷，明知道不可為而為之，他只盡其在我，盡他的心力去做。這就是易經的道理，聖人之道，明知其不可為而為之；明明知道救不了，也一樣要救。所以易經這個精神，孔子說：誰能做到呢？

古之聰明睿知、神武而不殺者夫！我們上古的老祖宗是得道的聖人、對人類有貢獻的、絕頂聰明的人。聰是耳朵靈光、明是眼睛好、腦筋好就是聰明，但不是智慧，智慧不是聰明，那叫睿智，後來就叫慧智，佛家叫智慧；它不是從腦筋好來的，不是聰明，那是天縱聖人。聰明睿知、神武！中國的老話「有文治者，必有武功」，文武要雙全。讀書讀得好，風一吹就要倒的人，碰到一點小事情噯喲一聲大叫，比女孩子還可怕，那就沒一點用啦！中國古代的教育，都是文武合一的；大家看中國古代的人物，像孔子呀，孟子呀，沒有身上不帶武器的。但是有武不用，有功夫不用；很多人學了功夫，一輩子都不用，都沒有打過人，這樣可以，但是不能沒有功夫。古之聰明睿知、神武而不殺者夫！人，可以有本事，但他卻是永遠的慈悲人家，永遠是愛人的。有些人認為慈悲就是窩囊，認為我慈悲人家是我窩囊，沒有英雄氣概；也有人認為那不是慈悲；是沒有本事，究竟如何呢？

我們大家都知道，佛家有一句話說「放下屠刀，立地成佛」。大家也都會引用，尤其那些學佛的，更是如此。我說：不要吹牛，你們那個刀呀，連剃頭刀都不如，不要說自己看到了刀就怕，連看到太太拿起廚房的切菜刀都會發抖的，你那裡還有資格去拿屠刀呀？放下屠刀是指那些拿著刀砍過許多

樣切光，有這麼高的本事，一手可以把天下人的頭像切蘿蔔一

人頭的人，然後忽然不幹了，看到那些被殺的太可憐了，慈悲心發，放下屠刀，不再殺了。那是慈悲！你連殺人的本事都沒有，說你慈悲放下屠刀？那是膽小鬼人打架說的：「你有膽子站在這裡不要動，我回去叫我哥哥來，看你怕不怕。」說著就跑啦！那是不行的。

所以說，易經這一門學問，所代表中國文化的精神是：有神通而不用，不但不用，還要退藏於密、无思、无為、寂然不動。尤其無所不知，能知過去未來而吉凶與民同患，同普通人一樣，非常平凡，這才是得道的人。誰能做得到呢？他沒有說是現代的人能夠做到，祇有推崇古人：**古之聰明睿知、神武而不殺者夫！**有這個條件，便快要修養到成佛的境界、得道的境界了；快有資格可以去當上帝了。我們大家想修道，先要考察考察自己這塊材料，是不是又聰明、又睿智、又神武、又不殺？

領導人的條件

天地間真正的聖人都是很平凡的，不平凡那就不是聖人；以不平凡來顯示他是聖人的，他不是聖人，而是妖怪。因此下面又講到做領袖者要具備的條件。

大家要知道，易經是帝王之學、領導之學。以中國文化傳統來說，古代的明君，必須要深明此道，都要懂這個學問，才能做一個明君賢王。所以眞正做領導的人，必須要：

明於天之道，而察於民之故。

上明天道，要把自然現象、宗教哲學，一切搞清楚。因為懂得天道，就懂得了宇宙之道，然後才可為君，才可以領導萬民。不過這個天，在古文裏代表了好幾種意義，有形象的天堂的天，也是這個天；形而上那個本體的道，也是這個天；人的心，我們的良心，我們一般所謂的天理良心，也是這個天。有時候這個天是抽象的，有時候是實際的；這裡所謂的天道，是指形而上的，包括了有形的天，像天上的星星、月亮等。我們一般所謂的太空，不是形而上的，這個太空還是形而下的，因為它是可以看得見、摸得著的。什麼叫形而上的呢？人類知識不能到達的那個，就是形而上的。易經告訴我們，要明瞭天之道，明瞭天不可知的一面，才能夠懂得人生社會，懂得人民生活一切的事物，包括人類的思想等。

中國聖人的「齊」戒

是興神物，以前民用。

所以一個領導者，要懂得帝王之學的易經，懂了這個學問，便能夠創造物質文明，給人民創造幸福。現在科學的發展，差不多到達了是興神物這個境界。近來很多人專門研究中國上古史，發現在我們上古史中，也有很多令人解不開的神祕處；像大禹治水等等，都有興神物的能力，像是石頭可以趕起來跑路，山可以自行搬開等。各位要知道，那個時候我國人口那麼少，大禹九年中把全中國水患治平、水利弄好，的確是不可思議的事。在那個時候，要治理中國的水患，你需要動用多少人力啊！而那時候整個中國的人口，不會超過現在全台灣的人口。那麼大的水利工程，那麼遼闊的面積，怎麼辦？在我們上古史上說，大禹到了那裡，不管是石頭還是山，大禹王祇要用手一劃，叫他開開，他就開啦；要把這座山搬開，一句話山就自己搬開啦；要把石頭趕起來跑，就趕著跑啦……關於這些神話多得很，這就是是興神物。

興神物幹什麼？神物是利人的，貢獻社會的，這是人民的福利。以前民用，在聖人們看來，人民的福利才是最重要的，是興神物，給人類利用。所以得道聖人瞭解了這個學問，達到了興神物、前民用這個境界；以後己身便退藏於密、寂然不動。有了這種功夫和修養，它的作用是什麼呢？

聖人以此齊戒以神明其德夫！

智慧到了最高處，人情世故、天文地理都通了，通了以後怎麼樣？通了以後的人，做人更要小心。齊戒就是齋戒；讀古書，這個「齊」字很多地方讀齋。我們看古書有「齊莊中正」這句話，「齊」就是齋。什麼是「齋」呢？齋就是心理精神作用，所以叫心齋。吃素不是吃齋，吃素是不吃葷，不吃葷也不是不吃肉啊！不吃葷是無葷，像大蒜、韭菜呀，這些都是葷的。出家人為什麼不吃葷呢？因為葷含有刺激性，會刺激人的生理，容易使人起慾念，所以出家人飲食要無葷。葷是草頭的，不吃肉是另一件事；一般人把不吃肉叫做吃素，那是講錯啦！什麼叫做齋？齋就是心靈的一種境界，无思也、无為也、寂然不動，這個境界就是齋。大家要注意啊！我們講中國文化，千萬不要跟著一般人的錯誤講法。

戒呢？真正到達了己身退藏於密，內外改變了，心境不被外物所動搖，不被外面環境所影響，所以「齊」下面是「莊」；這個「莊」就是莊敬的莊，是「莊重」的意思。無論是修道人或是我們一般人，生活態度都非常重要，一個人能夠不受外界的影響，這個時候的心至中至正，所以說「齊莊中正」。這就是中國文化的作用，四個字包括了一切宗教，佛教、回教、天主教、基督教，一切的禱告都在內了，是不落形式的。所以聖人到了這種程度，

懂了一切過去未來以後，變成更謙虛、更小心，就是齊戒以神明其德夫！自己越是齊戒得清靜，神通越大，自己本身也越到達神明的境界，明白了天下一切事物；這個樣子你的德業便更進步，你對人類的貢獻也更偉大了。

這就是易經的學問。孔子在這裡，不但告訴了我們易經的學問，也告訴了他個人研究的心得成果，以及學易經最後的目的，更指出了人生修養最高的境界……齊戒以神明其德夫！

變與通

下面我們講「用」。

學易經首先要把乾坤兩卦搞清楚，在我們給大家的資料中，希望大家必須要注意的，首先是十二辟卦。一年十二個月，每月有一個代表的卦，這十二個代表的卦就叫十二辟卦。十二辟卦是由乾坤開始，關於我們人一生的生命，也是用乾坤兩卦作代表的；也是十二辟卦的道理，所以說：

是故闔戶謂之坤，闢戶謂之乾，一闔一闢謂之變，往來不窮謂之通，見乃謂之象，形乃謂之器，制而用之謂之法，利用出入，民咸用之謂之神。

闔戶謂之坤，闢戶謂之乾。坤卦代表陰、也代表地、也代表女性；乾卦代表陽、也代表天、也代表男性。乾坤兩卦代表的很多，在物體裡邊黃金、玉、冰也是以乾卦作代表；像釜、布、文也是以坤卦作代表。是故闔戶謂之坤，把門關攏來就是坤；闢戶謂之乾，打開了叫做乾。換句話說，乾卦是放射性的。兩扇門闔起來就是坤，打開了就是乾；一闔一開，一收縮一開放，好像一緊張一鬆懈一樣。

但是一關一開之間，卦就在變了；就是一般所謂的變卦。人生的道理就是這樣，不過我們自己不感覺、不注意罷了。我們每一分鐘，每一秒鐘都在變，不但我們身體在變，思想也在變。像剛剛答應你的話，過一下後悔了，這就是變；所以說一闔一闢謂之變。這個宇宙間的萬事萬物，隨時都在變化之中；天地間沒有不變的事、沒有不變的人、沒有不變的東西。就是因為我們人不懂得這個道理，凡是好的大家都希望不要變。像人類的感情，我們都希望愛河永浴，希望它不要變，年齡也希望不要變，永遠青春等等……可見人永遠都是那麼愚蠢！如果我們懂了這個道理，知道天地間沒有不變的事物，變是當然；不變？沒有這回事！認為不變，那是神經病、是夢想！天地間的一切，一定要變。所以孔子說一闔一闢謂之變。因為變，才有過去無始，未來無終；無始無終，都在變化中。

往來不窮謂之通，不變的東西都是死掉了的，不過大家要知道，這個「死」，也是個假定的名辭。易經的道理，天下沒有不死的東西，死也是變化的一種現象。「死」的本身，也是一種變化，儘管它死了，但它還在變，不停的在變。人死了肉會爛，骨頭也會慢慢變成灰塵、變成泥巴，泥巴又變成東西，又活起來啦⋯⋯這一切都是在變。所以說我們現在生活在這裡，每一秒鐘也都在變中，我們的生命也是變出來的，是青菜、牛肉、魚蝦、五穀、辣椒、鹽巴⋯⋯變出來的；我們的生命隨時在變——大便、小便、流汗、生病⋯⋯這都是變；我們又變成青菜，青菜又變成我們⋯⋯吃素的是青菜變的，我們一般人是肉變的，天地萬物隨時隨地都在變中。**往來不窮謂之通**，一變就通，所以變就謂之通。

學易經的人，一切事情要曉得「變」與「通」；不曉得變與通的人，不要學易經；因為他看一切都認為是呆板的、一定的。天下沒有這回事！因此天地萬物在變化中，看得見的我們就叫它象，現象，**見乃謂之象。形乃謂之器**。現象裡頭有固定形體的物，我們叫它「東西」、「器具」。而能夠懂得物理的變化、精神的變化，把它制成一個東西，供人民使用的，這個就叫做法則，所謂**制而用之謂之法**。甚至於作生意也一樣，做生意的人把沒有的變成有，把無用之物變成自己的財富，這就是有眼光，能夠看得到，所以說見

乃謂之象。

我個人就有個例子，一九四九年我本來想到香港看一看，然後到東南亞走一趟，後來遇到一個朋友剛從東南亞回來，他就跟我講了很多情形；我說算了，你已經看過了，我就不要再看了，東南亞這個「象」我已經知道了。

我說聽說一位朋友在香港，可憐得走投無路，準備跳海自殺啦；誰曉得半年之後他發財啦！現在有錢的很。我說為什麼會這樣呢？他說這就是易經的道理，變而通的。我問他怎麼變出來的？他說他從大陸逃出來，連衣服都沒有換的，身上長滿了蝨子，忽然他運氣來啦；美國人作了一個生化試驗，要用蝨子，但美國人身上很乾淨，根本不會長蝨子，到那裡找蝨子呢？所以便在香港登了一個要買蝨子的廣告，被他看到了，就乾脆培養蝨子，一瓶一瓶高價賣到美國去；最後他變成養蝨子的專家，一下子就發了財啦……我們聽了就大笑，真是運氣來了，這就是見乃謂之象。看得見、會動腦筋。形乃謂之器，制而用之謂之法，沒有用的東西，經你動腦筋，變成有用了！就是這個法則，這也就是往來不窮謂之通的道理。

利用出入，民咸用之謂之神。利用本來是個好名稱，但是現在很糟糕了，一提到這個名稱便很難過！我們的社會道德，多半因為「利」而使它墮落得一塌糊塗。非常可悲！不過大自然界裡的萬事萬物，普通人看到沒有用的

廢物，乃至丟棄的東西，但對人類卻會很有用處；看你有沒有這個智慧，知不知道利用，會不會利用而已！譬如原子彈爆炸，我們怎麼來躲避原子塵呢？最好的方法是鑽到垃圾堆裡；那就是對原子塵最好的防護！可是現在的垃圾都送到內湖燒掉了。說起來也是很可惜的，萬一發生了原子戰爭，垃圾也就變成寶貝可以救命了，祇看你會不會利用它，**民咸用之謂之神**。人類本身如此善於運用這些，那你這個普通的凡人，就變成神啦。所以易經、佛經都是智慧之學，看大家怎麼來利用它，並且怎麼能懂得它的變通，那就是神了。

你我的太極

是故易有太極，是生兩儀，兩儀生四象，四象生八卦，八卦定吉凶，吉凶生大業。

太極本來是易經的名詞，後來被道家引用了，於是有些人便誤以為太極是道家發明的。太極是什麼呢？太極就是個圓圈。你們打太極拳的太極，在沒有動以前，這個圓圈是空的，這就是太極。太極在沒有動以前，什麼都沒有，一爻未動；這個時候，佛家就叫做空，是形而上的。**寂然不動**，可以叫

它太極，也可以叫它沒有極。後來有一個人又創了一個名辭，你打的是太極拳，我的拳比你的還高段，叫無極拳。其實也不用去創造，「太」字便包括了一切。

講太極的歷史，道家的歷史稱太極有五個名辭：太易、太初、太始、太素、太極。**易有太極**，太極一動，就生出兩個東西了。學易經的人都懂，萬物各有一太極，這個原則，大家要把握住啊！像看風水啦，就離不開這個太極；風水很難看呀，必須懂得萬物各有一太極，你那裡也有個太極；每一個人本身也就是一個太極，每一種自然界的物，也各自有一太極。懂得太極，才能談其他；這個太極，就像移形換步，換步移形。譬如說我坐在這裡，大家看到我的像是這個樣子，我朝東走一步，我朝西走一步，象又變啦！我再朝西走一步，象又變啦！每一步的現象都不同，自然它所產生的作用也變了。萬物本身各有一太極，太極裡頭又有一太極，現在我們這個課室裡頭也有一太極。

你說這個人好好的，他的胃生病，那個太極已經出了問題；所以萬物各有一太極，移形換步，沒有動以前，什麼都沒有，還是一太極，一動便成了兩儀，「陰」與「陽」。譬如我的手不動便沒有事，一動就有陰有陽，有了陰陽就生四象：老陰、少陰、老陽、少陽四個現象。什麼是老？就是到了極

點，老啦，太老就要變；老就要再生些年輕的，因之又有了少。老陰老陽、少陰少陽，四象就生出八卦，八個現象就這麼來了。我們從伏羲六十四卦次序圖下面看，橫圖下面是白的，什麼都沒有，那就是太極。一動就生陰陽，就有黑白，再上面一層就生四象，四象就變八卦，八卦就變化出來六十四卦。

八	七	六	五	四	三	二	一	卦八
坤	艮	坎	巽	震	離	兌	乾	
太陰				少陰				象四
陰				陽				儀兩
			太極					

▲伏羲六十四卦次序圖

這個圖表面看是從下面變上來的，其實不是，是從裏面變出來的，是太極一動而發生的，就是這個圖案。大家要運用易經，必須要懂得這個原理。由四象就生八卦，由八卦就定吉凶。由八卦的現象看到有好、有壞，沒有第三樣事──不好不壞。所以懂了易經以後，便知道天地間祇有兩件事：「吉」或者「凶」，沒有中間的不凶不吉。不凶不吉是沒有的，如果有，那便要歸到太極，寂然不動，无思无為；那是不陰不陽、無陰無陽，那個時候什麼都沒有了。

說到這裡大家要知道，吉就是一定的好，凶就是一定的壞嗎？不一定。

吉凶就生大業，萬事有好就有壞，那是必然的道理；悲劇也沒有一定的壞，也許會更好。所以一個人失敗，失敗不一定就是痛苦，你懂了以後，也許感到失敗還蠻好的，還很願意接受這個失敗，這就是所謂的**吉凶**生大業。這個道理要搞清楚，才可以談卜卦、談神通；由此可知天下的事，沒有絕對的好，也沒有絕對的壞。從這裏我們可以瞭解，老子的道理、孔子的學說，都是從中國易經裡邊出來的。老子曾說「道生一」，道就是太極，一動就有一；一生二，有了一就有兩個；二又生三，兩個就變成三個；三生萬物。道生一，有我就有你；一生二，兩個人一結婚便生出來三；三生萬物，一路生生不已，生下去便有了萬物。

大富大貴　以利萬民

是故法象莫大乎天地，變通莫大乎四時，縣象著明莫大乎日月。

是故法象莫大乎天地，變通莫大乎四時，縣象著明莫大乎日月。什麼叫法象？象就是宇宙的法則，宇宙的現象。卦在那裡最大的圖案就是天地，天地最大的變化就是一年的春夏秋冬，萬物都脫離不了大自然的影響，所以說變通莫大乎四時──春、夏、秋、冬。這也就是八卦所代表的現

象。

縣象著明，莫大乎日月，縣就是懸，這個現象懸在太空中，不需要用儀器，肉眼都看得很清楚，那就是太陽與月亮，也就是坎離兩卦。

崇高莫大乎富貴，備物致用，立成器以為天下利，莫大乎聖人。

孔子講到人文哲學的現象、人為的社會的現象，也就是乾坤兩卦的作用了；人都要求這兩樣東西：「富與貴」。「富」，財富集中在我手裡；「貴」，把我架得高高的。我們中國富貴這兩個字用得非常之好，富了就一定貴，貴卻不一定富。算命的就曉得，有些人命很好，但他是「清貴」，貴是很清的，官作得很大，一毛錢沒有。我們歷史上有很多大官，死了連棺材都沒有，要靠朋友湊錢來買棺材。像宋朝的岳飛，當了大元帥，滿朝文武認為岳飛家裡多少會有幾個錢；但是岳飛被殺抄家，除了幾本破書外，什麼都沒有，這就是清貴。所以貴不一定富，我勸你們還是去做生意，不要忙著做官；富了自然就可以貴。

可是五經中尚書裡邊所說的五福，就是我們過年寫對子的「五福臨門」的五福，裡邊就沒有貴字。不過大家要注意，易經所謂的**崇高莫大乎富貴**，不是指我們現在所說的富貴。譬如說一個人學問好，這是他知識上的富，這不是金錢所能買得來的，你再有錢也買不到，沒有辦法。他的道德高，也不

是用金錢買來的，所以富貴兩個字大家要先搞清楚。這裡所謂的富貴，是廣義的，不是指狹義的財富和做官而言，因此說最崇高偉大的是富與貴。一個人充實到某一個程度，就是大富，大富當然是貴重的、值錢的、是無價之寶了。

懂得了這個道理，所以**備物致用**。具備了萬物，但這並不是說我富貴了，家裏邊什麼東西都有，才叫做備物；備物是真正達到了大富貴，世界萬物皆備於我，是本有的，因為我們本體裡具備了萬物，具備了萬物而能夠起用。**立成器以為天下利**，譬如科學家很富貴，我講的科學家是指發明科學的科學家，不是現在的科學技術家。現在的科技，是真正發明科學的人發明的，但是這些人都是很可憐的；像有名的藝術家，死了以後，一張畫也許可以賣幾千萬，但是當他活著的時候，連飯都沒得吃，說不定還是餓死的。你說他的富貴在那裡？他的價值是在死後，他死了以後很富貴。

這也就是說，要能對百萬人有利才是備物、才是富貴、才是**立成器以為天下利**，才算是萬物皆備於我。然後建立一樣有用的東西——就像科學家發明一樣為萬民有利的東西一樣，這就是事業。它可以使天下萬代後人都得到你的利益，這也就是功德。

這一種崇高的智慧，誰做得到？當然**莫大乎聖人**，就是得道的人。譬如

我們身上穿的衣服，就是黃帝的妃子嫘祖發明的，她發明養蠶取絲；有人說，有人考據，發明麻將的高手是李清照，那個時候不方打仗，把馬上的將軍吊下來，就叫打馬吊。據說如此。麻將也是女性發明的。據有人考據，發明麻將的高手是李清照，那個時候不叫打麻將，叫打馬吊。為什麼叫打馬吊呢？當時北方徵來的騎兵部隊，到南方打仗，把馬上的將軍吊下來，就叫打馬吊。據說如此。

聖人尋寶

探賾索隱，鉤深致遠，以定天下之吉凶，成天下之亹亹者，莫大乎蓍龜。

這一段是講卜卦的作用，也可以說就是我們過去所講神通中的依通。賾（音ㄗㄜˊ）是指看不見的那一面，幽深神祕叫賾；探賾就是探討它，把它抓出來。索隱就是探索、向裡邊挖，挖到後邊隱藏的、看不見的，讓它看得見，就是探賾索隱。下面四個字鉤深致遠可以作它的註解，就是把那個最遠大最不可知的那一面，徹底的瞭解了。以定天下之吉凶，就用這麼一個小方法，而決定天下大事的好與壞。成天下之亹亹者（亹音ㄨㄟˇ，不倦的意思），亹亹，有很多搞不清楚的東西，搖擺不定。等於我們仰頭看天，看到一個高山頂，看得久了，會看花了那個境界，那種境界叫做偉大的偉，也可以叫做偉大的偉。成天下之亹亹者。莫大乎蓍龜，用龜殼、蓍草來卜卦，看似是個小玩意，

真研究起來，這個裡頭作用太大啦！下面就講卜卦的作用。

是故天生神物，聖人則之。

一枝蓍草、一個龜殼，都是天生的神物。聖人則之，則就是效法，讓我們去效法，宇宙萬物都是給我們效法的；人類很多的智慧，都是看了生物學來的。譬如打太極拳，是效法鳥跟蛇打架來的。蛇跟鳥的戰爭，在山上久了的人，也難得看到一次；尤其是大蛇跟老鷹打架！你站在那裡看，如果你懂了武功，真會悟出一套武術來。那個蛇那麼長，那個鳥飛下來抓它，怎麼都抓不住；可是蛇要抓鳥也抓不住，那個鳥一下來，蛇那麼一扭，那個尾巴就纏過來了，那個鳥就得趕緊逃，不逃被它纏住了就不得了啦。結果兩個打來打去，誰也碰不到誰；太極拳就是看到蛇跟鳥打架摹仿來的。

很多人類的智慧，能夠對人類生活有貢獻，都是受生物界的影響來的。但是人就沒有辦法做螞蟻；螞蟻可以倒著爬，我們人倒過來不能爬，可是也有人拚命練這種功夫。功夫容易練，就是觀念忘不了；因為我們人有空間的觀念，假設真達到沒有空間的觀念，身體不受空間的影響，就可以倒轉來走路了。

天地變化，聖人效之，可見易經的學問，並不是那麼神祕、稀奇，它是觀察萬物來的，是科學的。天地生萬物，我們人有聰明來效法萬物的作用，

產生我們生活的方式。天地有變化——像陰陽的變化、四季的變化……聖人就效法它，來設定人與人之間的關係等等，以和諧社會與人生。天垂象，見吉凶，上天有現象，如日月盈仄、刮風下雨，聖人們從這些天文上的現象，來察看人事的吉凶。所以聖人們對於上天那些尋常或不尋常的現象，那些足以影響我們人生和諧與平安的現象，加以記錄、研究、教育後世的人。「聖人效之」，效法它；這裡邊就有卜卦的道理，用數理、算術的方法來推測人事的吉凶。

九與十的變化

河出圖，洛出書，聖人則之。伏羲時候，河裡邊出來一匹龍馬，背上馱了一個黑白點的圖，當然不是像現在書上這麼整齊。是不是這樣，現在很難考據了！不過相傳如此，大家就叫它河圖；伏羲氏就是看了河圖而畫八卦。

大禹的父親因為治水不成被殺了，兒子大禹又出來治水；那時候，我們中國全國都泡在水裡。古代的神話說，禹感動了天地，於是洛河（河南洛陽）裡邊出現了一隻大烏龜，背上馱了一個圖案，大禹看了以後，便悟道了。大徹大悟，悟到了物理的自然法則，因此他有了神通，終於把全國的水患治平了。

文王後天八卦，就是從洛書裡獲得的靈感。所謂河圖洛書，這個白點、黑點，一個用九、一個用十，是數理哲學最高的運用。九、十的變化，聖人則之，聖人效法而發明了很多宇宙物理，改善了人類的生活文明。

*易有四象。所以示也。*四象就是老陰、老陽、少陰、少陽。作什麼呢？

*所以示也，*示就是上天把宇宙的自然法則告訴你，你有智慧就可以懂啦！

*繫辭焉，所以告也。*易經本來都是圖案，後來經過文王、文王的兒子周公、孔子這三位大聖人，用文字把它說出來，用文字著作易經，叫做周易。繫辭焉，就是在卦圖下面掛上這些文字；*所以告也，*明白告訴你什麼原理。

*定之以吉凶，所以斷也。*他說你瞭解了，拿這個圖案及文言的道理，就可以判斷一切事物的吉凶，便可以斷定自己的生命、前途等等，作為參考，這就是繫辭的作用。

第十二章

自天祐之　吉无不利

易曰。自天祐之。吉无不利。子曰。祐者助也。天之所助

者順也。人之所助者信也。履信思乎順。又以尚賢也。是

以自天祐之。吉无不利也。

子曰。書不盡言。言不盡意。然則聖人之意。其不可見乎。

子曰。聖人立象以盡意。設卦以盡情偽。繫辭焉以盡其言。

變而通之以盡利。鼓之舞之以盡神。

乾坤其易之縕邪。乾坤成列。而易立乎其中矣。乾坤毀則

无以見易。易不可見。則乾坤或幾乎息矣。

是故形而上者謂之道。形而下者謂之器。化而裁之謂之變。

推而行之謂之通。舉而措之天下之民謂之事業。

是故夫象。聖人有以見天下之賾。而擬諸其形容。象其物

宜。是故謂之象。聖人有以見天下之動。而觀其會通。以

行其典禮。繫辭焉以斷其吉凶。是故謂之爻。

極天下之賾者。存乎卦。鼓天下之動者。存乎辭。化而裁

之。存乎變。推而行之。存乎通。神而明之。存乎其人。

默而成之。不言而信。存乎德行。

孔子的宗教哲學

這一章是上傳的總結論，這個總結論可以說是易經對宗教的總評價；也就是對大家信宗教、求神、求菩薩、卜卦、算命的總結論。易經不是迷信，是破除迷信，同孔子說的大同精神是一致的，現在大家看它的內容：

易曰：自天祐之，吉无不利。子曰：祐者、助也，天之所助者，順也；人之所助者，信也，履信思乎順，又以尚賢也。是以自天祐之，吉无不利也！

孔子首先引用大有卦上九爻的爻辭說：自天祐之，吉无不利。大有卦就是火天大有，上卦爲火☲，下卦爲天☰，就是火天大有☲☰。這一卦上九爻的爻辭講了自天祐之，吉无不利。從表面上一看，是上天保佑，大吉大利的卦。子曰：祐者助也，天之所助者順也，人之所助者信也。這就是孔子宗教哲學的意義！世界上多少人都想求上帝、神、菩薩的保祐，孔子說，沒有那麼簡單，菩薩、神不是傻瓜，你給他跪一下，他就保祐你啦！沒有那回事。人人都求上帝保祐，上帝太忙啦；兩邊打官司，都要請他保祐，上帝也不曉得保祐那邊好。尤其我們大家拜菩薩、拜神，花最少的錢，求很大的願，所

求的事情太多了。你想想：一個人化上一二十塊錢的本錢，買串香蕉呀、蠟燭呀什麼的，所求的就是發大財呀、升大官呀、保祐平安呀……很多很多，天下有這麼便宜的事情嗎？

所以孔子說祐者助也。祐就是保祐，本省話就叫保庇；保祐就是保庇。他說天之所助者順也，上天有菩薩有神靈，是順其善道而助之，不是說你燒枝香、磕個頭，菩薩就保祐你了。大家都知道，西藏都是信佛的，照說應該沒有土匪了！結果一樣有土匪。西藏土匪搶了人，馬上到菩薩面前懺悔說「下次不再搶了」；到了下次照樣搶，搶完了又去跪下懺悔：「以後不搶啦」……這樣子就不是順了。人之所助者信也，人要想求上天的保祐，必須先自助而後人助，這絕不是迷信，不是求神拜佛就可以得到上天保祐的。所以天之所助者，順也；人之所助者，信也。要有了信譽，別人才幫助你，人若沒有信譽，誰肯幫助？人都如此，何況菩薩？何況上天？

因此要履信思乎順，又以尚賢也。尚賢，就是要能向善；便吉无不利了。所以要想得到上天的幫助，必須要從自己先把人作好。履，古文就是走路；本來是指鞋子，後來引伸為走路。履信，自己做人要自信信人，要自強自立，自己為善。思乎順，思乎上天之意，上天有好生之德，是至善的；這是天意，天意是止於至善的。所以我們中國古人講「天心至仁」，天心是仁愛

的。

又以尚賢也，這是注重賢德的行為，自己能夠尚賢有善行，才可以得到天的幫助和保祐。現在一般性宗教，大家都是在向神明行賄，好像菩薩上帝也都在貪污一樣，而且善男信女們行賄還不花本錢，祇要跪到那裡磕兩個頭，散會了哭一場，上帝就會保祐你。這個主意完全錯了！一定要懂得自助天助的道理；自助人助，這是中華文化的精華所在，所以人能夠自己尚賢，才可以得到上天的保祐，這樣才是大吉大利，無所不利。這是孔子解釋大有卦上九爻爻辭，而對繫辭上傳所下的結論，也是孔子易經宗教的教義，是永遠不偏向於迷信的教義。

沒有聲音的語言

子曰：書不盡言，言不盡意。然則聖人之意，其不可見乎？子曰：聖人立象以盡意，設卦以盡情偽，繫辭焉以盡其言，變而通之以盡利，鼓之舞之以盡神。

書不盡言，言不盡意，這是孔子的名言。天下的書本，不管是聖人的經典（聖人的書本叫經典，普通人的叫書本），還是任何書本，都不能完全表達

出來它真正要說的話，並不足以代表我們的意思，有時候一句很好的話，會變成壞意，被對方誤會了；所以我們講話，往往會有辭不達意的情形。人類的文字語言，不管英文、中文，任何一種語文，到現在還很可憐，也還不能表達人類真正的意思；假使真能表達意思，人與人之間就不會有誤會了。文字語言，不但不能表達人類的意思，更不能表達一切生物內在的思想，它只是一個臨時用的符號而已。

這個符號的使用，也有很大的限制領域。人與人之間的講話，不一定是只靠嘴來講，還要靠表情。譬如我們看到一件驚駭的事情，會大聲的驚叫「哇」；看到一件好事，也會同樣發出「哇」的一聲。同樣是一種「哇」的聲音，它所表現的意思，還要看那個人的表情，甚至他的肌肉、眉毛、眼睛、手勢等……一個人講話，全身都在講話，可見文字、語言並不能完全表達人們的意思。

二十幾年前的時候，大家主張用錄音機傳播的教育法，我說沒有用，假使錄音或擴音器可以教育的話，世界上便不需要有人教書啦！世界上進步的國家，教學用錄影機、電視來代替人，還是隔了一層。現場就不同了！因為教育除了言語、態度等等以外，還有一種講不出來的感受與力量。這個道理很多古人都講過，孔子在這裡就特別提出來：**書不盡言，言不盡意。**

書是由許多的文字集合而成的，文字語言既不能表達人們的真正意思，所以做學問，瞭解一個東西很難。根據**書不盡言，言不盡意**這兩句話，我們便知道沒有一本中外歷史可靠；歷史上說的多是假話，只有人名、地點是真的，內容卻不一定是真的。但是小說呢？正好相反！小說說的都是真話，可是那個人名、地點都是假的；那個事情好像也是假的，可是人類的確發生過那樣的事。所以我是主張看小說的，而且我認為一個不讀小說的人，恐怕也是一個永遠不懂人情世故的人。我們小時候讀書，一方面讀很古老的古書，一方面也偷偷摸摸讀小說。像我們小時候讀小說，是擺在抽屜裡的，易經是擺在桌子上面的；父親坐在後邊，兩眼瞪著；我們嘴裡唸的是**書不盡言，言不盡意**，眼睛看的是紅樓夢呀、三國演義呀等等。讀小說的確有好處，我是極力主張看小說的；很多家的小孩不准看小說，我的家裡是小說教育，在家裡功課可以馬虎，小說不能不看。不過孩子還沒有成人之前，要看什麼小說，要先問我，我看了才告訴他可不可以看。有些小說不是不可以看，是要等你年齡到了才能看。

聖人之意

歷史上有許多事情說不清的，寫歷史的人除了文獻不全，事理難明外，還受了很多客觀環境的影響。像司馬遷寫史記，要藏之名山，傳之其人，就是一個例子；所以研究起來很困難。有時候研究歷史也非常可笑，這個就是書不盡言，言不盡意的道理。那麼照孔子提出來的觀念來說，聖人之意，其不可見乎？也就是說我們讀的這本書——易經，不是永遠沒有方法瞭解了嗎？準此，那麼一切古聖人、佛、上帝、耶和華等，真正的意思是什麼？我們人豈不是也永遠不能瞭解了嗎？

孔子的答案是「能」，有辦法瞭解。他特別推崇易經，他說這個語言文字固然不足以表達聖人的意思，但是聖人立象以盡意，設卦以盡情偽。卦就是圖案；有時候語言文字不能完全使人懂，還必須要靠圖案來瞭解，藉圖畫來表達意思，這就是古人為什麼要用圖案來替代文字語言的道理。

現在我倒很欣賞美國人、日本人研究易經，都變成圖案、漫畫來研究，更接近事實。我曾經看過一本書叫日文精華，上邊就有那麼一幅漫畫：太陽照得大地很光明，火在天上燃燒，旁邊註了個卦名，就是天火同人卦；上面是天，下面是光明。這就是：設卦以盡情偽。但是要想把這個發生的思想情緒、內外、真假，統統講清楚的話，光靠卦與圖還是不行，必須還有文字；圖案與文字配合，才能真正表達聖人的意思。所以說：繫辭焉，以盡其言。

卦和爻下面有文字，這個文字就叫繫辭。

我們古代所謂的古文辭，是用的這個辭，現在很多人評論一篇文章時，說它的文「詞」如何如何。這個「詞」是詩詞歌賦的詞，是專稱、特稱。詞又有各種不同的調子，再由語言變成文字；詩有一定的規矩，五個字一句就是五言詩，七個字一句就是七言詩；把詩的長短句聯起來變成詞，也叫詩餘。詩餘也是一個專用的名稱，是一種獨特的文字體裁。一般文章裡邊的文句就叫「文辭」，但是，現在如果我們寫成這個「辭」，年輕人看了往往會給你改成詩詞的「詞」。有時候看了真教人感慨萬千，所謂「無可奈何花落去！」實在教人無可奈何！如果你要把它改過來，他反而說我們錯了；究竟是他錯還是我錯？就不知道了。

說到這裡，大家就可以知道，辭就是文句，卦下面掛上文句**以盡其言**，是要完全表達卦的意思。所以文字的意思，就是把我們的思想、意思，變成無聲的語言，再由語言變成文字；僅僅文字也還不夠，還要圖案，跟我們現在講話的圖案一樣。身體的動作、臉上的表情等就是講話的圖案，所以啞吧講話，用的就是國際通用語言的手勢。手勢也是畫，也是圖案，那麼這樣夠不夠呢？還不夠，還要能變**而通之以盡其利**，才能發揮它的作用。文字、言語加上卦、圖案，還不夠，大家還要研究卦的意義，還要懂得

變通；不是礙板的執著這個卦辭，文王怎麼說的，孔子怎麼說的，就此完了，那是不一定的。等於算命卜卦，某一個解釋對某人有利，換一個人就不利，這個中間就要知道變通了，要能變而通之，才能*以盡其利*。可是*鼓之舞之以盡神*，那就難了。鼓舞當然不是打鼓跳舞，那是個形容詞，很難解釋。鼓是充滿、昇華，最高的智慧。拿現在話來講，就是你充滿了，智慧達到最高點、昇華啦！這樣才懂得「神」。

神，我們前面已經解釋過了，神不是菩薩、也不是上帝，宇宙間有個看不見、摸不著不可思議的東西，中國的文字就叫它神。

念佛珠與乾坤圈

下面是孔子在上傳的總結論中，告訴我們研究易經要特別注意乾坤兩卦。

孔子說：

乾坤其易之縕邪？乾坤成列，而易立乎其中矣，乾坤毀則无以見易，易不可見，則乾坤或幾乎息矣！

*乾坤其易之縕邪！*邪就是耶；不是邪（ㄒㄧㄝ），古文中這兩個字是通的，不要把它當作妖邪的邪，那就錯了。邪就等於我們白話文嘆氣的聲音，

啊呀一樣。這句話的意思是說，乾坤兩卦是易的根本，這兩卦的內涵，蘊藏就很多了。易經的內蘊，特別要注意乾坤兩卦的變化。過去我們發給大家很多圖表，像十二辟卦、方圓圖等等，都是從乾坤兩卦開始。乾坤兩卦研究通了，學易經就好辦了，所以孔子說乾坤其易之蘊邪！

乾坤成列，而易立乎其中矣！所謂成列，大家看下面這個圖：

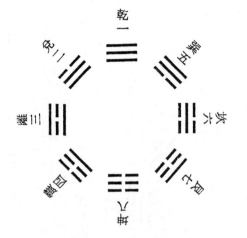

▲伏羲先天八卦圖

這是伏羲先天八卦圖。乾一、兌二、離三、震四，一個行列在左邊；巽五、坎六、艮七、坤八，另一個行列，在右邊，合起來好像一個蘋果一樣。乾坤兩卦分列兩邊，實際上不是兩邊，乾坤是兩個圓圈，像佛教出家人用的念佛珠。道家呢？不用這個東西，用兩個圈圈就是乾坤圈。乾一、兌二、離三、震四是陽面；巽五、坎六、艮七、坤八是陰面。方圓圖圖，各有各的行列，橫圖呢？太極生兩儀，兩儀生四象，四象生八卦，八八六十四卦，從下面一路發展

上來。下面大，上面小，而且多，就像植物一樣。一顆小的種子，一變就變成森林，這樣叫做成列。照這樣看，乾坤兩卦的列就很多啦！現在，我們把先天圖假設成平面來看：

▲伏羲先天八卦平面圖

乾為天，兌為澤，乾與兌配，就是天澤履，翻過來就澤天夬……依次類

易經繫傳別講

推，列表如下：

乾爲天	乾爲天	乾爲天	乾爲天	乾爲天	乾爲天
坤爲地	艮爲山	坎爲水	巽爲風	震爲雷	離爲火	兌爲澤
天地就是否卦	天山就是遯卦	天水就是訟卦	天風就是姤卦	天雷就是无妄卦	天火就是同人卦	天澤就是履卦

配就是把它組合起來，古人就叫它配卦。第一卦是乾，乾爲天。第二卦爲兌，兌爲澤。乾與兌配就是天澤履。第三是離，離爲火，乾與離配就是天火同人……依次乾與巽配就是天風姤，這是一列。如果翻過來組合呢？兌爲澤，澤就是海洋，兌與乾配就是澤天夬，依次離與乾配就是火天大有……巽爲澤，澤與乾配就是風天小畜，像這樣的成列，有很多的變化跟應用，列表如下：

乾坤就是這樣的成列，大家要弄清楚，你把這些搞清楚了，將來觀察一件事物，就不僅祇是看一點、一面了，便會從多方面的觀點、多方面的角度，去瞭解多方面的事物。所以孔子說，**乾坤成列而易立乎其中矣！**

兌爲澤	乾爲天	澤天就是夬卦
離爲火	乾爲天	火天就是大有卦
震爲雷	乾爲天	雷天就是大壯卦
巽爲風	乾爲天	風天就是小畜卦
坎爲水	乾爲天	水天就是需卦
艮爲山	乾爲天	山天就是大畜卦
坤爲地	乾爲天	地天就是泰卦

地球的輪迴

你懂了這個道理，易的作用——天地的作用，就在這個中間起了變化。

所以孔子告訴我們，要研究易經，乾坤兩卦要搞得非常清楚，**乾坤毀、則无以見易**。我們生在天地之間，上面有虛空，下面有地球；如果沒有天地，就

沒有人跟萬物，這是事實的現象。研究易經，乾坤兩卦的重點要把握住！不懂得乾坤兩卦的妙用，也不會懂易經；所以說，**乾坤毀則无以見易**。乾坤如果沒有了，也不需要研究易經了，人類一切的文化也都不需要了，因為空嘛！「空」，什麼都沒有了；易既然不可見，易經的道理，學問、哲學都沒有啦，人類文化便也根本沒有了，那麼這個宇宙又回到了冰河時期，回到了空的境界，回到了天地沒有開闢以前的世界，因此說：**乾坤或幾乎息矣**。

不過要注意啊！孔子這段文字有一個深義，很深的道理。**或幾乎息矣**！「幾乎」息不是真的息滅啊！宇宙是永遠不會死亡的，地球毀了，另一個世界又會出來；不能說人死了，就一切都完了。這個生命是無窮盡的，第二次還會回來，第三次也會回來；不過第二次回來不一定跟第一次來時一樣了，或者女人變男人，或者男人變女人，或者變別的，都不一定！這就是輪廻的道理。世界上沒有真正死亡的東西，這是中國文化易經的哲學，所以叫作「生生不已」，以至於永遠永遠，我們中華文化認為，世界上永遠沒有死亡。

宗教家的觀光飯店

但是一般的宗教家呢？看世界永遠是悲觀的，看萬物是可憐的，看生命

也是沒有意義的，是淒涼的、無常的;;永遠是站在日落西山的角落來看人生。換句話說，世界上的宗教哲學家，永遠站在民權東路殯儀館門口來看人生。所以說世界上的宗教，都是做死人生意的;宣告人們勇敢的面對死亡，告訴大家不要怕死，死了以後有好多個招待所開在那裡;天主教、基督教、回教，到我們那個天堂裡來永生，信我者得救，不要怕死，死了以後將得永生。至於佛教，也有阿彌陀佛極樂世界。這幾個宗教觀光飯店，都彼此拉生意，天天登廣告，你不要怕死，死了到我們那裡去;我們那裡招待週到，樣樣都好……這是宗教。

祇有中國文化不聽這一套，中國文化永遠站在早晨，看太陽出來，是生生不息的，它是站在婦產科的門口看人出生的。一下出來一個，一下又出來一個，都很高興。實際上生死、毀滅與成功，祇是像天氣一樣，像早晨與晚上一樣，是一天的兩頭。中國文化是站在沒有死亡的地方，永遠站在生的這一面，人生永遠看的是明天，沒有今天。今天一切的成就，如果以為很滿足了，那你就要下去了，快沒有用了。今天的成就不算數，祇有明天，永遠的明天.;所以大學上說「苟日新，又日新」。這當然不是天天到日新電影院看電影，是要我們不斷的前進，明天的後頭還有明天，永遠祇有明天;這就是中國文化，的確是與世界上其他文化不同。

之乎者也

所以孔子在這裡也特別強調，乾坤真的會毀滅嗎？孔子在這裡用了兩個虛字。我常常告訴同學們，寫文章要懂得用虛字，不管中文外文，懂得用虛字才是好文章。這個虛字看似不相干，孔子寫春秋的筆法就叫做「微言大義」，「微言」就是虛字，在文章裡看似不相干，好像可以拿掉一樣的虛字，但是關係很大。譬如說孔子這裡用的微言：**則乾坤「或幾乎」息「矣」**！就是這樣。「**或幾乎**」？如果不懂得虛字，幾乎個什麼？

這就等於趙匡胤，當年做了皇帝出來視察，看到城門上寫了四個字，我們姑且說它是「台北之門」；趙匡胤騎在馬上，一邊走，一邊考驗他那個祕書長陶穀，趙匡胤本來並不想用他，但是找不到更好的祕書長。他一方面討厭文人無恥，一方面也實在找不到一個文章好、可以用的人，就祇好用他了。他說城門麼，為什麼四個字？只寫什麼門就好了，為什麼還要「之門」？陶穀說：皇上，那個「之」呀就是助語詞，用來幫助語言的。趙匡胤就吼道：：書呆子就知道那個之乎者也，助得個屁！什麼助呀！

在這個地方，那個「之」字可以拿掉，可以不拿掉，這是真的。但是像

孔子這一句話：乾坤「或」幾「乎」息「矣」，這幾個字決不能拿掉！微言裡面有大義，幾乎、也許、或許、差不多。差不多是死亡，但沒有死亡；差不多快成功，但還沒有成功。不懂虛字，你就看不通它的眞義。所以這種虛字要特別注意！虛字在孔子的文章裡經常出現，孟子也善於用虛字，虛字用得不好的的文章不能看。現在的白話文不用之乎者也，卻用了呢嗎啦呀，也是一樣。有時候多用一個「的」字，或者少用一個「的」字，就差得很遠，大家要懂得這個道理。

有情世界

形而上是個哲學名辭，大家都很熟悉，最初還是孔子提出來的，什麼叫形而上？再看下面的話，你就懂了。

是故形而上者謂之道，形而下者謂之器，化而裁之謂之變，推而行之謂之通，舉而措之天下之民，謂之事業。

孔子接上文說：是故形而上者謂之道。所以形而上者，萬物都有形象，上帝在沒有雞沒有蛋以前，究竟是個什麼東西？先有雞呀先有蛋？不管你雞也好、蛋也好，祇要你有了蛋或者有了雞，已經是形而下了。形而上的，你

說上帝創造萬物，那誰創造上帝？所以上帝就是上帝外婆造的，那上帝的外婆又是誰造的？外外婆是什麼？哪個是形而上呢？這就是哲學問題的形而上，稱它為本體論。

「本體」也是假定的名稱，孔子說的那個東西就叫做「道」，中國人思想所講的道，就是那個看不見、摸不著的形而上。形而下者謂之器，形而下是有了萬物以後，就叫做器，「器」就是物質世界、物理世界。所以西洋哲學家柏拉圖就說，這個世界有兩種世界，一是精神世界、一是物理世界。

在佛學內分的世界更多，物理世界又叫器世界，一切生命叫有情世界，國土世界也是器世界；還有一個叫聖賢世界。聖賢世界就很難得了，是得了道的人另有他們的國土。他們的世界。佛學分世界比希臘哲學分得更詳細，更嚴重了。

中國文化的道

形而上者謂之道。我們中國文化裡頭所謂的道，是代表了本體；讀古書尤其看到這個道字、天字，特別要小心，這兩個字錯用的地方非常多。這句話是說形而上的這個代號叫做道，在宗教方面講就是上帝、菩薩、佛呀等等

道。有時候這個道是代表宇宙間的法則或原理，有時候這個道就是我們行走的道路，有時候我們講到人文的道德規律，也叫做道……都是同一個道字，意義卻有如此的不同。我們看老子「道可道，非常道」，應該如何去解釋？這就要命啦！這三個字要怎麼道呢？「道可道」，有人就解釋第一個「道」字爲形而上「道」的道，可道的「道」，是可以說，是說話的道字。我說你錯啦，他說沒有錯呀，我們看中國古代的書，說什麼人「道」，就是什麼人說，某某人講說，就是某某人道。我說你注意啊！我們中國古書講話，把「說」稱爲「道」是唐朝以後的文化。某人講話，說某人「道」，小說上說某某人「說道」，都是唐朝以後才通用的，唐朝以前少有這種說法。春秋戰國時候是「曰」，孔子曰、孟子曰、現在國語我們唸曰（月），春秋戰國時候不唸「月」，唸「呀」，就叫「呀」，閩南音廣東話就對啦！用我們現在的國語，不能讀中國書的！倒是眞正讀中國書，要用閩南話，或者廣東話，比較接近古音。現在苗栗、新竹講的話爲什麼要叫做客家話？就是因爲過去換了朝代，那些人不奉新朝的正朔，不用新朝的年號，就一路向南方撤退，到了廣東、到了福建；當地人因爲他們是中原來的客人，就叫他們客家人。如果我們用客家語研究唐宋時候的文化，就有用處了，這類例子很多。

「扁」古老王開天地

「道」可道這個道字，就是代表形而上的「道」，形而下就是指這個器世界，物理世界。根據西方現在所謂的宗教哲學來講，認為宇宙是神所創造。這個說法是靠不住的，我們隨便舉例來說，不但是外國，東方也是一樣；天主教說宇宙是上帝創造的，我們中國人說天地是由盤古老王開關來的。我們小時候就常聽盤古老王開天地的故事，當然我們以前也知道這是神話，所以在過去的戲詞就叫「扁」古老王開天地。為什麼我們叫扁古老王？這裡頭有個笑話。從前有個人有三個女兒，老大老二嫁的丈夫都很有學問，祇有三女婿有點傻。有一次老丈人過生日，三個女婿女婿都回去拜壽，小女兒很發愁，兩個姐夫學問好得很，像自己丈夫這個樣子回去，恐怕會很丟人。三女兒就教他，如果岳父問你什麼人開天闢地，你就講盤古老王開天地。但是教了三天三夜還是記不住，太太沒有辦法，就弄個盤子給他掛在脖子上，如果岳父問起來你就摸摸盤子，就知道是盤古老王，表示很有學問的樣子。到時候老丈人真的問他什麼人開天闢地？他果然忘記了，便摸摸盤子，盤子是扁的，傻女婿忽然靈機一動說，「扁」古老王開天地。後來大家就叫他扁古老

王了，這是一個笑話。

中國古書裡邊所繪的伏羲皇帝盤古老王圖，頭上兩邊像一個山峯一樣，有兩個角。這個是有道理的，根據人類進化學，過去人比我們聰明，腦子比我們發達。我們過去形容小孩子很聰明，說他「頭角崢嶸」，過去人據說腦力特別發達，很強。我小時候聽老人傳說，上古時候天體跟地球是相通的，人可以隨便過去玩，天神也可以過來玩；後來因為人太壞了，天體就跟地球的距離越來越遠了。這種神話，東西方都有類似的說法；你把它綜合研究了，會發現人類從形而上到形而下的思想，都有相通之處。因為上一個冰河時期的演變，才把東西兩半球及世界上很多地區分裂開來。慢慢地文字也不同啦，語言也不同啦，其實都是一個來源。

現在孔子講形而上道，形而下器，這個東西很難瞭解。於是我們中華文化裡頭，就有易經這一門學問的出現。易經這一門學問，對形而上與形而下的關係，以及宇宙來源的究竟，化而裁之。不但知道它的變化，而且更重要的是**裁之**。跟裁縫做衣服一樣，你把它剪裁得好，會變成一件很好的藝術品。所以文章思想、人文文化都是**裁之**。**化而裁之謂之變**，這個中間你要曉得變化，變化是什麼？是宇宙變化的法則。也就是說，要能確定它變的過程、動力、軌跡、趨向是什麼……這個完全要靠你的智慧來研究，這就是易經的

學問。

割捨之難

講到這個地方，大家可以知道我們中國文字的運用是非常高明的；譬如說孔子周遊列國，到了晚年沒有辦法在外面混啦，只好回到老家去，辦個補習班打發時間。論語記載孔子回來的感嘆說：「吾黨之小子狂簡，斐然成章，不知所以裁之！」「吾黨之小子狂簡」，這跟現代青年一樣，現代青年就犯這個毛病。孔子說我們家鄉盼我回家，教教我們齊魯的後生小子，他們都很聰明，也很優秀，但是「狂簡」；把天下事認爲太容易太簡單啦，這實在太狂、太不知道天高地厚了，這是不好的。

「斐然成章」，也會寫文章、有思想，但是這個中間，中心思想他還拿不定，不曉得仲裁。譬如民主自由與中國文化政治的關係，這個中間，東方、西方，要怎麼樣才能合於中國國情？就要化**而裁**之了。不曉得**裁**，就不能適合我國之用。有時候一篇文章寫得很好，但是不曉得裁簡，便失去了鏗鏘有力的氣概。

我還有一個經驗，年輕的時候，也很自負，自己從小便名聞在外，可是

我經過一次教訓以後，以至到現在我還不敢寫文章，一輩子都不敢寫文章。

在青年時候，有一次作文章，我的老師還是前清一位翰林公，他說你呀，文章才氣眞好，就是不曉得裁簡！我說每篇文章我都經過仔細修正過。他說你犯了個錯誤。我說請示先生，我的文字犯了什麼錯誤？他說「慳吝」。這使我最不服氣啦，我個性裡邊是個最不慳吝的人，我說「先生之言疑似乎過哉？」老師你講我這個罪名太重了吧？他說你不懂，我講你慳吝，是你在文章上不曉得捨，你不懂得捨，就是不曉得裁。他說你每次碰到好句子，自己不肯丟，怎麼樣也要想辦法把它放在文章裡頭；整篇文章是好的，你這個句子也是好的，但是加到這篇文章裡，便成老鼠屎了。看來割捨很難呀！

我聽了以後，驚出一身冷汗，非常感激，眞的非常感激，佩服極了。這的確是我的毛病，被他指點出來，一點都沒有錯。我說先生我懂啦，這幾句我就是捨不得。他說，你不能捨不得，你要決心丟掉，用到別的地方多好，用到這一段裡邊，用到這一篇裡就不對了。

寫文章就是這樣，很多人寫文章，我看了常常覺得是有好句，沒得好文；有些人不會寫古詩，白話詩也寫得很好，句子也很美，但全篇連起來看，就成了抹脚布了。那眞是沒有味道！這就是寫文章的訣竅，也是經驗。有時候自己寫東西，常常思想裡出了好東西，好東西就捨不得丟，明明是寫一篇

政論性的文章，卻非要把些文學性的句子加進去；那就完啦，就是這個道理。

推的哲學

所以說，化而裁之謂之變。這個變很難，有時候覺得這些句子不必要，但卻把它保留；有時候覺得它必要，卻硬把它刪掉。政治的道理、做人的道理、處事的道理，同易經卦的道理是一樣的，要化而裁之。這就是變！不過先要通，才能知變、才能處變，否則不能應付一個人生，更不能應付時代。

懂得化而裁之，懂得變以後，推而行之謂之通，然後，要推行。我們現在只會喊口號，推行什麼政策，把推行變成一個口號。要知道推之難，要把它推出去，就要懂得推行這個字。

政治上一個新的措施一拿出來，人們的心都會抗拒的，我們讀歷史就知道；一個新的政策要推行的時候，當時常遭人反對，反對者的說辭祇有四個字「民曰不便」。民就是老百姓，老百姓反對，不能推行。老百姓很奇怪，任何一個新辦法，老百姓一開始都是反對的；不接受，就造反！所以要推而行之，把它推出來。要怎樣才能推行而通之？這個中間怎麼推法？推而行之

，現在變成一個專用名詞，推行什麼政策，你怎麼推呀？怎麼行呀？現在人祇在嘴巴上講，又不推，怎麼能行得通呢？每一件事情，報紙上把法令一公佈，天天叫推行，推也推不出，行也行不通，弄得上下互相欺騙，結果就是一推了事。所以大家要懂得化而裁之、要懂得推而行之謂之通，這就是通才之學。

如何來推？這中間就要懂得中國的太極拳了！太極拳的推是圓的，不是直著硬推的，硬推是推不動的，轉一個圓圈就把它推動了。一個東西如果直推硬推，要用一百斤的力量，如果換一個方法順勢而推，也許一個指頭就推動了；這就是以四兩撥千斤的道理，這個中間的巧妙，也就是智慧之學。

千秋萬代

舉而措諸天下之民謂之事業。上次我們談過，你這個人有沒有「事業」，不是你開公司當董事長、當老闆就叫做事業。當老闆、開店子那是四川人講的「玩錢」；玩弄金錢而已，那不是事業。要能**舉而措諸天下之民**的，才算事業。你所作所為對於人類社會有貢獻，因為你的貢獻，能使世界人類安定下來，這才算是事業。這一句話要特別注意，這是我們中國文化對「事業」

講別傳繫經易

」所下的定義。

所謂措，平時我們常說「舉措之間」、「舉措不定」，這個「措」不是指措施，是指安定。舉措之間能使國家社會都安定了，這就叫事業。所謂一個事業，就是這件事情做了，起碼影響五十年、一百年，乃至千秋萬世。

現在人很喜歡著書，但是我常告訴年輕人，現在著書有什麼用？沒有什麼書是值得流傳、能夠流傳的。你看八十年以來，一本書在書架之上放了幾十年，捨不得丟的很少；再看古書，你就捨不得丟了！它永遠有它的價值。現在的報紙和有些書，祇有五分鐘壽命，甚至連五分鐘還不到，人家看了就丟了。看了也不會記得。而有些文章，尤其有些廣告文章，一拿到手裡，連溜一眼也不溜就丟了！還沒有三秒鐘的壽命。所以「好」就是好，大家會告訴大家，這就是好的文章。真好的東西，要有幾十年、幾百年，乃至千秋萬代，人家還捨不得丟，那才叫做事業。古人有一句話說「但在流傳不在多」，能夠真流傳下來的，它的價值不在數量多。你看諸葛亮的一生，有萬古功業之名，文章祇有兩篇前後出師表，永遠流傳下來。諸葛亮的一生，有這兩篇文章也就夠了。可知但得流傳不在多，真正有流傳的價值，這也就是事業的定義。

差不多先生

是故夫象，聖人有以見天下之賾，而擬諸其形容，象其物宜，是故謂之象；聖人有以見天下之動，而觀其會通，以行其典禮，繫辭焉以斷其吉凶，是故謂之爻。

是故夫象，易經的卦象，爲什麼會有這個卦象呢？他說，上古的聖人見天下之賾——那個隱密、奧祕看不見的，有時候要用圖案來表示，擬諸其形容。一個卦象，譬如天火同人，就它的形象、容貌，把它繪成一個圖案，擬諸其形容。每個象的意思，祇是個大概差不多而已，像乾爲天，真的就是指天其物宜。並不盡然，差不多而已！大家注意，象其物宜，差不多像那個樣子。譬如我們照相，照相照出來真正是你嗎？不是你！天地間沒有一個百分之百確的攝影。乃至於自己照鏡子，看鏡子裡的自己也不是真的自己；那是鏡子裡頭的影子。所謂象其物宜，有一點像我而已。我的面孔究竟怎麼樣，自己永遠沒法看到，祇有別人看到過。鏡子裡頭照的是反方向的，不是自己的真面孔。因此大家算命看相，百分之百的準嗎？沒有，象其物宜！差不多而已，這就叫做卦象，是故謂之象。

聖人有以見天下之動，而觀其會通，以行其典禮。孔子解釋易經的爻，爻的意義就是交。上古聖人看到天下之大動，宇宙間都在動，動才有宇宙，宇宙間沒有一個真正的靜態，靜態是個假象，大動小動而已。宇宙萬有的生命也永遠在動，但是動的當中有其共同溝通之處，所以而觀其會通，觀察它彼此通會的地方。以行其典禮，中間找出一個原則、法則，法則就叫典禮，古人這個典，含有「嚴格」、「確定」的意思；像擺在那裡的一個形態一樣。禮就是道理，原理，也是法則。

繫辭焉以斷其吉凶，是故謂之爻。因此在易經卦下面繫上一些話，就是繫辭焉；做了一些文字來說明，把爻的意思告訴我們，以斷其吉凶。這一種法則，這種現象，就叫做爻。

說到這裡，大家要知道，天下的事情是很複雜的，它的變也不是千篇一律的。譬如說，我們現在台灣社會這種情形，這個象就是昨天、去年的象嗎？不是的，它隨時在變；這個變動中間所發生的，往往是小事情大問題、大事情小問題。有時候看來是個小事情，卻是天下的大問題，說不定會成為很大的漏子；有時候發生的事情很大，看起來很嚴重，那卻是小問題。所以為政者就要懂得觀其會通，以行其典禮。這個現象隨時在變，發展的前途是好是壞，你事先就要知道；這就是卦象，不需要卜的。所以古人說「善易者

不卜」。真把易經學通了，不要卜卦、不要算命，一看這個現象，已經知道了，可以**斷其吉凶**了，是故謂之爻，這就是爻。

一言興邦

極天下之賾者存乎卦；鼓天下之動者存乎辭；化而裁之存乎變；推而行之存乎通；神而明之，存乎其人；默而成之，不言而信，存乎德行。

極天下之賾者存乎卦：要想極透徹、極明白，瞭解這個宇宙間的奧祕，就要靠這個卦。

鼓天下之動者存乎辭：鼓是形容辭；充滿了就是鼓，閩南語裡邊好像沒有這個音，但是在四川可以隨時聽到。譬如一個人生氣了，四川人不叫生氣，他說那個人是在鼓氣。河南人也有這種說法，為什麼呢？生氣肚子就發脹，臉上青筋就會繃起來，這就叫鼓氣。四川人經常愛說：唉呀，今天我碰到某某人，一句話逗得他氣鼓脹啦！四川的土話氣鼓脹了，所以鼓是充滿、發揮。**鼓天下之動者存乎辭**，使天下的動被發揮、被鼓起來，那就在辭章了。鼓就是發揮、鼓吹，一個鼓字對天下影響很大；影響了天下的動態，可見文學很重要。

尤其是寫大文章，一國元首，寫一篇好的文章，那眞重要！一篇好的文章，幾句話就厲害得很。過去的共產黨，很會搞這一套；很簡單的幾句話，像窮人翻身啦，反饑餓、反內戰啦……這就是辭，很有煽動性、蠱惑性，大家一聽到，很多人就跟著走了。民國三十七年，抗戰勝利後，國軍復員，中共的東西出來了，「肅清漢奸，消滅游雜」，就這八個字，淹蓋了中國大陸；還有「此路不通，找毛澤東」等……這就是**鼓天下之動者存乎辭**。好厲害！這一套共產黨最拿手，他完全用白話，幾句話就把你煽動啦！國民黨呢？拼命做文章，三民主義呀，五權憲法呀……長篇大套、不著邊際，沒有人看。共產黨很簡單，幾句話就把你弄翻了。所以文辭——言語文字很重要，也非常難；政府現在搞宣傳的，本錢化得很大，其實應該學學易經了。

道德勝利

那麼要想知道宇宙的奧祕，究竟靠誰呢？上帝好呀？還是人好？答案還是人。就是孔子說的**神而明之，存乎其人**。一切「道」都是人文的，人的價值有如此的偉大；智慧至上！智慧到達了神明的境界。我們閩南語有人稱菩薩爲神明，就是這個地方來的。**神而明之**是智慧之學，通神啦、眞正明白啦

，還是存乎其人。上帝從那裡來？是人捧出來的，菩薩也是人拜出來的，假使我們都不拜他，他一點也沒有辦法，所以說沒有人的存在，也就沒有神的存在了。

默而成之，不言而信，存乎德行。到了神而明之的境界，自然達到目的，使老百姓受到影響，這是了不起的聖人。不言而信，不需要搞宣傳，大家就都聽你的，達到所謂萬民服從的境界，天下人都歸心了！那要怎麼樣才做得到呢？每個人要從自己做起，要存乎德行。最後的勝利是道德的行為，不是手段；手段沒有用！用手段最後還是要吃虧的。要想真成功，存乎德行才是根本。這就是繫辭上傳的結論。

老古文化事業股份有限公司
圖書訂購單 (信用卡專用)
台北市 106 信義路三段 21 號

讀者服務專線：(02)2703-5592　　24 小時傳真：**(02)2707-8217**

訂購日期：＿＿＿＿年＿＿＿＿月＿＿＿＿日

姓　　名：＿＿＿＿＿＿＿＿＿　電話：(公司)＿＿＿＿＿＿　(住宅)＿＿＿＿＿＿

地　　址：＿＿＿＿＿＿＿＿＿＿＿＿＿＿＿＿＿＿＿＿＿＿＿＿＿

發票種類：□二聯　□三聯　發票抬頭：＿＿＿＿＿＿　統一編號：＿＿＿＿＿

編 號	書　　名	數 量	定 價	小　計

◎　目錄上之定價已含 5%加值營業稅。
◎　台灣掛號郵資統一為 NT$ 50。
◎　其他地區訂購價格(含郵資)，一律以水陸方式寄書，書款合計 ×1.6 。
◎　**讀者服務專線：(02)2703-5592**
　　24 小時傳真：**(02)2707-8217**

書款合計	NT$
各地郵資計算方式 □台灣郵資　(書款合計+ NT$50) □其他地區郵資 (書款合計×1.6)	
總 計	NT$

信用卡基本資料：
商店代號：＿＿＿＿＿＿＿　　授權碼：＿＿＿＿＿＿＿

信用卡別：□VISA　□MASTER　□JCB　□聯合信用卡　發卡銀行：＿＿＿＿＿＿

信用卡號：□□□□ □□□□ □□□□ □□□□

信用卡有效期限：西元＿＿＿＿年＿＿＿＿月止 (請務必填寫)

身分證字號：＿＿＿＿＿＿＿＿＿＿＿

持卡人簽名：

(持卡人同意依照信用卡使用約定，一經使用訂購商品，均應按所示之全部金額，付款予發卡銀行，並同意以傳真或影印方式訂購產品，所填之影本及傳真內容具有法律效用。)

＊ 請放大影印填寫

購書辦法

台灣地區

1. 郵政劃撥

國內僅收掛號費五十元，其餘郵資由本公司負擔，約十日內收到書。

郵政劃撥帳號：**0159426-1**　帳戶名稱：老古文化事業股份有限公司

2. 電腦網路線上訂購

由本公司委託郵局送件與收款，郵差先生所收取款項爲書籍款項及郵資代收貨價費一〇〇元。

網址：**http://www.laoku.com.tw**

電子郵件：**laoku@ms31.hinet.net**

3. 信用卡訂購單

填寫信用卡專用訂購單後，請利用傳真專線回傳或郵寄至公司。

傳真專線：國內 02 –2707-8217　國外 886-2-2707-8217

郵寄地址：台北市（106）信義路三段二十一號

4. 門市

地址：台北市（106）信義路三段二十一號

電話：（02）2703－5592　傳真：（02）2707－8217

營業時間　早上　11：00～晚上　8：00

其他地區

1. 其他地區訂戶可利用傳真，國際網上購書一律採水陸方式寄書(如需用其他方式請註明)因地區、重量之不同，訂購價格(含郵資)爲書籍定價 ×1.6

戶　　名：老古文化事業股份有限公司

Lao Ku Culture Foundation Inc.

銀 行：華南銀行信義分行

Hua Nan Commercial Bank,LTD.

International Banking Department (Shin Yih Branch)

外匯帳號：**119100034698**

銀行地址：No.38, Sec.1, Chung-King S.Rd.,Taipei , Taiwan , R.O.C

SWIFT Address：HNBKTWTP

FAX：886-2-23315737，886-2-23881194

Telex：11307

2. 其他代理

香港 – 青年書局　　電話：2564-8732

地址：香港北角渣華道 82 號 2 樓

上海 - 老古辦事處　　傳真：21-5254-0546

地址：上海市淮海中路 1950 弄 2 號國興大廈 22E 信箱

武漢 – 大方文教發展公司 電話：27-8721-4139

地址：湖北省武漢大學 6-307 信箱

四 . 兒童智慧開發

備註 ：

1 . 每冊精選中國文化重要經典及詩詞等，並附注音，以供學生誦讀且攜帶方便。

2 . 兒童中國文化導讀注音誦讀本，預定發行 36 冊，2002 年 2 月已出版至第十六冊。

　　PS：自第十六冊起隨書附送 CD 每冊 150 元。

3 . 西方文化導讀 第二冊、第三冊、第四冊，已於 2000 年 10 月出版。

五 . 新書介紹

◆圖書售出後除缺頁裝訂錯誤外概不退還

◆本目錄價格如有變動概以新價格為準

◆大量訂購另有優惠

◆ 歡迎委任印刷

Q1503	原本菜根譚 (明、洪應明著)	80
Q1505	醉古堂劍掃 (明、陸紹衍著)	200
Q1602	古本麻衣相法 (附冰鑑) 清、丘宗孔編	260
Q1603-A	實用相術口訣真傳‧達摩一掌金	220
Q1604	實用未來預知術 (諸葛亮著)	180
Q1605	揭開黃曆的秘密 (蔡策著)	170
Q1606	易經星命與占卜 (朱文光著)	200
Q1608	客家民俗—談贛南 (蔡策著)	200
Q1701	增廣驗方新編 (清、鮑相璈撰)	240
Q1702	針灸技術圖經穴清明圖合編 (林介元編)	150
Q1703	氣功保健與指針自療 (王紹璠著)	80
Q1704	太極拳體用全書 (楊澄甫編)	80
Q1706	氣覺與氣功 (姚貞香著)	200
Q1707	氣功防治心血管疾病 (王崇行編)	220
Q1708	本草備要	200
Q1709	紅燈邊緣話長生—血管病的最新認識 (董玉京著)	200
Q1801	知見雜誌合訂本 (第四冊) 南懷瑾主編	250
Q1803	唐圭峰定慧禪師碑	350
Q1804	石陣鐵書室丙辰日誌摘鈔	300
Q1806	準提鏡壇 (鍍金) 修持專用	3000
Q1807	觀音項鍊	100
R1810	人文世界 1-12 期 (季刊)	每本特價 20
	佛像小圖片 (四臂觀音、準提菩薩、五方佛) 25 開尺寸	每張 10
Q1909	三界天人表	100
Q1910	陞官圖	120
Q1912	白骨禪觀圖	25

三．英譯本

Q7504	靜坐修道與長生不老 (南懷瑾著) Tao And Longevity (朱文光譯)	350
Q7509	習禪錄影 (南懷瑾著) Grass Mountain (劉雨虹譯)	350
Q7513	如何修證佛法 (上) 南懷瑾著 Working Toward Enlightenment (J.C.Cleary 譯)	500

Q0904	周易尚氏學 (尚秉和著)	280
Q0907	周易圖經廣說 (上冊圖說) (下冊經說) 清、萬年淳著 (不分售)	520
Q0908	觀易外編 (清、紀大奎著)	280
Q0909	易問 (清、紀大奎著)	280
Q0910	易學濫觴 (元、黃澤)	100
Q1002	先秦文化史 (孟世傑著)	200
Q1003	鑑史提綱、稽古錄 (司馬光等著)	120
Q1005	清鑑輯覽 (上、下 2 本 1 套) 不分售　　　每套	700
Q1007	25 史彈詞 (楊升庵著)	120
Q1008	清代名吏判牘七種彙編 (襟霞閣主編)	300
Q1009	四書人物類典串珠 (臧志仁著)	280
Q1101	國學初基入門	100
Q1102-A	增訂繪圖幼學瓊林 (清、程允升編著)	200
Q1103	四書白話句解 (王天恨述解)	250
Q1201	二十六史通俗演義 (呂撫著)	280
Q1202	精印三國演義 (上、中、下 3 本 1 套) 不分售 　　　　　　(羅貫中著、金聖嘆批鑑定)　　　每套	800
Q1203	西遊原旨 (上、下原西遊記) 悟元子評釋	500
Q1204	後西遊記 (天花才子評點)	240
Q1205	宮禁后妃生活 (向斯著)	230
Q1206	中國皇帝遊樂生活 (向斯著)	200
Q1301	一日一禪詩 (焦金堂選輯)	180
Q1303	解人頤 (清、錢謙益編)	150
Q1304	諧鐸 (清、沈起鳳著)	100
Q1305	清詩評註 (王文濡)	140
Q1306	清文評註 (王文濡)	120
Q1307	漪痕館新詞譜	140
Q1308	日本戰後的史詩 (木下彪著)	150
Q1311	袖珍詩韻 (新安未老人輯著)	120
Q1312	袖珍檢韻 (清、姚文登輯)	150
Q1314	初潭集 (李贄著)	120
Q1404	金聖嘆才子尺牘 (金聖嘆著)	200
Q1405	八賢手扎 (曾國藩等著)	120
Q1502	菜根譚前後集 (明、洪自誠著)	120

Q0409	成唯識論 (唐、玄奘法師譯)	240
Q0410	大乘百法明門論 (明、釋廣益纂註)	240
Q0411	現觀莊嚴論 (法尊法師譯)	120
Q0412	楞伽經會譯 (宋天竺三藏求那跋陀羅等著)	320
Q0413	金剛經宗通 (曾鳳儀) 精裝本	280
Q0414	楞嚴經宗通 (曾鳳儀) 精裝本	430
Q0415	楞伽經宗通 (曾鳳儀) 精裝本	430
Q0416	佛律與國法 (勞政武著)	600
Q0501	雍正御錄宗鏡大綱 (上、下 2 本 1 套) 不分售 (雍正皇帝選錄、永明壽禪師著) 每套	400
Q0502	水月齋指月錄 (上、下 2 本 1 套) 不分售 (明、瞿汝稷編)	1,000
Q0503	指月錄禪詩偈頌 (編輯部)	180
Q0504	續指月錄禪詩偈頌 (編輯部)	180
Q0506	佛法要領、永嘉禪宗集 (唐、大珠禪師等著)	150
Q0507	高峰妙禪師語錄	120
Q0508	參學旨要	160
Q0509	東坡禪喜集 (明、徐長孺輯)	120
Q0510	六妙法門 (隋、智顗大師述著)	150
Q0511	雍正與禪宗	250
Q0512	佛說入胎經今釋 (南懷瑾指導、李淑君譯著)	270
Q0513	悅心集 (清、雍正選集)	200
Q0601	準提修法顯密圓通成佛心要	250
Q0602	密教圖印集 (第一集)	300
Q0603	密教圖印集 (第二集)	200
Q0605	藏密氣功 (中國藏密氣功研究會編)	220
Q0701	憨山大師傳、密勒日巴傳記 (福善記錄惹穹多傑札把著)	200
Q0803	三國演義的政治與謀略觀 (毛宗崗批)	200
Q0804	水滸傳的政治與謀略觀 (金聖嘆批註)	200
Q0805	宦鄉要則 (清、宦鄉老人撰)	150
Q0806	康濟錄 (清、陸曾禹著)	160
Q0807	從政典範集 (宋、李邦獻著)	160
Q0808	典林瑯環	200
Q0901	道德經釋義 (林雄著)	150
Q0902-A	善本 (易經) 朱熹註	180

一．南懷瑾先生著作系列

書號	書　名	定價(NT$)
Q7101AP	論語別裁 (上冊、平裝本)	300
Q7101BP	論語別裁 (下冊、平裝本)	300
Q7102	論語別裁 (精裝合訂本) 內頁採用聖經紙	530
Q7103-P	孟子旁通 (平裝本)	280
Q7104-P	老子他說 (平裝本)	320
Q7105	易經雜說	260
Q7106	易經繫傳別講 (上傳)	300
Q7107	易經繫傳別講 (下傳)	200
Q7108-C	原本大學微言 (上)	280
Q7108-D	原本大學微言 (下)	250
Q7201	新舊的一代	150
Q7202-A	歷史的經驗 (一)	250
Q7204-A	中國佛教發展史略述	250
Q7205	中國道教發展史略述	220
Q7206	中國文化泛言 (序集)	220
Q7207	金粟軒詩詞楹聯詩話合編	160
Q7208	金粟軒紀年詩初集	200
Q7301-P	楞嚴大義今釋 (平裝本)	400
Q7302-P	楞伽大義今釋 (平裝本)	320
Q7303	金剛經說甚麼 (2000 年新訂版)	300
Q7304-A	圓覺經略說 (2000 年新訂版)	300
Q7305-A	藥師經的濟世觀 (2000 年新訂版)	280
Q7401-P	禪海蠡測 (平裝本)	270
Q7402-A	禪話	220
Q7403	禪與道概論 (精裝本)	300
Q7404	禪宗叢林制度與中國社會	100
Q7405	道家密宗與東方神秘學	270
Q7501	維摩精舍叢書 (精裝本)	360
Q7502	如何修證佛法	360
Q7503-	靜坐修道與長生不老	250
Q7505-A	一個學佛者的基本信念	220